ISBN 88-06-15548-2

Ernesto Ferrero

# N.

Einaudi

## Vera Immagine del Conquistatore

Il Cappello è l'Aquila della Russia, la quale con le sue Zanne ha
afferrato quel potente, e non lo lascia più — Il viso viene rappresentato da
alcuni Cadaveri, di quei tanti che sacrificò alla sua ambizione. Il Collare è
il Torrente di Sangue che sparse per vana gloria — Il Vestito, è un pezzo
della Carta di quella Confederazione del Reno, che adesso è sciolta. I nomi che
si leggono indicano dove perse le Battaglie — Il gran cordone della Legion d'
onore è un ragnatelo, i fili del quale estese sopra tutta la Confederazione suddetta.
Sopra la Spalla in guisa di spallette si vede la gran mano di Dio che strappa
quel ragnatelo, e distrugge il ragno che stà al posto ove dovrebbe essere il cuore.
Trionfo dell'Anno 1813. Ai Tedeschi per il Capo d'anno.
fatto in Berlino.

N.

*A Giulio Einaudi*

Rêverie in forma di prologo

Stava seduto al tavolo dello studiolo, di traverso. Sprimacciava con irritazione le carte che il generale Drouot gli aveva passato, il budget del 1815, come se tra quelle si fosse nascosto uno scarabeo o un cerambice, entrato per caso dalla finestra in cerca di tepore. S'è lamentato tra i denti che il costo delle divise era eccessivo. Controllava che il totale delle singole voci fosse giusto, perché non si fidava nemmeno di Drouot. Non si fidava di nessuno. «Portate le candele», ha detto seccamente. Fuori della Villa dei Mulini la tela del cielo, azzurro chiara, s'era mutata in grigio cenere nel giro di pochi minuti. Il signor Rathéry, il segretario particolare, era passato nella saletta degli ufficiali della guardia a cercare il generale Cambronne. Tra mezz'ora sarebbe venuto il mamelucco Alí ad annunciare la cena.

Sono andato verso il ripiano sotto la finestra della biblioteca, dove avevo appena appoggiato le novità librarie giunte da Livorno, e tra di esse il finto volume sull'estrazione del ferro che in realtà era una scatola. Ho sollevato la copertina come se fosse l'anta di un armadietto. Ho cercato di estrarre la pistola che vi era nascosta con la delicatezza che mi consentiva il tremito delle mani, e ho alzato il cane. Ho stretto la pistola al petto, come fosse una reliquia, e ho spalancato la porta che immette nello studiolo. Allora ho steso il braccio per tutta la sua lunghezza, mirando alla nuca.

Il bastardino che gli stava accucciato accanto s'è rizzato sulle zampe anteriori, ringhiando. L'uomo non si è girato subito, quasi non credesse alle sue orecchie. Poi, senza alzarsi, ha ruotato lentissimamente il tronco, con una gravità un po' teatrale, da antico romano, come forse avrà visto fare dal suo amico Talma, il famoso attore parigino. Nei suoi occhi non c'era paura.

Nell'istante infinitesimale che separa la vita dalla morte, lo stupore senza nome per l'insolenza di un impiegato stava già trapassando in uno di quegli scoppi di collera a freddo per cui andava famoso tra i suoi ufficiali. «La palla che mi ucciderà non è stata ancora forgiata». Quante volte l'aveva detto! Lo ha ripetuto anche adesso, a bassa voce, come se fosse un'ovvietà e lo indignasse il fatto che io ancora non lo avevo capito. «Non ancora forgiata!», ha ripetuto, questa volta gridando.

Allora ho schiacciato il grilletto. Nel ricevere la palla in piena fronte ha strabuzzato gli occhi, quasi volesse seguirne la traiettoria, e controllarne l'esattezza.


Nel gelo delle notti di febbraio mi sono rappresentato molte volte questa scena. Sí, preferivo che lui si voltasse, che mi guardasse in faccia. Non volevo colpirlo alla nuca. Volevo che lui vedesse di che cosa era capace un insignificante cittadino elbano, un erudito locale, il suo bibliotecario, un uomo di lettere: una nullità. La lingua dell'isola dispone di numerosi sinonimi per esprimere questo concetto: baggiano, broccolo, buacciolo, carciofano, cincirinella, gnogna, locco, lollo, strullo, tezzero, timignocco, torsolo, trampano, trasto, trespido. Mi era meno chiaro quello che sarebbe successo subito dopo: la porta che si spalanca di schianto, Alí che si precipita dentro con la bocca distorta dall'orrore e cerca di sguainare la sciabola, quelli della Guardia che accorrono a baionette spianate, il pio e giusto Drouot pietrificato dal tradimento, anch'egli incredulo «voi, Acquabona!», i ruggiti di Cambronne, le lacrime silenziose del generale Bertrand che – lo sapevo –

avrebbe pianto per prima cosa su se stesso, gli svenimenti della dolce Madame Bertrand.

Chi avrebbe dato la notizia a Madame Mère? Sicuramente Drouot. Sarebbe sceso a Palazzo Vantini, avrebbe allontanato con fermezza le dame di compagnia, e richiuso la porta del salotto alle sue spalle. «Madame, l'Imperatore non è piú». Mi dispiaceva per lui, e anche per Madame Mère.

Ai miei non pensavo. Oggi vile assassino e traditore, domani eroe libertario, i discendenti di Ferrante e Diamantina avrebbero avuto di che vergognarsi o gloriarsi a seconda del mutare dei tempi. La notizia avrebbe impiegato almeno cinque giorni ad arrivare a Parigi, e altrettanti a Vienna. Tuttavia era fastidioso pensare al sollievo dei Borboni o alla gioia che avrebbe inondato le cene e i balli dei vincitori.

Che cosa mi avrebbero fatto? Alí non mi avrebbe trafitto, di questo sono sicuro, non di sua iniziativa. Nemmeno Drouot, che aveva troppo forte il senso delle procedure e non si abbandonava mai all'impulso: era il Governatore dell'isola, dunque la suprema autorità in quel momento.

Non mi avrebbero fucilato, e nemmeno impiccato, castighi troppo blandi e istantanei. «Fate che si senta morire». Forse ghigliottinato in Piazza d'Armi, per poter poi mostrare agli elbani inorriditi la mia testa di rinnegato: inorriditi per il delitto, non per la sua punizione. Forse mi avrebbero impalato al Forte Falcone. Peyrusse, il Tesoriere, avrebbe arricchito le sue Memorie, che lo attendevano in tarda età, di una pagina memorabile: «L'infame chiese pietà, pianse, si orinò addosso, morí come il vile che era stato».

A Napoli la Baronessa avrebbe detto alle amiche che all'Elba si era verificata l'ultima cosa che si attendeva al mondo.

Memorie 1814-1815

# Maggio

Avevo lungamente fantasticato un'altra scena, quella del suo arrivo. Lo immaginavo a prua della lancia che lo conduceva in porto, svettante come una polena, lo stivale sinistro già rialzato su una delle doghe, pronto a saltare a terra, smanioso di ricominciare a stupire il mondo. Lo pensavo eretto e vigile come una divinità marina: statuario nella distanza.

Ho frugato con gli occhi le imbarcazioni che stavano entrando nella darsena, e non l'ho trovato. Vedevo soltanto le schiene quadrate dei marinai inglesi ingobbiti sui remi, rossi come fragole. Dal vigore con cui tuffavano i legni in acqua, sembrava avessero fretta di togliersi l'incomodo, scaricare a terra l'augusto fardello e tornare ad occupazioni piú consone: sembrava che il mare gli scottasse sotto i remi. La prua della lancia, sovraccarica, affondava nell'acqua con un taglio spesso, non diversamente dal coltello di mia madre nella tremula gelatina della cotognata, sul marmo delle cucine.

Ho cercato il Sanguinario nel viluppo delle mantelle, dei cappelli e dei piumaggi degli alti ufficiali e dei generali che lo accompagnavano alle soglie del riformatorio dove si sarebbe emendato delle sue colpe. Credevo di riconoscerlo dal grugno, dalle zanne, dall'atteggiamento minaccioso, perché un cinghiale tale resta anche quando dorme. Invece se ne stava confuso su quella barca come una valigia. A questo non ero preparato.

Noi non lo volevamo. Non volevamo sapere di nuove

tasse, di coscrizione obbligatoria, di altre invenzioni della
modernità. Non volevamo essere trascinati in nuovi guai
da quell'Arruffapopoli: la nostra grama vita bastava a se
stessa. Il terremoto che agli inizi di aprile ha squassato l'i-
sola, e fatto tremare persino i bastioni dei forti – evento
raro, che nemmeno i vecchi ricordavano –, è stato interpretato come un segno nefasto. Qualcuno ha anche ricordato la cometa comparsa nei nostri cieli nel settembre 1811.
    Poi si è diffusa la notizia che arrivava accompagnato da
un tesoro immenso.

    Il mio odio per il Grande Beccaio ha una data e un luo-
go: Essling, maggio 1809. Verso la fine di luglio di quello
stesso anno sbarcò a Portoferraio un contadino di Procchio che s'era arruolato nell'esercito di N. A Essling aveva perso un braccio, e si reputava fortunato: erano dodicimila gli uomini che i Francesi avevano perso nella battaglia. Si seppe più tardi che furono assai di più, ma io
rimasi folgorato da quella cifra, perché corrispondeva esattamente agli abitanti dell'isola. Mi rappresentai i paesi
svuotati d'ogni segno di vita che non fosse il ciondolare
dei cani e il ronzio delle mosche; a uno a uno avvolsi i miei
concittadini – anche i poco amati, gli insulsi, i detestati –
nei candidi lini del ricordo. Sentii nelle orecchie i muggi-
ti delle vacche abbandonate.
    Essling non è stata la più sanguinosa delle battaglie na-
poleoniche. È proprio questo a renderla atroce, intollerabile.
    Per anni ho coltivato il mio orrore come si può fare con
un amore incompreso.

    Dopo due giorni di tempesta, il mare s'era fatto liscio
e mansueto. La bonaccia aveva frenato l'ultimo tratto di
navigazione della fregata inglese che, appena affacciata in
rada, sembrava essersi incagliata su un basso fondale. Pi-
giati per ore sui bastioni, in quel pomeriggio del tre maggio, siamo rimasti a spiarla. Flosce le vele matronali, scin-

tillanti i cannoni che sembravano dipinti a sbalzo sul nero della fiancata. Non era una nave, era l'Idea stessa della nave. Tutto in essa diceva la calma, la volontà, la forza.

Una settimana prima erano arrivate altre navi inglesi,
con un pacco di giornali che annunciavano l'abdicazione
dell'Imperatore e il ritorno dei Borboni. Il capitano ha comunicato che i trattati di pace assegnavano all'Inghilterra l'isola, che dunque gli andava prontamente consegnata, sotto pena dei piú duri castighi. Il Governatore generale Dalesme gli ha risposto che, non essendogli arrivate
comunicazioni scritte dall'unico Sovrano cui egli era tenuto a rispondere, se il capitano non si allontanava al piú
presto avrebbe aperto il fuoco.

L'inglese si è ritirato come se fosse quella la risposta che
si attendeva. Il giorno dopo, altra nave inglese, altra bandiera bianca. Questa volta il messaggero è francese, un
emissario di Luigi XVIII. Ha detto che l'isola è stata assegnata all'Imperatore, il quale si appresta a prenderne possesso: gli elbani si preparino ad accogliere il nuovo Re.

Quando la nave è scivolata in rada, il Governatore ad
ogni buon conto ha ordinato ai cannoni del Forte Stella di
tirare alcune salve a prua. I colpi d'avvertimento sono caduti in acqua sollevando alti pennacchi. La fregata non ha
risposto al fuoco, e ha alzato una bandiera bianca.

Gli Inglesi hanno messo a mare una scialuppa che in
cinque minuti è arrivata alla Punta del Gallo. Nella scialuppa c'erano il generale Drouot e i due commissari alleati, Campbell inglese e Koller austriaco.

Il generale Drouot sembra un frate domenicano che una
qualche bizzarria della Provvidenza ha obbligato ad abbracciare la carriera militare. Ha un volto chiaro e grigio,
e grigi gli occhi, una coroncina rada di capelli appena arricciati sulle orecchie. Ha l'aria di scusarsi della stessa eleganza della divisa e delle decorazioni che gli brillano sul
petto, dell'oro degli alamari. Emana da lui una serenità in

grado di dominare la sofferenza, pronta al martirio. Lo immagino al Colosseo, che attende a piè fermo il leone chiamato a sbranarlo. Come accadde ad Androclo, il leone arriva a passo lento e strascicato, lo riconosce, gli lecca la mano.

Il Governatore Dalesme è sceso di gran carriera dal Forte per accogliere il glorioso camerata, «il saggio della Grande Armée».

Drouot ha confermato che a bordo della fregata c'era Sua Maestà l'Imperatore e Re, nuovo Sovrano dell'Elba. Egli lo aveva preceduto per preparare lo sbarco, e mettere a punto il cerimoniale in ogni suo dettaglio. Recava una lettera del sovrano, quella stessa che è stata poi incorporata nel proclama del Governatore.

Nella lettera, l'Imperatore dice di aver sacrificato i suoi diritti agli interessi della Francia, e di essersi riservato la sovranità e proprietà dell'isola d'Elba. Egli desidera far conoscere agli abitanti questo stato di cose e le ragioni di una scelta dovuta «alla dolcezza dei loro costumi e del loro clima». Assicura che essi saranno l'oggetto costante dei suoi piú vivi interessi.

Gli ospiti sono stati condotti alla Mairie. Cosí da quattordici anni chiamiamo alla francese la casa municipale, che per noi resta la Biscotteria da quando ai tempi di Cosimo I ci cuocevano pane e biscotto per gli equipaggi delle galere. Vi aleggiano sentori di carne salata, gallette, pepe, acquavite, olio rancido, salnitro e sudore, e «Biscotteria» rende bene l'aria meticcia che ha la gestione della cosa pubblica.

L'incontro è avvenuto in una sala del primo piano, un po' piú capiente delle altre, attorno a un tavolo dalla tovaglia sdrucita, violacea come per un vino fermentato male. Il Governatore ha detto di essere molto preoccupato: ha forti dubbi sulla «dolcezza» degli elbani. Ha passato gli ultimi mesi a sedare tumulti, a contenere il partito favorevole agli Inglesi e ai Napoletani, a fronteggiare ammutinamenti di disertori che non volevano piú saperne di Francia e di Napoleone e di Grande Armée. Quelli che è riuscito a catturare li ha resi inoffensivi deportandoli in continente. Poi si è chiuso in Portoferraio con poche centinaia di soldati fedeli, come fanno i governatori diligenti all'annunciarsi della tempesta. La sua preveggenza è stata molto lodata.

Come a corroborare i suoi timori, i commissari alleati raccontano il viaggio del Vinto attraverso la Provenza: la folla inferocita, i ceffi da patibolo, le donne scarruffate che volevano ucciderlo con le loro mani. – L'Imperatore non intende esporsi ad altre offese, – ha detto il generale Drouot, accorato e incredulo al tempo stesso, ma ancora pieno di cristiana energia, come un missionario che non si capaciti delle violenze dei selvaggi che deve civilizzare.

È stato portato dell'aleatico, sono stati fatti dei brindisi. Il generale ha appena intinto le labbra nel bicchierino e l'ha rimesso sul tavolo, pur continuando a giocherellarci con la mano.

– Bisogna preparare ogni cosa per domani nel modo piú conveniente, – ha ripetuto Drouot, consultando di continuo l'orologio del panciotto. – Le accoglienze devono essere calorose, ci vogliono applausi, festeggiamenti. Occorre un grande concorso di popolo entusiasta.

Ci siamo guardati, ci siamo come contati. Ci siamo accorti non essere cosí numerosi da formare un grande concorso di popolo.

È sceso il silenzio. Il Maire ha cominciato a tossire; soffocava, ha cercato di allargare il nodo del colletto. Per fortuna il Governatore si è dimostrato all'altezza della sua fama di uomo risoluto. – Bisogna dare avviso alla popolazione, – ha detto. Si è ritirato con uno scrivano nella stanza accanto.

Dettava con voce tonante, soddisfatta di sé: – ... Le vicende umane che hanno condotto l'Imperatore... Il pegno della futura felicità... Egli vi ha ben giudicati... Le parole del Sovrano non hanno bisogno di essere commentate... esse formeranno il vostro destino...

Abbiamo ammirato il Governatore.

Il sottoprefetto Balbiani, di professione avvocato, naso triste, occhio scettico, labbra atteggiate a una smorfia di lieve disgusto appena mascherato dai folti baffi, si è ritirato a scrivere un proclama anche lui. Il suo tono è riuscito stranamente festoso. A furia di cambiare padroni, Balbiani ha perfezionato l'arte di manifestare allegrezza per l'avvento di ogni nuovo signore. È questo, suppongo, che fa il vero notabile. Balbiani ci informa che si è realizzato «il piú fausto avvenimento che potesse mai illustrare la storia di quest'isola», ci invita a dare «libero corso alla gioia», ci ricorda le prime parole pronunciate dall'Augusto: «Io vi sarò buon padre: siatemi voi buoni figli». A noi rivaleggiare in zelo e fedeltà per servirlo, per renderci degni «di quel segnalato favore che la Provvidenza ci accorda».

È cosa utile leggere la prosa dei minori, perché il raffronto ci rende una migliore idea della grandezza dei Maestri.

Infine è toccato al Maire Traditi. Dopo mezz'ora di sforzi non gli era ancora riuscito di formare una frase. Mi ha fatto chiamare dal segretario:

– Martino, mio buon amico... Sono un po' affaticato... emozionato, anche... Voi che siete di penna felice, dovreste aiutarmi a riordinare le idee... È una faccenda delicata, perché non possiamo nominare certi eventi dolorosi... Insomma, malgrado l'amore che portiamo alla nostra isola, dobbiamo ammettere che per cotanto Uomo è una sistemazione un po' risicata... angusta, nevvero.

– Poniamo l'enfasi su di noi, – ho suggerito. – Se per esempio diciamo: «Dopo un lungo giro di vicissitudini... è toccato all'isola fortunata accogliere nel suo seno l'Eroe...»

– Benissimo! Ottimo incipit! L'Eroe...

– «Tanto piú grande nei rovesci della fortuna... quanto moderato nel colmo delle vittorie» –. Mi divertivo a recitare al di là di ogni decenza, e Traditi non se ne accorgeva. Era stata proprio l'immoderatezza degli appetiti a rovinare N., a spingerlo nel nostro *cul-de-sac*!

– Ma suona benissimo, – s'è infiammato lui. – Perfetto!
Propongo di insistere sul passato:

– Potremmo ricordare i tempi dell'annessione alla Francia. «Quando ci ha riuniti nel suo vasto impero Egli non ha riguardato questa piazza... come il volgare aumento di un territorio oscuro... ma... ma come un acquisto degno della sua gloria e del suo scettro».

– Ah, Martino, non si poteva dir meglio! Sapevo di poter contare su di voi!

Non oso dire a Traditi che, volendo dissimulare, abbiamo finito per rivelare il nostro vero sentimento: sotto i Francesi ci siamo sempre sentiti un territorio oscuro e volgare. Peggio ancora: estraneo, indifferente.

Affermare con troppa enfasi significa negare.

La tipografia del Broglia ha lavorato tutta notte. All'alba i manifesti grondavano inchiostro dai muri, e tutti li hanno mandati a memoria. La loro fervida prosa ha riscaldato i cuori. Ci siamo sentiti crescere nella nostra stessa considerazione.

I corrieri hanno annunciato la buona novella a Rio, a Longone, a Capoliveri, a Campo, a Sant'Ilario, a San Piero, a Marciana, a Poggio, a Sant'Andrea. Il Consiglio comunale, riunito d'urgenza, ha deliberato l'arco trionfale, l'illuminazione generale, la distribuzione di pane ai poveri. Si è stanziato un primo fondo di quattromila franchi per le spese festive.

In serata, la scialuppa inglese ha accompagnato sino alla fregata, che si chiama *Undaunted* («Indomabile»: nome davvero napoleonico), una scelta delegazione dei nostri. C'erano il Governatore, il Maire, il Sottoprefetto, il Vicario Generale, notabili vari, tra cui mio fratello Ferrante.

L'Imperatore li ha accolti amabilmente. Si è discusso a lungo del cerimoniale e della bandiera del nuovo regno. L'Imperatore, che vuole porsi come continuatore d'antiche glorie, ha detto di aver consultato varie opere sui duchi di Toscana e sugli Appiani, e d'aver scelto infine un drappo bianco attraversato diagonalmente da una striscia rossa, su cui spiccano tre api dorate: simboli di regalità, secondo una tradizione che risale almeno al Quattrocento.

Mio fratello ha trovato felice questa intuizione del Potere come dolce industriosità in seno alla Natura, del Guerriero che si trasforma in Cincinnato. Ho scoperto che questa idea della bandiera con le api ognuno dei nostri notabili cerca di attribuirla a sé. Il piú attivo in questa rivendicazione è il signor Pons, l'amministratore delle miniere, forse perché l'Imperatore si è appartato a parlare con lui per cinque minuti. Ci sono state discussioni. I rapporti tra il Maire e il Sottoprefetto si sono raffreddati.

Il mastro velaio dell'*Undaunted* ha lavorato tutta notte. Si è convenuto che l'Imperatore avrebbe preso terra quando la nuova bandiera fosse salita sul Forte Falcone: alle quattro del pomeriggio del giorno dopo.

In casa nessuno ha dormito. Siamo rimasti a guardare le luci tremolanti dell'*Undaunted*, a interrogarci su quell'Uomo, sul sentimento degli Inglesi, su quello degli isolani. Nostra sorella Diamantina ha cavato dagli armadi gli abiti della festa. Ha annunciato che per l'indomani avrebbe preparato dei sorbetti di festeggiamento.

Lo braccavo da quindici anni, almeno da quando comparvero i primi libri sulla campagna d'Italia e poi su quella d'Egitto. Avevo deciso di studiarlo come si possono studiare i sintomi del mal francese, i veleni dei serpenti, la natura del Diavolo.

Non saprei dire che cosa avesse orientato a una decisione tanto ferma un carattere che per fermezza non brilla. Inclino a credere di non aver scelto la mia materia, ma di essere stato scelto da essa. Forse cercavo semplicemente di capire il fantasma che sconvolgeva le nostre vite: dapprima in modo mediato, remoto; poi sempre piú diretto.

Finché la sorpresa s'è mutata in sgomento e furore: non tanto e non solo per Lui, per le sue imprese assassine, quanto per le moltitudini adoranti che lo chiamavano Eroe, che correvano a uccidere e si facevano uccidere nel suo nome: per la tonnara in cui aveva trasformato l'Europa. Per la cecità dei sovrani che lo chiamavano fratello e gli davano la figlia in sposa.

Non mi sono lasciato scoraggiare dal fatto di vivere su un'isola in cui gazzette, libri, notizie e uomini arrivano avaramente. Mi sembrava anzi che la posizione defilata fosse di giovamento all'imparzialità dell'investigazione, cui ancora credevo. D'altra parte N. si preoccupava di tenerci aggiornati dei suoi trionfi. Non c'era battaglia vinta che non fosse accompagnata dall'affissione di un proclama del Governatore: l'Imperatore ha vinto a Heilberg! le perdite dei Nemici sono stimate in trentamila uomini tra morti, feriti e prigionieri, otto bandiere e nove cannoni! il maresciallo Soult è entrato in città! Questo serva di consolazione ai Buoni e di ravvedimento ai male intenzionati!

Come i Buoni potessero rallegrarsi dell'ammazzamento di trentamila cristiani in una sola battaglia, sfugge al mio raziocinio; tanto piú che tra i Nemici c'erano dei Toscani, dei Lombardi, degli Italiani, visto che i principi pescano uomini dove gli pare. Oltre ai materiali raccolti a Piombino e a Livorno, nostro cordone ombelicale con il mondo, profittavo dei viaggi dell'*Après-Vous*, lo sciabecco con cui la nostra famiglia esercita i suoi commerci. La nave tocca con una certa regolarità i porti di Ajaccio, Genova, Tolone e Marsiglia; a meridione scende verso Civitavecchia e Napoli, talvolta verso Cagliari e Palermo. Mio padre, mio fratello, i capitani sapevano di quale merce fossi ghiotto, e consentivano amabilmente alle mie richieste, che poi divennero presto le loro, e di tanti altri.

Ho accumulato libri, gazzette, manifesti, proclami, stampe varie, medaglie, lettere, voci e notizie annotate di mio pugno, appunti, schede.

Questo accanimento di collezionista mi ha valso la fama di bonapartista, che per pigrizia non mi sono mai preoccupato di smentire. D'altronde non ho mai parlato con nessuno delle mie cogitazioni, né mi interessa essere assegnato a questo o a quel partito. Guardo ai miei concittadini, ai miei parenti e a me stesso come agli abitatori di un paese i cui usi e costumi sono a prima vista incomprensibili, e possono essere compresi – rispettati, forse anche moderatamente amati – solo dopo uno studio lungo e pacato. Al piú discutevo con mio fratello, ma senza accanimento, per ingannare la noia degli inverni: non ho mai preteso di far cambiare parere ad alcuno con il ragionamento.

Ero convinto che il semplice rilevamento di certi dati mi sarebbe stato di giovamento: i numeri degli eserciti e delle battaglie, dei cannoni e dei cavalli, dei prigionieri e dei caduti, delle regioni conquistate e delle miglia percorse; soprattutto, il tempo impiegato negli spostamenti, che è un po' la chiave di tutto. Questa attitudine mi deriva forse dall'aver badato alla contabilità – peraltro assai semplice – dell'impresa famigliare. Mi sforzavo di tenere la contabilità dell'Eroe all'insaputa di lui. Forse il suo segreto, la sua follia e quella dei suoi seguaci, di noi spettatori – vili e confusi come tutti i testimoni – stavano nascosti nelle colonne di cifre che con gli anni presero a correre a rompicollo, a gonfiarsi, a occupare le mie carte come un cespuglio di rovi.

Perché nelle cifre si nasconde una indiscutibile moralità. Quando, ancora bambino, mio padre mi ha esortato a prendermi cura delle cose di famiglia, accarezzando i legni dell'*Après-Vous* ha detto semplicemente:

– Per fare una nave come questa ci vogliono settemila querce.

In un'isola che conta angosciosamente i propri alberi, la cifra mi ha dato il capogiro.

*Mercoledí 4.*

Sono le sette del mattino, Ferrante ha spalancato le finestre che danno sul porto, e s'è incollato al cannocchiale. Da mezz'ora fruga la nave palmo palmo, spia i movimenti dei marinai. Annuncia che gli Inglesi stanno mettendo a mare una scialuppa.
   – Ci sono degli ufficiali... Dei generali forse... È lui!
   – Ma come fai a vederlo?
   – Il bicorno! Ma dove va?
Il porto qui sotto è tranquillo, ha ancora il respiro lungo del sonno.
   – Punta verso Bagnaia! – annuncia Ferrante in tono di
scoperta. – Ci vo anch'io!
Fa sellare il cavallo, parte. Torna a mezzogiorno con le
notizie. Mentre qui in città fervono i preparativi, N. ha
voluto visitare la villa di Pellegro Senno a Magazzini.
   – Senno faceva parte della delegazione dei tre deputati nostri che sono stati a Parigi nel 1803, quando ci hanno annessi all'Impero, – almanacca Ferrante. – Te capisci
che l'Imperatore è in grado di ricordarsi tre deputati del-
l'Elba intravisti dieci anni fa... Ci giuro che le sue mappe
le sono cosí precise che sopra ci sta anche la villa di Senno, e il capanno degli attrezzi, e il cane, e la cuccia del cane, e la cacca del cane. Cosí ha pensato di fare una capa-
tina da Senno.
Della visita imprevista, come di tutto quello che riguarda N., Ferrante ha raccolto numerose versioni. L'u-
nica cosa certa è che alle costole di Sua Maestà si sono ap-
piccicati il colonnello Campbell e il capitano Ussher.
   – Quegli sbirri! – li apostrofa Ferrante.
Primo racconto. Quando l'Augusto prende terra la villa risulta chiusa: Senno è già corso a Portoferraio per con-
certarsi con il comitato dei festeggiamenti. Spediscono un
messo in città: torna con le chiavi, ma senza Senno. Nel-

l'attesa, N. disquisisce di colture con i suoi accompagnatori e i contadini accorsi, s'informa sui raccolti, cava dal gilet monete d'oro, si lascia baciare le mani dai beneficati. Loda la cura con cui sono tenute le vigne. Nemmeno in Corsica, dice, ha visto terre accudite piú amorevolmente.

– Questa è una cucca che ha messo in giro il Senno, – commenta Ferrante.

Seconda versione. Appena sbarcata, la piccola comitiva si divide. Campbell e il capitano Ussher vanno da una parte, i Francesi dall'altra. Dopo venti minuti un contadino scorge l'Imperatore in capo a un sentiero, si cava il berretto e grida a pieni polmoni: «Evviva il Re d'Inghilterra!» D'istinto, N. pone mano alla sciabola. Il contadino si dà alla fuga. Viene inseguito, raggiunto, interrogato. Pare che poco prima il capitano Ussher avesse regalato al figlio del contadino una moneta con l'effigie di Re Giorgio, perché voleva fare un giro con un cavallo che il bambino teneva per la briglia. Il padre ha dedotto che quella strana mattina c'erano degli alti ufficiali inglesi in passeggiata e s'è ritenuto in dovere di inneggiare ai benefattori. A questo punto N. si rivela, cava una moneta con la propria effigie, ne fa dono ai villani.

Terza versione. N. trova un contadino intento a zappare. Lo interroga. Il contadino, il Segnini di Poggio, non lo riconosce. Spiega che lui fa il falegname, ma poiché ha dovuto pagare un compaesano affinché partisse soldato al posto del figlio (questo consentono le leggi sulla coscrizione: comperare la vita, o la morte) è venuto a lavorare sui campi del signor Senno per racimolare i soldi di un debito troppo grande per lui. Maledice la guerra, maledice l'Imperatore e si allontana.

I contadini li ho poi interrogati anch'io, con la segreta voluttà di sentirmi dire che sí, l'avevano visto, che era grasso come un porco, che era gonfio, magari ubriaco di buon'ora, ecc. Loro hanno detto che quella mattina non hanno visto nessuno, che non avevano nemmeno il tempo di pisciare, che dei foresti se ne impipavano. Hanno bestemmiato la Maremma con maggior gusto del solito.

Non me ne stupisco. Ognuno di noi vede quel che già sa, la sola verità praticabile è quella che meglio gli conviene: un'emozione che prende il volo, un'indignazione che s'accende, un pensiero che mette in movimento altri pensieri. Esistono tanti Alessandri quanti sono gli storici che ne hanno scritto, e le sole cose certe sono le sue impetuose vittorie e la sua morte precoce. È forse vero il Bonaparte che racconto per averlo visto con i miei occhi? Esistono centinaia, migliaia di Bonaparte per quanti sono gli uomini che l'hanno incontrato, e non sono piú o meno veri di quelli che vivranno nell'immaginazione dei posteri.

(Mi è poi nato il sospetto che Egli stesso alimenti tante disparate versioni, che tutte concorrono in vario modo alla sua leggenda: intrecciandosi, ampliandosi, generando cerchi concentrici di nuove *mirabilia*. Un giorno di speciale confidenza ho cautamente confidato questa ipotesi al generale Drouot. Sorridendo a fior di labbra, com'è suo costume, il generale ha scosso la testa: – Gli uomini hanno bisogno di favola. L'Imperatore non ha necessità d'inventare nulla).

Alle quattro del pomeriggio la bandiera con le api dorate è ascesa sul pennone del Forte Falcone. I cannoni dell'*Undaunted* e gli urrà dei marinai inglesi, che arrivavano distintamente sin qui, hanno annunciato che l'Imperatore lasciava la nave. I cannoni di Forte Stella cominciano a tuonare.

Ci precipitiamo in darsena.

Pioviggina, la giornata è color grigio perla, quaresimale. Il colore delle cose sospese.

La lancia dell'Imperatore è sbucata dalla torre della Linguella come dalla quinta di un teatro, s'è fatta largo nel brulichio di barche che l'accompagnavano. Poche bracciate, e già procedeva languidamente sullo slancio. I venti-

quattro marinai hanno alzato i remi come alabarde in parata. Finalmente l'ho identificato. Si era tolto il famoso
cappello, e con la sinistra lo teneva alla vita; con la destra
si allisciava i capelli.

Ho scrutato i miei concittadini. Davanti a me, sul molo, il Maire Traditi, nobile aretino, sudava nella marsina
invernale, anche se la giornata non poteva dirsi calda, e
tamponava la bocca rotonda con un fazzoletto. Accanto a
lui Vittoria, sua moglie e mia cugina, provava macchinalmente l'inchino, flettendo le ginocchia con brevi scatti; e
intanto sistemava la tesa del cappello «alla Paloma» che
s'è fatta fare a Firenze da una modista che serve i Gran-
duchi. Il Vicario Generale Giuseppe Filippo Arrighi si
guardava intorno per vedere se gli altri guardavano lui. Da
giorni aveva fatto sapere ai fedeli che per via delle origini
corse aveva legami di parentela con l'Imperatore. Adesso
intimava: – Non spingete! Non spingete! – anche se nessuno lo premeva, principalmente per via degli effluvi che
emanano da lui, notorio mangiatore d'aglio e cipolle, di
cui ama farsi preparare robuste insalate. Il dottor Cristino Lapi, comandante della Guardia Nazionale, uno dei
primi giacobini dell'isola, adesso che l'ora della sua gloria
stava arrivando con quella scialuppa, la fissava con una intensità dolorosa, quasi temesse di vederla inghiottita dalle acque all'ultimo istante. André Pons de l'Hérault, l'amministratore delle miniere, sporgeva marcatamente in avanti il labbro inferiore, un poco scimmiesco, non so se per una
qualche perplessità, o per il compiacimento di appartene-
re – lui di padre spagnolo – alla stessa etnia dell'Illustre
Sopravveniente. Mio fratello Ferrante si affannava a cercare nel barcame che accompagnava il Sovrano la lancia
che aveva imprestato ai Vantini, i quali avevano voluto godersi lo spettacolo dal mare, imbarcando a maggior festa
due violinisti, tre chitarre, un mandolino, un tamburino e
vari famigli tirati a lustro: aveva paura che la barca, sovraccarica di gente eccitata, affondasse. Mia sorella Dia-

mantina ha detto: – Svengo! Svengo! –, e mi ha passato il ventaglio perché provvedessi a farle aria.

La gente della darsena gettava fiori, cappelli, baci, gridi d'evviva, in una nuvola di fazzoletti. In una delle tante barche decorate sei fanciulle in bianco peplo, anch'esse accompagnate da violini, continuavano a cantare: «Apollon, exilé du ciel, est réfugié en Thessalie», ode che a molti è sembrata poco appropriata, ricordando l'esilio a un esiliato, foss'anche il divino Apollo. Ma ora quel canto esiguo era sovrastato dallo strepito generale, e le fanciulle sembravano boccheggiare come dai vetri d'un acquario.

– Non lo vedo! Non lo vedo! Dov'è? Victoire! – ha gridato alla moglie il Maire, ormai definitivamente sopraffatto dall'ansia. Non l'aveva mai chiamata alla francese.

– Ma lí, davanti a voi, sotto i pennacchi delle guardie svizzere! – ha detto Vittoria, che è una buona credente ma non s'intende di uniformi.

– Benedetto Iddio! È proprio Lui! – ha esalato il Maire.

Venti braccia si sono protese a fermare la corsa della lancia e assicurarla alle bitte del molo. Nello scompiglio di mantelle, sciabole, piume e sciaccò, la barca dell'Ospite beccheggiava e l'Imperatore è stato fermamente sorretto da due rosse cariatidi inglesi, che gli stavano alle spalle. Finalmente è saltato sul molo con la superstite grazia d'un vecchio cavallerizzo. Pallidissimo, di busto assai lungo e tondeggiante, gamba corta. Per questo fa miglior figura a cavallo, e credo che Lui lo sappia benissimo; ma i cavalli non erano ancora stati sbarcati. Sulla fronte stempiata gli gira a virgola il famoso ciuffo, d'un castano un po' spento, tendente al grigio. Sembra non avere ciglia, né sopracciglia. Si è passato piú volte la mano sul viso. Ha trattenuto nel naso un piccolo rutto, come se una burrasca gli avesse commosso lo stomaco.

Aveva l'aria di uno dei tanti commercianti che arrivano dal continente e anche se la traversata è breve non vedono l'ora di mettere piede a terra.

Traditi si è piegato in un inchino interminabile, ha cercato accanto a sé il piatto d'argento con le chiavi della città, l'ha offerto con vero trasporto al Sovrano. La ricerca di chiavi che avessero una sufficiente distinzione simbolica è stato uno degli incubi della mattinata. Non c'è chiave, per quanto ben forgiata, che possa reggere un esame del genere. Non c'è chiave adatta per un uomo come l'Imperatore. A mezzogiorno Traditi ha optato per le chiavi di casa Manganaro: robuste, autorevoli, ma svelte di una certa leggerezza araldica.

Il Sovrano ha guardato le chiavi incuriosito, come se non le riconoscesse per sue, e le ha restituite a braccia ben tese al Maire. Ha detto con fare bonario:

– Monsieur le Maire, riprendetele, son io che le affido a voi. Non potrei affidarle a piú degna persona –. Ha una voce calda e suasiva, rapida e vibrata. Anche la pronuncia italiana, che alcuni dicevano scadente, m'è parsa buona.

Traditi ha dedotto da quelle parole che l'Imperatore già lo conosceva e apprezzava. L'inattesa scoperta gli ha seccato le fauci. Dopo aver affidato il bacile e le chiavi ad altre fanciulle in peplo, ha cavato una carta di tasca, e ha cercato di pronunciare la *locutio* che aveva preparato:

– Maestà Imperiale, – ha detto, – ho l'alto onore... – ma non gli è riuscito di proseguire. Allora il Vicario Arrighi, cui quegli indugi parevano indecorosi, lo ha prontamente sopravanzato, e con sciolta loquela ha porto al Sovrano il benvenuto del clero elbano, e la promessa della piú rispettosa devozione e obbedienza, ringraziando Iddio onnipotente dell'immenso onore che aveva voluto riservare all'isola. Brandiva un grosso crocefisso d'argento. Per troncare un discorso che gli riusciva già troppo lungo l'Imperatore, con uno scatto, si è impossessato della croce, l'ha sfiorata con le labbra e gliel'ha restituita: col che riteneva di avere estinto i suoi obblighi. Poi, visto che il cerimoniale l'aveva dettato lui stesso, e che la pioggia s'infittiva, s'è mosso deciso verso un baldacchino ricoperto al cielo di stagnola dorata, sorretto ai lati da quattro uomini.

I generali, i commissari, il Governatore, gli Inglesi dell'*Undaunted* e vari altri ufficiali si sono prontamente accodati. Non s'erano mai visti tanti ori sulle divise, né cordoni e spalline piú turgide, decorazioni piú folte, sciabole piú sontuosamente lavorate. A confronto l'Imperatore ostentava – per cosí dire – la sobrietà tante volte lodata in lui. Portava l'uniforme verde dei Cacciatori a cavallo della Guardia, pantaloni bianchi, stivali militari con gli speroni dorati. Sotto il soprabito grigio-azzurro spuntava soltanto la Croce della Legion d'Onore. Non aveva la sciabola.

Il corteo s'è mosso ondeggiando. Traditi voleva dare il braccio a Vittoria, ma ha finito per appendersi al suo; ha guardato il Vicario con astio.

Le guarnigioni del 35° reggimento di Fanteria leggera, del III Battaglione Straniero e del Battaglione Franco, che attendevano sulla darsena dalle otto di mattina senza un goccio di vino, hanno presentato le armi. I gendarmi francesi avevano steso con le braccia un cordone a contenere la folla, e facevano il dover loro con la fermezza un poco ottusa dei muli. Alle finestre si pigiavano dei vecchi sbasiti che litigavano per veder meglio; le madri badavano a che i bambini non volassero dietro i fiori che scagliavano sull'Ospite come fossero pietre.

Ferrante mi ha affidato Diamantina, alquanto rianimata anche se strascicava i piedi con aria languida di Maddalena, e ha scalato il corteo fino a giungere a ridosso del baldacchino. Siamo sboccati in Piazza d'Armi: lo strepito dei sacri bronzi, non piú schermato dalle case, ci ha investiti in pieno; e la folla ne ha provato come un urto, s'è fermata. L'Imperatore ha detto qualcosa al cugino Vicario, il quale ha convenuto con lui con l'aria di scusarsi.

Il *Te Deum* è stato fragoroso, il canto è uscito tonante dai nostri petti.

L'uomo si è accomodato sull'inginocchiatoio rosso, assestando le ginocchia come se fosse appena salito a cavallo, e dovesse saggiare la comodità della sella, la lunghezza delle staffe. Con un riflesso macchinale, ha palpato i fianchi dell'inginocchiatoio, quasi non trovasse le briglie. Già chino, ha ancora stirato le gambe, a sciogliere i muscoli intorpiditi. Adesso le suole dei suoi stivali guardano il pubblico dei fedeli: due grosse occhiaie color panna spiccano sul nero scintillante dei pantaloni. Nel prendere possesso del nuovo regno l'Imperatore ha voluto indossare stivali nuovi, e intende farcelo sapere. Sporgo il collo per prendere accurate misure di quei piedi.

Se ogni oggetto ha un suo messaggio da trasmetterci, gli stivali del Sovrano dicono che la regalità si accompagna a piedi piccoli; piccole, bianchissime, morbide sono anche le mani, adesso intrecciate in preghiera. Dove sta la grandezza di un moderno Reggitore di popoli? Nella testa, ovviamente, in quel cranio rotondo, bombato, stipato di pensieri possenti. Peserà da otto a dieci chili, quella testa di granito, forse molto di piú. Invece le ciocche dei capelli sono disposte in morbide ondulazioni, come in un bambino appena levato dalla culla: leggere, quasi femminee (penso alla nuca del piccolo Re di Roma che adesso sta a Vienna prigioniero di suo nonno). Ciocche curate da una governante amorosa, che sembrano non avere mai conosciuto la polvere, l'acre sudore nervoso che deve accompagnare l'eccitazione delle battaglie.

Il nostro Duomo è a misura dei piccoli piedi del Sire. Sembra piccolo, ma è comodo, largo, capiente come una nave da carico. Molte volte durante le liturgie mi sono distratto a pensare che sarebbe stata un'ottima arca di Noè: là i buoi, qui le pecore e i cavalli nani... Adesso la navata è gonfia dei parati che il Vicario è riuscito a trovare. Vi hanno cucito sopra alla meglio altre «N» dorate; altra stagnola luccicante ravviva gli addobbi smorti di muffa dopo l'in-

verno. Fluttuano mollemente sotto la pressione dei sudditi, che si spingono con una ostinazione muta.

Ho rialzato lo sguardo verso l'altare. Improvvisamente mi sembra piccolo anche il Dio che siamo qui convenu-
ti per ringraziare di averci dato un tale Sovrano. Un Dio
di paese, di piccola isola, poco piú di un governatore militare, compromesso in un giro di affari minimi, un raccolto di buona annata, una tonnara, una salina, uno sciabecco, un po' di vino smerciato in continente. Un Dio di
possidenti che gli prestano i loro appetiti e la loro suscettibilità, e sono abituati a tirarlo per la manica; e gli parlano ammiccando, mercanteggiando; e si lamentano con Lui
perché non piove sulle campagne arse.

In questo umidore di darsena non saprei dove trovare
il Dio dei vincitori, né quello dei vinti. Dicono che guardare lo stellato notturno aiuti a trovare Dio. Io credo il
contrario: che l'Universo sia troppo vasto per noi, e che la
Terra sia un angolo dimenticato del cosmo, proprio come
l'Elba era una *quantité négligéable* dell'Impero. Afferma
Platone nelle *Leggi*: tentare uno scambio di favori con gli
dèi è un pensiero che può nascere soltanto nella mente
mercantile di un ateo.

Malgrado l'impegno che mettiamo nel canto e la profusione degli incensi, malgrado lo zelo dell'alto e basso clero intorno all'altare, dovrebbe essere evidente ad ognuno
che questo non è un *Te Deum*, ma un ufficio funebre, il
compianto per un Potente caduto. Qui, nell'ultima isola
dell'Impero dissolto, nessuno intende che siamo stati riuniti a seppellire ambizioni smisurate. Di che deve ringraziare Iddio, l'Imperatore? Della mortificazione che gli è
stata inflitta affinché si ravveda? Ci fosse qui tra noi un
predicatore vero, ne caverebbe un sermone sulla vanità
delle imprese umane. Quanto a noi, gli esultanti, siamo gli
strumenti di quella mortificazione; siamo la corona di spi-
ne dell'Imperatore, dirò empiamente, e non lo sappiamo.
Fingiamo di non saperlo.

Non piú tardi di due anni fa, un centinaio di Elbani,
tra ufficiali e soldati, è partito con le armate napoleoniche
alla conquista del grande impero russo. Di quei cento non
ne sono tornati piú di dieci, trascinando con sé tali brandelli di racconti che nessuno li ha voluti ascoltare. Qui,
dove la neve cade raramente, abbiamo imparato come sono fatti i moncherini degli assiderati.

In una pausa della funzione l'Ospite ha dato un sospiro che era quasi un lamento, ed è stato sentito distintamente da tutti.
   – Ma non era un ateo, un mangiapreti? – ha chiesto
Diamantina a Ferrante. Lui ha scosso la testa. La politica
ha ragioni che le donne non possono intendere.
   Finita la sacra funzione, siamo tornati alla luce della
piazza; c'è stato un nuovo assalto di popolo, e cittadini che
volevano baciargli le mani. Sono scoppiati altri mortaret-
ti, alcuni assai vicini, e il Vicario se ne è sdegnato. Invece
il Sovrano, a quel crepitio familiare, si è un poco rianima-
to. A strappi abbiamo percorso poche decine di metri sino alla Mairie. Miglior alloggio non s'è trovato per l'O-
spite. Cinque stanze al primo piano, quelle stesse in cui
una decina d'anni fa abitava a muso torto il comandante
Hugo con tre figli rachitici e scontrosi, dopo che la moglie
l'aveva abbandonato con la scusa di andare a trattare affari a Parigi.
   Tra ieri pomeriggio e stamattina le piú distinte famiglie elbane sono state invitate a offrire i loro mobili per
rianimare le stanze con un arredo almeno decoroso. Sono
arrivati a frotte divani e poltrone, tavolinetti, trumeaux,
cassettoni, qualche quadro a soggetto bellico, sia pure di
una guerra mitologica, quasi arcadica. Ferrante ha deciso
che noi Acquabona avremmo offerto un monetiere di scuo-
la siciliana del Seicento, che stava nella mia camera di bambino, e m'era assai caro. Le quattro colonnine in ebano e
tartaruga della porticina centrale reggono un piccolo log-

giato. Dentro v'è come un tabernacolo da cui si accede a un'infilata di cassettini segreti fatti per il gioco e la meraviglia, non certo per celare veramente qualcosa. Vi albergavo collezioni di conchiglie, di minerali e monete antiche secondo una gerarchia di valore e di rarità; e portavo con me, appesa a un nastro, la chiave del tabernacolo perché Diamantina non mi furasse i pezzi piú pregiati. A Ferrante quelle collezioni non interessavano perché, pur essendo piú giovane di me, era convinto di averne di migliori.

Nella gara delle donazioni Leopoldo Lambardi ha superato financo Vincenzo Foresi, che tra noi ha fama del possidente piú florido. Ha recapitato alla Biscotteria un sontuoso tavolo con istoriata in avorio l'immagine di N. che presenta Maria Luisa ai principi della Casa imperiale. Quando l'ha visto, Sua Maestà s'è impietrito. È rimasto a lungo in silenzio, carezzava con la mano la superficie del tavolo, a togliere delicatamente una polvere che non c'era.

A gomitate ci indichiamo l'uomo triste alle spalle di N. È il famoso generale Bertrand, Gran Maresciallo di Palazzo, gran geniere, il virtuoso dei ponti e delle dighe, il Governatore dell'Illiria. È un uomo dal volto rotondo e carnoso, e pochi capelli già spruzzati di grigio. Porta la sofferenza stampata in volto; si vede che parlare gli pesa; scambia qualche cenno con Drouot.

– Ha fatto la prima campagna d'Italia, – sento sussurrare alle mie spalle. – Ha fatto l'Egitto...

Provo un fiotto d'inarrestabile pietà per Bertrand. Prima sorpresa: i fedelissimi di N. non gli somigliano, sembrano migliori di lui; soffrono e non lo nascondono. Sarebbero questi i generali che hanno messo a fuoco l'Europa? Sembrano parenti nobili che hanno tentato invano la fortuna in continente, e adesso tornano all'isola per medicare le ferite.

Dell'immensa coorte dei generali e dei marescialli sono rimasti in due: Drouot mi sembra pacificato nelle scelte che ha fatto; Bertrand trascina il fardello della fedeltà come se fosse piú pesante del tradimento. Ha sposato una cugina dell'Imperatrice Giuseppina, molto piú giovane di lui. Ogni tanto si guarda alle spalle, come se la cercasse, e fosse preoccupato del suo ritardo.

La scala che dall'androne conduce al primo piano è angusta. Per non vederla, l'Imperatore s'è messo a discorrere fitto con chi gli stava accanto. Siamo arrivati alla sala principale, diciamo delle udienze, in cui è stata installata una predella prelevata dalle scuole, e sopra una poltrona dorata con funzioni di trono. Ai lati, tre violini e due viole hanno cominciato a suonare ariette festose.

L'Imperatore si è accomodato precariamente, la gamba destra ripiegata sotto il sedile e quella sinistra tesa in avanti, come se già volesse spiccare un balzo per il congedo. Al suo fianco si sono schierati il Maire e il Sottoprefetto. L'udienza è cominciata. Gli sono stati presentati i sindaci dell'isola, i consiglieri anziani, i notabili, autorità militari minori.

Egli è sembrato rinfrancarsi, ha ripreso un po' di colore, e perfino scherzato. Al Governatore ha detto: – Ebbene, camerata, avreste mai creduto di vedermi all'isola d'Elba? – Dalesme, muto, s'è inchinato. Al cugino Vicario: – Buon per voi che vi siete dato a un ministero di pace, la guerra ha troppe vicissitudini, e io sono un esempio dell'instabilità della sorte.

L'arciprete di Capoliveri, che è un piagnone, ha cominciato a parlare delle difficoltà e dei malesseri del clero. Egli lo ha interrotto:

– No, Monsignore, *Dominus vobiscum* non è mai morto di fame. Abbiate fiducia, in ogni caso. Provvederò ai bisogni del clero.

Tocca ai notabili laici. Mio fratello viene presentato come imprenditore e fornitore del presidio. Io come l'erudito locale, studioso di lettere francesi. Lui inarca un sopracciglio, mi guarda come se stessero cercando di vendergli un vecchio ronzino. Cerco di restare impassibile; batto i tacchi come un vero militare, mi ritiro, inciampo nei miei stessi stivali. Sento ridere alle mie spalle.

Il Sovrano s'è ripreso, parla e parla. Scopriamo con emozione che conosce ogni minimo dettaglio dell'isola: risorse, commerci, dazi, trasporti, industrie, agricoltura, porti, naviglio, piazzeforti, strade. Promette il suo paterno impegno. Dice che se il mondo è stato fatto in sei giorni, lui rifarà l'Elba in un tempo molto minore. Scoppia un brusio d'ammirazione. Il commissario inglese alza gli occhi al cielo. Ferrante è impressionato.

Dice l'Imperatore: – So che alcuni abitanti del mio nuovo governo non mi amano molto, ma io farò in modo che alla mia partenza abbiano cambiato opinione a mio vantaggio. Per l'adempimento delle mie promesse conto sullo zelo di tutte le Autorità costituite.

Le Autorità annuiscono, i commissari alleati si guardano: N. è sbarcato da un'ora, e già parla della sua partenza.

La seduta è tolta. N. ha manifestato il desiderio di visitare le fortificazioni del Falcone e dello Stella, e l'intero sistema difensivo della città. Prima di uscire dalla Biscotteria con i suoi generali, ha fatto intendere che ritiene l'appartamento degli Hugo del tutto inadeguato alla sua dignità imperiale: a pochi metri dalla piazza e dalle taverne, esposto al frastuono, al puzzo. Ha annunciato che l'indomani avrebbe trovato un palazzo piú acconcio.

L'Orco è molto affabile. Proprio alla mano.


Hanno sempre cercato di prenderci per soffocazione. Una vela che punta sull'isola può significare tutto: arrivo di notizie e di merci, prepotenze di soldati, agguati di incursori e di pirati. Quante volte abbiamo visto arrivare in darsena ufficiali sbrigativi che venivano a intimare la resa ai governatori, con l'aria di chi viene a riprendersi il suo. Ma la cosa peggiore è il blocco navale.

Da quando gli Inglesi sono arrivati l'8 marzo a Livorno, interrompendo le comunicazioni con il continente, siamo rimasti due mesi senza notizie e senza commerci: sospeso il trasporto di minerali, ferme le miniere di Rio. Ridotti alla fame, quelli di Rio hanno alzato la bandiera napoletana; e cosí hanno fatto quelli di Capoliveri. A Marciana Marina, visto passare al largo un brick inglese, sono andati a impetrare dal capitano la protezione britannica. Per puro entusiasmo hanno poi abbattuto due telegrafi semaforici e devastato qualche vigna.

È questo il disamore cui allude il Bonaparte, sicuro di porvi rimedio. Ma adesso anche lui imparerà cosa vuol dire vivere sui bastioni con l'occhio al mare, con l'ansia di sapere se arriva qualcuno da Montecristo, dalla Corsica, da Capraia. Sentirà anche lui il suono delle campane a martello che chiamano i contadini. Il giorno che vedrà arrivare venti navi inglesi gonfie di cannoni come vacche gravide capirà che sono venuti a prenderlo per trasportarlo in un lontano altrove.

Nel tardo pomeriggio se ne è partito per le fortificazioni. È tornato con un'aria soddisfatta. Per ingegno di bastioni, terrapieni e rivellini, per spessore di baluardi, e accortezza di camminamenti interni, per ampiezza di caserme e magazzini Portoferraio è inespugnabile (credo che Egli lo sapesse benissimo sin da quando era Primo Console). Centocinquanta cannoni possono infilare gli assalitori di mare e di terra; e il Falcone è cosí rilevato che non è pensabile di attaccarlo con uomini, e nemmeno con cannoni. È vero che la città può essere battuta in breccia da San Giovanni, dall'altra parte del golfo, come è accaduto negli assedi del 1799 e del 1801, ma le centinaia di palle che sono cadute sui nostri tetti non hanno arrecato vera devastazione. Quell'artiglieria tanto cara all'Imperatore, che ha deciso tante sue battaglie, qui è piú utile agli assediati che agli assedianti.

Nel '99 gli Elbani hanno messo in fuga i Francesi senza cannoni e cavalleria, con la semplice astuzia del cacciatore che conosce palmo a palmo i campi, le macchie, i boschi e i sentieri, e sa dove sorprendere il cinghiale che gli guasta i raccolti. C'erano almeno duecento Francesi che galleggiavano nel golfo di Procchio come grosse meduse rosse e blu, disfatte oscenamente dalla morte.

Al pranzo offerto dal Maire N. è apparso rinfrancato. Non ha toccato cibo, ha appena inumidito le labbra con il nostro vino, ma ha parlato a briglia sciolta per due ore: delle gloriose campagne con cui ha tenuto in scacco gli Alleati con un esercito di reclute diciottenni; delle mosse con cui ha battuto Blücher in numerose battaglie, che Egli ritiene il suo vero capolavoro militare; dell'ignobile defezione di Marmont, che ha deciso le sorti della contesa; del maresciallo Berthier che, chiesta qualche ora per sistemare certi affari a Parigi, è corso a buttarsi nelle braccia di Talleyrand e di Fouché; della viltà del Senato francese, che ha avuto il coraggio di chiamare «delittuosa» un'opera esaltata fino a pochi giorni prima. Egli avrebbe potuto continuare a combattere, ma non voleva imporre a Parigi e alla Francia altri sacrifici, altro sangue. Per questo ha rinunciato:

– Si è mai visto qualcosa di piú ingenuo di questa capitolazione? Ho abdicato, e adesso sono un uomo morto.

L'energia con cui ha pronunciato queste parole bastava da sola a dire il contrario.

È stato un momento di intensa commozione. «Non l'ho mai ammirato tanto come adesso», ha confidato Traditi ai suoi cari. Persino il dottor Lapi, poco incline ai moti del cuore, ne ha avuto gli occhi umidi.

A quel punto il Maire Traditi ha preso coraggio, e brindato agli illustri personaggi che stavano scrivendo la pagina piú gloriosa della storia elbana.

È calata la notte. Centinaia di fiammelle si sono accese alle finestre, la Biscotteria è stata assediata da cori e stornelli fino all'alba.

Uomo grande! La tua bell'anima
s'apra a novelli affetti;
i pochi a te soggetti
tu puoi felicitar.

E da una turba ingenua
che la finzione ignora
dall'una all'altra Vittoria
Padre ti udrai chiamar.

L'Imperatore s'è lamentato che i canti gli hanno impedito il sonno. Mesi dopo, quando sono entrato in confidenza con il signor Marchand, primo cameriere, gli ho chiesto se sapeva come l'Imperatore aveva passato la sua prima notte elbana.
– Leggendo, – ha detto asciutto Marchand. Ho insistito per sapere che cosa esattamente avesse letto. Marchand si è stretto la testa nelle spalle:
– Un libro vale l'altro, – ha detto. Intendeva dire che Sua Maestà sa cavare da ogni libro anche non eccelso quello che gli conviene, e tutti concorrono alla sua genialità.

*5 maggio.*

La piazza è solida, ma occorrono uomini per difenderla. Quali? Ci siamo accorti che cento marinai inglesi sono rimasti a terra. Sono loro la vera guardia: l'Imperatore lo ha chiesto al colonnello Campbell, il quale ha acconsentito. Dunque Egli non si fida del Battaglione Franco, degli stessi soldati francesi che erano sull'isola prima del suo arrivo. Teme complotti, attentati?

Quando lo vedo girare scortato dagli Inglesi, N. mi sembra un prigioniero in trasferimento, anche se Egli ama intrattenersi ostentatamente con il colonnello Campbell piú che con i suoi fedeli. Con nessun altro esibisce tanta confidenza, garbo, amabilità; richiede continuamente la sua presenza, lo vuole a cena, dovunque.

Questo Campbell è uno scozzese che sembra un meridionale: non alto, con un naso imperioso e un po' gibbuto, nerissimo d'occhi, sopracciglia cespugliose, denti da roditore, una fronte spaziosa sormontata da ricci corti e duri, un'espressione mobile e intenta, ma come rivolta a qualcosa che è altrove. Lo si direbbe diviso tra la soddisfazione di potersi intrattenere con il Grande e le costrizioni di un ufficio che lo relega su un'isola fuori mano, mentre ben altri piaceri lo attendono altrove. Tratta l'Imperatore con una condiscendenza lievemente spazientita.

Qui lo chiamano Càmbel, Bertrand è diventato Beltràm. Sono suoni piú familiari, un modo per ricondurre gli illustri alla nostra portata.

Tra i pochi che non hanno ceduto all'emozione è il vecchio notaio Mazzei, fedelissimo ai Lorena. Lo incontro in piazza, che dondola la vecchia testa di tartaruga. Dice con una smorfia, senza abbassare la voce aguzza, quasi in falsetto:

– Non ha nemmeno trovato il coraggio di uccidersi. Questi bei tipi d'avventurieri la dignità non sanno che è.

Il notaio ha appeso in studio una stampa berlinese a colori per il Capodanno 1813. Raffigura «la Vera Immagine del Conquistatore»; la didascalia spiega: «Il cappello è l'Aquila della Russia, la quale con le sue zanne ha afferrato quel potente e non lo lascia piú. Il viso viene rappresentato da alcuni cadaveri, di quei tanti che sacrificò alla sua ambizione. Il collare è il torrente di sangue che sparse per vanagloria. Il vestito è un pezzo di carta di quella Confederazione del Reno che adesso è sciolta. I nomi che si leggono indicano dove perse le battaglie. Il gran cordone del-

la Legion d'Onore è un ragnatelo, i fili del quale estese sopra tutta la Confederazione suddetta. Sopra la spalla in
guisa di spallette si vede la gran mano di Dio che strappa
quel ragnatelo e distrugge il ragno che sta al posto ove dovrebbe essere il cuore».

Ho molto invidiato al notaio il possesso della stampa.
Non l'ha tolta dal muro nemmeno adesso, e ci tiene a farmelo sapere. Quanto a me, mi sono sentito perfettamente interpretato e quasi vendicato da quel ritratto.

– Vanno su ai Mulini! – La notizia corre per la città. Il
Maire e Càmbel accompagnano N. a visitare l'ampia sella
che sta tra i forti del Falcone e dello Stella; il codazzo diventa corteo; i soldati s'affannano a tenere indietro gli importuni. Il generale Bonaparte ha prontamente identificato la posizione migliore: di lassú si domina la città, il porto, la rada, il mare fino alla Toscana; di lí si controllano
agevolmente amici e nemici, i traffici, gli arrivi e le partenze. C'è aria, luce, senso del possesso.

– *Nous y sommes!* – dice Sua Maestà, e batte il piccolo piede, e gonfia il petto già tanto rotondo, e offre il volto al vento, come se il vento dovesse prendergli il calco per
una medaglia di prossimo conio: l'Elba riconoscente al suo
Imperatore.

Per sfruttare il maestralino che qui soffia con giudizio,
agli inizi del Settecento hanno costruito granai e mulini.
Ponendo mano ai lavori, si disseppellirono tombe d'epoca romana, lucerne, ampolle, lapidi; e, per l'avvedutezza
del nonno, in casa nostra sono finite delle monete con l'effigie di Adriano e di Antonino Pio. Il duca Gian Gastone
vi aveva poi fatto costruire una casetta rustica con cisterna per il giardiniere del Governatore, che stava allo Stella; e attiguo, un carcere civile. Vent'anni fa ci aggiunsero
due nuovi quartieri, uno per il comandante dell'Artiglieria, l'altro per quello del Genio. Padiglioni semplici, di modesta fattura, raccordati da un corpo centrale a un solo pia-

no, dove adesso stavano degli ufficiali. Sei anni fa sono stati demoliti i mulini, e sul fronte del mare s'è ricavato un bello spazio aperto.

Quando hanno smontato le grandi ali in legno e tela dei mulini ho provato un senso di spoliazione. Mi è sembrato uno di quei gesti con cui il boia umilia simbolicamente il condannato, privandolo degli oggetti personali, che costituiscono la sua vera identità. Se la mia infanzia ha avuto un rumore, è stato quello dei mulini, il vorticare delle loro braccia, insieme aereo e pesante; le vibrazioni delle ruote dentate e delle pulegge, i cigolii e i rimbombi, la gravezza delle ali quando s'abbattono a terra e lo slancio con cui si risollevano verso il cielo, in un ribollire di onde invisibili. Aveva, ogni mulino, il suo ritmo e la sua musica: la grave e la nervosa, la malinconica e l'allegra; e tutti insieme facevano uno stormire di mostri lignei pronti a involarsi verso la Toscana.

Il concerto grosso dei mulini mi pareva esaltante quanto le pagine più sonore d'Omero e dell'Ariosto. Stavo interi pomeriggi sui bastioni, dopo aver corrotto con certi sigari l'abate Lorenzi che mi faceva da precettore; e non sapevo decidere se il maggior piacere mi veniva dall'orecchio, o dall'occhio. Commosso dalla mia assiduità, il mugnaio mi aveva fatto dono d'un sacchetto minuscolo che pareva contenere una reliquia di santo. L'ho conservato per anni, anche quando in casa hanno dovuto gettare la farina ormai guasta, da cui si levava uno stormo inesauribile di farfalline. Il mugnaio mi aveva anche chiesto se da grande avrei voluto fare il suo mestiere. Mentendo per cortesia, ho risposto di sí. In realtà mi sarebbe piaciuto essere il falegname che aveva costruito quei congegni insieme bellici e mansueti, convinto che nulla poteva pareggiare l'emozione di vederli avviarsi in quel volo frenato, sempre uguale e sempre diverso.

Quando ho saputo che l'Imperatore eleggeva a sua dimora i Mulini, ho sentito riaprirsi la ferita, come se la sop-

pressione delle creature alate, sei anni fa, fosse stato uno
dei suoi tanti ordini crudeli. Di certo, se non fossero stati
rimossi allora, avrebbe ordinato di abbatterli adesso. Cosí
mi sono risparmiato un dolore piú grave. Perché non è vero che gli anni ci rendano insensibili o addirittura cinici.
In gioventú, ogni disastro grande o piccolo è rimediabile
perché sei convinto di essere immortale. Con gli anni, il
sommarsi dei lutti e delle sconfitte fa diventare intollerabile anche l'avvizzire di un mandorlo, l'agonia di un asino.

Il mio vero nome sarebbe Auro, che sommato a quello
di Ferrante e Diamantina sta a testimoniare le passioni mi-
neralogiche di nostro padre, geologo per filosofia prima
ancora che per diletto. Uomo ordinato, egli venerava la
mente matematica che sovrintende alle rigorose invenzioni della materia: solida ma non inerte, a suo dire, anzi pen-
sante. Serpentini, scisti, quarzi, basalti, graniti: ognuno
aveva per lui un carattere, un'anima austera o gioconda,
grave o vana, come accade agli umani; ma tutte degne di
studio. Uomo di buone letture, alludeva talvolta a quei minerali come a una scrittura, a un poema di cui occorreva
cogliere la melodia possente.
    Mia madre disse che rifiutava di chiamarmi con quel
nome. Lo trovava freddo e ambizioso e fuori luogo, perché scarse sono le tracce d'oro sull'isola, se si eccettuano
le pagliuzze che stanno confuse nelle sabbie di certe spiagge, che a scompigliarle nell'acqua bassa mandano scintillii
d'incanto. Questo non le ha impedito di accogliere con entusiasmo il nome imposto a mia sorella, anche se sull'isola non v'è traccia nemmeno di diamanti.
    Ripudiata la mia identità metallifera, mia madre me ne
ha imposto un'altra: quella che a lei ricordava Martina,
l'amatissima balia di Poggio che l'aveva allevata come una
madre: come lei garrula e rotondetta, ignorante e sapien-
tissima: rapita ancor giovane dai pirati barbareschi durante
una traversata a Piombino, e non piú tornata.

A me non dispiace portare al maschile un nome femminile. Invidio alle donne la capacità generativa e il dono di nutrire di sé altri esseri viventi; quanto alla loro supposta debolezza e capricciosità, ogni città e ogni campagna offre esempi che stanno a dire il contrario. Cosí, quando qualcuno mi chiama Martino, può accadere che lo corregga: Martina, prego. Questo ha contribuito alla mia fama di persona bizzarra, e diciamo anzi francamente ambigua. Tutte etichette che mi convengono, se bastano a tenere lontani gli sciocchi.

A notte inoltrata l'Imperatore ha fatto chiamare il signor Pons. Gli ha detto che intendeva visitare le miniere, e chiesto se era in grado di offrirgli la colazione a Rio per le nove della mattina, se ciò non era di troppo disturbo per Madame Pons. Gli è stato garantito che la tavola sarebbe stata apparecchiata per le nove in punto. Era ancora buio quando Sua Maestà è stato visto imbarcarsi con Bertrand e Drouot sulla scialuppa inglese che lo avrebbe portato a Bagnaia, all'altro capo del golfo. Là lo attendevano i cavalli per Rio.

Quando lo ha saputo, mio fratello ha dato un pugno sul tavolo: – Cosí si comporta un vero statista! – ha gridato. Avrebbe dato una tartana per partecipare all'incontro.

Fortuna che Pons, dopo, ha parlato. Tra Pons e Ferrante c'è un'amicizia che forse è una rivalità, sempre sul punto di accendersi in baruffa. Ferrante, che di tutto si intende avendo studiato a Pisa, dove stava per diventare ingegnere, ripete spesso che lui le miniere le gestirebbe in modo piú lucrativo, e non ne fa mistero con Pons. Cosí quando Pons viene a cena da noi a Schiopparello, si consumano anche tre giri di candele e una scatola di sigari in discussioni. Talvolta, quando il fumo troppo denso offende le signore, i due escono in giardino e continuano a gesticolare sotto i lecci; di là arrivano gli scoppi del sonoro accento meridionale del signor Pons. Se Ferrante lo mette in difficoltà con le sue osservazioni, desunte dai libri tedeschi e inglesi che ha fatto arrivare da Livorno, Pons gli mesce bicchieri e bicchieri d'aleatico come se fosse lui il padrone di casa. Ma sembra che l'aleatico invece di addormentare Ferrante ne esalti l'impeto dialettico. Allora il direttore dichiara che Madame Pons è stanca, e fa preparare il calesse.

– Ma certo che l'Imperatore e Pons si conoscono, – ha detto Ferrante. – Si conoscono benissimo! Erano insieme all'assedio di Tolone, lui comandava il forte di Bandol, e ospitò a casa sua Bonaparte, che era capitano d'Artiglieria. Gli preparò perfino una *bouillabaisse*!

Di Pons sapevo che era stato giacobino acerrimo, repubblicano intransigente. Adorava Marat e Robespierre, disprezzava il Direttorio. Ufficiale di marina e capitano di fregata, non si è lasciato comperare da Barras. Quando dopo il 18 Brumaio il Bonaparte ha strangolato la giovane repubblica, si è ritirato a vita privata. Ma ecco che Lacépède, il naturalista, l'amico di Buffon, gli offre la direzione delle miniere di Rio.

Arrivato all'Elba con la moglie e le due figlie, Pons s'era fatto stimare. Aveva costruito case per gli operai, si interessava al loro vitto, alle loro necessità. Aveva guadagnato la loro confidenza, addirittura lo amavano. A Rio Marina lo chiamavano «il nostro babbo». La cosa faceva sorridere Ferrante, che sapeva quanto fosse lucroso il paternalismo di Pons.

Adesso alla Biscotteria l'Imperatore non aveva evocato la famosa *bouillabaisse*, non aveva dato segno di rammentare l'antico cameratismo e le gesta di Tolone: eppure ricorda tutto, il bene come il male. Forse ricordava benissimo il pamphlet che Pons, al tempo dei suoi furori repubblicani, aveva scritto contro il Primo Console.

Pons deve temere che il suo licenziamento sia imminente.

*Venerdí 6.*

Avrei voluto seguire l'Imperatore nell'ascesa al Volterraio per l'ingenuo orgoglio patriottico di vedere se l'Augusto si commuoveva al graduale disvelarsi dell'intera isola nei pallori dell'alba: il movimento araldico che prende
Portoferraio incidendosi, mano a mano che il viandante si
innalza per il sentiero, nel dolce lago del suo golfo; dietro,
le quinte leggere dei monti, ancora avvolti nelle brume gri-
gie, come ritagliati nella carta; l'annunciarsi di altri mari
e golfi, Campo, Lacona, Rio, talvolta Montecristo, evanescente piramide, miraggio dei giorni ventosi; il profilo
grifagno della fortezza che verso il passo si stempera nelle chiome dei pini di Monte Capannello; il profumo del fi-
nocchio selvatico e dei lentischi; il volo dei gabbiani alti
nel vento che qui scollina rombando.
  – *Diable!* Bisogna ammetterlo! Com'è piccola la mia
isola! – ha esclamato l'Imperatore per tutta emozione. E
ha spronato il cavallo all'aspra discesa su Rio.

La notte, congedandosi da Pons, il generale Bertrand
gli ha raccomandato di occuparsi non del cibo, ma del calore dell'accoglienza. – Serve gente, mi raccomando, servono applausi, – ha detto.
  Pons è riuscito a trovare alla marina un branzino di venticinque libbre; il paese era all'erta dalle otto. Nella notte
avevano eretto un arco di trionfo con fronde di castagno.
Dietro Pons, che s'era mosso incontro agli ospiti, fanciulle
hanno offerto fiori e baciato la mano dell'Augusto; centocinquanta minatori, schierati sui dossi, hanno agitato un
enorme vessillo con le api e gridato evviva. Dalla marina
hanno sparato le colubrine.
  – Che bravo, Pons! – ha commentato Ferrante. – Ha
organizzato una vera *brigade des acclamations*. Ha fatto perfino venire gente da Portoferraio e dai paesi vicini.

I Riesi hanno inneggiato all'Imperatore e al «nostro babbo».

– Ma voi qui siete il principe del paese! – gli ha detto N., sorridendo.

– Piú che il principe, sono il padre, – si è schermito Pons, che sapeva di toccare la corda giusta.

– Ciò vale assai di piú! – ha replicato N.

Qui son finite le rose di Pons. La Mairie era stata addobbata con fiori di giglio da un giardiniere che non sapeva di simboli e di Borboni. L'Ospite ha dato un sogghigno sprezzante:

– Siamo alloggiati alla buona insegna!

Quel che è peggio, Sua Maestà s'è messo a discorrere di miniere con il Maire di Rio Montagna, il laido e guercio Gualandi che Pons odia ricambiato e che la mattina, in un accesso di servilismo, s'era gettato ai piedi dell'Imperatore mormorando: – *In Te Domine speravi!*

Tra i due la conversazione si è protratta sino al caffè e Pons se ne è offeso al punto che voleva abbandonare la stanza. Drouot, fiutato l'incidente, gli ha lanciato occhiate imperiose e supplichevoli per trattenerlo. Terminata la colazione, l'Imperatore ha convocato Pons e gli ha chiesto brusco se voleva rimanere al suo servizio. Pons ha risposto che desiderava soltanto essere utile a Sua Maestà.

Lui: – Non vi domando se potete essermi utile: vi chiedo soltanto se volete seguitare ad amministrare le miniere.

Pons, terreo: – Tutto ciò che Sua Maestà desidera.

È andata anche peggio quando, usciti sulla piazzetta, minatori, impiegati e cittadini si sono buttati ai piedi dell'Imperatore supplicandolo di lasciare al signor Pons il suo posto di amministratore. Pons si è sentito in dovere di spiegare:

– *Monsieur*, – (cosí l'ha chiamato nella concitazione del momento: *Monsieur*!), – vi prego di credere che sono assolutamente estraneo a questo passo cosí inopportuno.

– Non c'è bisogno di impallidire per farmelo credere, – gli ha ribattuto ironico l'Imperatore.

Sono scesi a mare. N. ha voluto vedere come si tiravano a terra i piccoli velieri adibiti al trasporto dei minerali di ferro in continente. I Riesi hanno eseguito le manovre con entusiasmo. Lui ha dato consigli per migliorare la scorrevolezza dei legni.

In serata Pons ha avuto una piccola rivincita. Gualandi ha accompagnato l'Imperatore sino al Volterraio, e convinto di fargli cosa grata s'è messo a favellargli di leggende paurose, di fantasmi che la fantasia popolare ha creato intorno ai ruderi della fortezza.

– Sí, ai tempi antichi, quando i buoi parlavano! – lo ha irriso N.

All'inizio della sua ascesa ho spiato il generale Buonaparte con stupore, quasi con divertimento, perché lo assomigliavo al vento che ripulisce un'atmosfera avvelenata.

– È uno dei nostri, – aveva detto Ferrante con il suo dono napoleonico della sintesi. Voleva significare che la vera novità dell'uomo fosse il suo uscire da un'isola assai simile alla nostra e dai ranghi della borghesia, non essendo pensabile tanta ambizione in un aristocratico, abituato ad avere tutto per nascita. Seguivo le sue evoluzioni quasi fosse un capodoglio mostruoso che fa strage di reti, barche e pescatori. Sappiamo, anche senza aver letto il Mandeville, che i prodigi piú ricchi di incantamento sono quelli immaginari. Con Lui adoratori e detrattori potevano fantasticare in abbondanza.

Pur non amando la carriera delle armi, presto capii che nulla sarebbe stato come prima. Dopo la seconda campagna d'Italia e il Consolato, le ambizioni dell'Eroe furono chiare, e tutto concorreva ad accrescerle. Le sue gesta sono entrate rovinosamente nelle nostre esistenze senza lustro né gloria, come la tempesta che s'annuncia con il nero di pece alla Capraia e in mezz'ora ti è piombata addosso. Non erano piú fiaba e leggenda, *imitatio* degli antichi condottieri. Erano pezzi di carne, sangue e vita che se ne andavano.

Ho cominciato a chiamarlo «il Malaparte». Mio fratello s'infuriava.

Nell'isola, il senso della vita immutabile non era stato
intaccato dalle notizie spaventevoli della grande Rivoluzione. S'era creato anche da noi un partito francese, i cui
componenti venivano chiamati con il nome di giacobini,
ma sottovoce, come se l'etichetta fosse oscena, e compor-
tasse commerci contro natura.

Il loro corifeo era Luigi Lambardi, viceconsole della Repubblica francese in città, acceso ma non violento (è tratto comune agli uomini d'intelletto accendere negli altri la
violenza, non sapendola praticare di persona). Non abbiamo alzato ghigliottine, anche perché stavamo sotto il
paterno usbergo del Granduca Ferdinando III: il quale
possedeva, come feudatario del Sacro Romano Impero, il
forte di Portoferraio e tre miglia di territorio attorno. Questa era infatti la nostra particolarità: l'isola di cui l'Imperatore misurava la piccolezza dal Volterraio era divisa *in
partes tres*: Portoferraio ai Lorena, la piazza di Longone ai
Napoletani di Ferdinando IV di Borbone e il resto dell'i-
sola al principe di Piombino, Antonio Boncompagni.

Modesto era il peso delle nostre contribuzioni. I tre sovrani consideravano gli Elbani alla stregua di capre selva-
tiche: scabri, temprati dalle fatiche, ma balzani per im-
provvisi furori che rapidamente sbollivano; ospitali, ma
diffidenti con gli stranieri.

Cosí stavamo, uni e trini, ma assai piú che trini, auto-
nomi e scontrosi, in occhiuta vigilanza dei nostri magri po-
deri. I primi segni che le imprese del giovane generale francese avrebbero toccato anche noi si ebbero nel 1794, quando approdarono all'Elba quattrocento realisti scampati
all'assedio di Tolone: laceri, scarni, malati da far paura.
Furono accolti con ribrezzo: non sapevamo dove metterli, né come sfamarli. Per nostra fortuna abbandonarono
l'isola di loro volontà e si sparsero per la Toscana.

Nel giugno 1796, il Buonaparte scrisse al Granduca

che, viste le ripetute offese alle proprietà dei Francesi, avrebbe occupato il porto di Livorno. Il Granduca consentí di necessità. Gli Inglesi, al comando del commodoro Orazio Nelson, bloccarono il porto dal mare, e avvertirono il Granduca che, al fine di sventare le brame dei Francesi su Portoferraio, l'avrebbero occupata loro, con l'intesa che formalmente la piazza restava sotto il dominio granducale. Il Granduca si rassegnò anche stavolta.

Il commodoro piombò da noi il 6 giugno di quell'anno con un vascello caposquadra, tre fregate, una corvetta, un brigantino, un cutter, quattro galeotte, una polacca, un battello e quattro navi da trasporto: spettacolo imponente, quale mai si sarebbe visto. Mandò ingiunzioni minacciose al Governatore, che faceva i conti del poco grano e della nessuna carne che gli restava per sostenere un assedio; assicurò gli abitanti che non vi sarebbero stati danni alle persone e alle proprietà; fece sbarcare uomini e cannoni a San Giovanni, e attraccare le navi in darsena, per modo che ci ritrovammo puntati addosso almeno duecento cannoni dei loro: dalle nostre finestre quasi li potevamo toccare.

Cosí diventammo Inglesi (anzi Inghilesi, come diciamo noi) per quasi un anno. Per non allarmarci, Nelson ci aveva assicurato che i suoi uomini sarebbero rimasti sulle navi alla fonda. Invece sbarcarono in piú di mille, e ci toccò albergarli in conventi, teatri, scuole e magazzini. Non piú arroganti di qualsiasi truppa d'occupazione, ma bruschi, spicci, infastiditi, come chi si ritrovi a convivere con popolazioni di rango inferiore. Penammo a convincerli di pagare i diritti ordinari dovuti al Granduca per i vini, di cui facevano gran consumo. Spendevano con cautela, tirando sui prezzi. I danni provocati dalla loro incuria non furono pochi, specie quando trasportarono ai Forti e sui bastioni altri cannoni, guastando muri e lastricati. Ingorgavano latrine e condutture, sfondavano scale, pavimenti e finestre, gettavano immondizie nella cisterna del convento. Alle nostre proteste, rispondevano che erano le truppe toscane a far danni.

Fortunatamente con l'interessata protezione degli Inglesi erano riprese le navigazioni. Essendo anzi la piazza sprovvista del necessario, e specialmente di grani, molti padroni furono invitati a rifornirsi in continente, e tra questi nostro padre. L'*Après-Vous* fu munito di un lasciapassare firmato da Giovanni Duncan, Quartier Mastro Generale delle Truppe di S. M. Britannica: papiro che poi abbiamo incorniciato sotto vetro come un ex voto. I prezzi sono saliti, i fornai e i cantinieri del sale si sono lamentati del maggior lavoro, dal continente sono arrivate donne pubbliche con occhi brillanti e famelici. Come fornitori del presidio, ammetto che anche noi Acquabona abbiamo tratto beneficio per i nostri traffici vendendo ai nuovi padroni legno, paglia, vini. Siamo diventati un po' piú ricchi. Cosí è la guerra, l'unica industria di cui non possiamo fare a meno.

Non davano confidenza, gli Inglesi. Massimo e unico spettacolo consentito, le esercitazioni in Piazza d'Armi. Nelson, che continuava ad alloggiare sulla sua fregata, è comparso rare volte sui moli della darsena, e invano Ferrante – che, curioso d'ogni novità straniera, aveva rinfoderato le segrete inclinazioni giacobine – ha cercato di entrare in relazione con lui con il pretesto delle forniture.

Il commodoro sembrava intagliato nell'ulivo. Aveva capelli biondastri e radi, come di saggina mal riportata; un naso errabondo, che spioveva su una bocca un po' sghemba, anch'essa ricavata da un taglio male eseguito. Non alto, magro, con la divisa che gli piangeva addosso: meno elegante dei suoi stessi ufficiali. Lo ricordo con un'aria di pupazzo, di quelli che le donne di Poggio combinano con i resti della cerca nei boschi. Come un pupazzo, perdeva i suoi pezzi: un occhio nel '94, durante l'assedio di Calvi; un braccio l'anno dopo a Tenerife. La Corsica, l'Elba, l'Egitto, di nuovo l'Elba. Tutto si tiene, in questa storia, tutto ritorna.

Dicevano che Nelson era molto amato dai suoi mari-

nai, perché si esponeva al fuoco. Scorridore nato, la vita
di guarnigione non gli garbava. È stato uggioso, l'inverno
'96, una interminabile quarantena. Per giorni interi la nave ammiraglia spariva nelle brume della rada. Cortine d'acqua e stracci di nuvole basse tingevano l'isola di piombo.

Nell'aprile '97 i Francesi abbandonarono Livorno, e gli
Inglesi non ebbero piú scuse per tenere occupata Portoferraio. Arroganti e maestosi com'erano giunti spiegarono
le loro vele. Il commodoro riprese la sua caccia ai Francesi. Avesse intercettato la grande flotta partita da Tolone
per l'Egitto avrebbe affondato con essa le ambizioni del-
l'Orco: per sempre. Invece lo sopravanzò per troppa foga,
e quella volta furono le nebbie a nascondere e salvare i
Francesi. L'astinenza guerresca che aveva reso pesante al
Nelson la clausura elbana trovò il suo risarcimento ad
Abukir. La notizia della sua vittoria non ci esaltò, perché
gli Inglesi non avevano pagato i danni arrecati dal loro soggiorno, e il Granduca non intendeva farsene carico.

Tornammo a sentir parlare del Nelson quando, partiti
i Francesi, la sua nave riportò a Napoli i Borboni rifugia-
ti a Palermo. Arrivarono notizie di massacri, stupri, can-
nibalismo, orrori inauditi, Caracciolo impiccato come un
delinquente comune al pennone di una fregata. Anni dopo ne avemmo testimonianza attraverso i racconti della
Baronessa e cosí diventarono nostri: perché solo ciò che è
raccontato vive.

– Lasciarono Caracciolo appeso fino a sera, che tutti lo
potessero vedere... dondolava al vento come uno spaven-
tapasseri, ma spaventava a noi, non agli uccelli che co-
minciavano a beccarlo... A sera gli attaccarono dei pesi ai
piedi e 'o vuttarono a mare... Passa un mese, torna Re
Catàmmaro, prende alloggio sulla nave del Gran Fetente,
sente un'ammuína di marinai, gridano al pesce strèuzo, alla stregheria... s'affacciano, lui e 'o macellaro inglese... e
vedono... vedono a pelo d'acqua la carcassa di Caracciolo
vomitata dall'abisso... la barba intorcinata d'alghe...

Non potevo staccare lo sguardo dalla bocca che rac-
contava. L'orrore per lo scempio dei giacobini era sopraffatto dalle seduzioni di quella feroce pietà. Mi sembrava
che con il racconto la Baronessa offrisse tutta se stessa al-
l'uditorio, che la favola nera richiedesse la complicità ambigua dei presenti, come nei rituali di un'orgia. Mi venne
in mente la donna di Poggio che era solita mangiare ap-
partata su una sedia, spalle alla tavola, per pudore, come
se provvedesse a una funzione vagamente oscena. La nudità offerta della bocca: giustamente gli arabi provvede-
vano a velarla nelle loro donne.
   – Che guardate? – si risentí lei.
   La Baronessa aveva l'imperioso ardore del fratello, quel
colonnello De Gregorio governatore napoletano di Longone che nel '99 aveva inflitto ai Francesi una sconfitta
memorabile, strapazzandoli con un'alterigia e uno sprezzo tutti francesi. Per forza di suasione il colonnello aveva
trasformato trecento forzati dimessi dalle prigioni – trecento bruti – nel piú invincibile degli eserciti. Sua sorella
si appropriava delle vittime giacobine con la stessa oltranza
incandescente.
   Quella sera seppi che la mia intera esistenza, per il poco che valeva, non aveva avuto altro scopo che condurmi
fino a lei; che la mia devozione inoperosa aveva finalmente
trovato l'oggetto su cui fissarsi.

   La mattina dopo partí per Napoli. Tornai ai miei studi
di patologia napoleonica con l'accanimento che avrei potuto dedicare a un poema erotico. Mai come in quell'anno
sentii di essere vicino al segreto dell'Uomo sanguinario.


*Sabato 7.*

   La Biscotteria è sommersa da una polta umana come da
un'alluvione.
   – Guardate! Pare un formicaio scoperchiato! – Il no-

taio Mazzei punta il bastone e minaccia l'intero edificio.

Ad ogni ora del giorno corrono a rompicollo per le scale ciambellani, ufficiali, notabili, camerieri, fornitori, questuanti d'ogni risma. Molti, come le formiche, portano pesi spropositati, si sfiorano con le antenne, scambiano brevi messaggi cifrati; poi proseguono ai loro affari. Non è difficile intravvedere l'Imperatore che, passeggiando avanti e indietro, mani dietro la schiena, detta una raffica di comunicazioni, ingiunzioni, richieste. Detta a velocità vertiginosa, da stroncare qualsiasi scritturale; il signor Rathéry, il segretario, esce da quelle sedute quasi intisichito, aggiustandosi le dita slogate. L'Imperatore invia messaggi scritti per ogni minimo affare, ed esige risposte scritte, su cui poi scombicchera i suoi sí e i suoi no: dalla foggia della sua «N» puntata si può subito capirne l'umore. In questo modo di tutto rimane una traccia. È cosí rapido nel disbrigo delle pratiche che anche il silenzio equivale a una risposta.

Le prove della forsennata attività del sovrano piovono sulla città come proiettili. Ferrante ne ha avuto l'elenco completo dal sottoprefetto Balbiani, che non se ne dà pace:

– Ne uscirò inciuchito! Non riesco a stargli dietro! È un mostro! Un vulcano! Ci farà scoppiare il cuore!

In un solo giorno N. ha nominato un ispettore delle cisterne cittadine: dovrà rilevare i consumi quotidiani e riferire settimanalmente all'ispettore del Genio insieme ai lavori da fare, e alle giacenze (in effetti la nostra acqua è scarsa e cattiva; a poco vale qualche pozzo salmastroso). Ha chiesto d'essere minutamente informato sulle condizioni delle batterie costiere, sui verbali di presa di possesso dei bastimenti. Ha riunito a consiglio il sottoprefetto, il commissario di marina, il direttore del registro, il commissario di guerra, il direttore delle contribuzioni. Ha chiesto di trovargli un uomo di fiducia cui affidare il magazzino dei viveri da assedio e del vestiario. Ha nominato il dottor Lapi direttore del demanio, e gli ha domandato lo stato dei boschi di Monte Giove, del Volterraio, delle terre intorno alle saline e di Pianosa. Lapi deve stabilire il numero di guardie boschive per mantenere le proprietà; e delle altre guardie che avranno cura delle case, delle cantine, dei frutti, degli arnesi, e anche delle capre affinché non facciano danni. L'amministrazione della Casa imperiale deve redigere una nota dei beni di consumo, legname frutta vino, il gran maresciallo Bertrand provvederà al saldo settimanale: non un grappolo d'uva, in tal modo, può sfuggire al controllo. Quanto ai terreni intorno alle saline, occorre riconoscerli, prenderne possesso, stabilire le coltivazioni, piantare alberi ed erba medica, progettare giardini. Ha creato un posto di ingegnere dei ponti e delle strade, che deve provvedere alla costruzione di nuove cisterne piovane, alla manutenzione dei ponti, al prosciugamento delle paludi e al funzionamento delle saline. Intende riprendersi un giardino di cui ora gode un impiegato dell'ospedale senza averne diritto. Ha disposto che si paghi il dazio solo sulle derrate consumate in città, e non su tutto quello che entra nell'isola: una tassa sul grano è misura inusitata. Intanto, per domenica 10 sono indette feste e luminarie in tutta l'isola, e l'inalberamento della nuova bandiera.

La questione piú delicata è quella delle finanze. Il Trattato di Fontainebleau prevede il versamento al piccolo regno di due milioni di franchi per le spese ordinarie; ma in cassa sono restati appena 3547 franchi, e ci sono impiegati che aspettano lo stipendio da mesi. I Maires hanno invitato i contribuenti morosi a mettersi in regola; ma poiché non è stato possibile vendere il vino per via dello stato di guerra, il versamento è stato dilazionato a fine luglio. Scaduta quella data, l'Imperatore ha promesso che sarà inflessibile.

La fetta piú grossa del bilancio se lo mangia il piccolo esercito, al quale Egli non intende rinunciare. Il Trattato gli assegna millecinquecento uomini, e adesso non ne dispone nemmeno della metà. Il generale Cambronne è atteso per fine mese. Comanderà la piazza di Portoferraio.

L'Imperatore passa le sue giornate ai Mulini, contorna-
to da un codazzo di piumati. Percorre le stanze a passo di
carica, prende misure. Quanto al giardino, ha già deciso
dove sistemare gli alberelli d'arancio, i mirti, i lauri, le rose. Drouot lo segue con aria compunta; Bertrand s'affaccia
nelle stanze ancora tepide della presenza dei precedenti abitatori con un'ombra di disgusto sul volto. Monsieur Pons capita lí come per caso, vorrebbe dare consigli ma non osa; non
va mai via, lo devono congedare a forza. Il Maire Traditi sal-
tella ovunque, radioso per la soddisfazione d'aver suggerito lui a Sua Maestà quella sistemazione.
   È arrivato l'architetto: si chiama Bargigli, è romano,
piccolo e nervosissimo. S'è avuto un diluvio di indicazio-
ni sul da farsi. L'Imperatore lascia intendere che la presenza dell'architetto è piú un gesto di degnazione sua che
una reale necessità, vista la passione di costruttore di cui
Egli ha dato prova.
   Il maggior lavoro è la sopraelevazione del corpo centrale, destinato a diventare il piú importante dell'intero com-
plesso. N. adatta per sé il piano terreno, riservando il primo piano, incluso il grande salone centrale già perfettamente schizzato sulle carte, all'imperiale consorte e al figlio,
che tra poco lo raggiungeranno. Dei due assenti parla spesso – persino con Pons – con accenti della piú viva tenerezza.
   Bargigli ha avuto otto giorni per finire i lavori. Ha de-
bolmente protestato. Drouot gli ha bisbigliato parole al-
l'orecchio. Bargigli ha allargato le braccia, ha detto: – Quel
che Dio vorrà.
   Gli operai arrivano all'alba. N. è già lí. Nell'attesa ha
dettato a Drouot l'elenco delle cose da fare: come e quando pitturare porte e finestre (è facile al vomito, non sopporta l'odore di vernice); come approntare il collegamen-
to con le cucine nella massima pulizia e in ordine totale;
dove far passare i condotti di scolo delle acque nere, come sorvegliare la manutenzione delle cisterne, dove ab-

battere il muro della vicina caserma di San Francesco trasformandolo in parapetto; come ampliare gli spiazzi per far girare le carrozze, le vie da lastricare, le piante da ordinare a quel bravissimo giardiniere Hollard che era stato a servizio da sua sorella a Piombino.

Non si muove per giorni interi; fortuna che il sole non è ancora cosí caldo. Sbuca dalle nuvole sollevate dai calcinacci come dalle polveri d'una battaglia, e le carte che brandisce fanno l'effetto di una sciabola sguainata; accenna a dare una mano se c'è da sollevare una trave; cambia spesso idea, e fa abbattere il muro già eretto per la metà; s'apparta a discutere con Bargigli che si dispera in segreto, e per confortarsi la notte si fa portare puttane, anche due o tre. Si siede sui depositi delle pietre a consultare disegni. Alle volte mangia nell'erigendo giardino, tra la terra smossa: un ovo sodo, due fette di pane.

Gli operai lo guardano di sottecchi, intimiditi; non osano abbandonare il cantiere nemmeno per orinare. A pomeriggio inoltrato, quando se ne vanno, l'Imperatore li punta come se stessero per passare al nemico. Sospira che se avesse avuto con lui gli uomini del Genio avrebbe impiegato metà del tempo. Il ricordo della bravura dei genieri rende ancora piú cupo il generale Bertrand.

Vittoria Traditi ha raccontato che l'altro giorno l'Imperatore è inciampato in una catasta di legni, e gli è scivolata di mano la tabacchiera, cui attinge di frequente. Si è precipitato a raccoglierla di scatto, ha controllato se per caso la miniatura che riproduce il volto del suo bambino avesse subito danni:

– Non me lo sarei perdonato, – s'è intenerito con il colonnello Vincent accorso in aiuto. – *Mon petit chou!* – e baciava il ritratto. Poi, come in un «a parte»: – Io ho un poco un cuore di madre... Un uomo che non ama i suoi figlioli non mi dà nessun affidamento.

Ha chiesto al colonnello se era sposato. Vincent ha dovuto confessare che non lo era ancora, e si è sentito in do-

vere di fornire delle giustificazioni. Lui l'ha fermato con
un gesto:
    – E cosa aspettate? – lo ha incalzato, facendogli il ga-
nascino, com'è suo costume quando è in vena di familiarità. Ha la mania dei matrimoni.
    Vincent ha raccontato l'episodio alle signore della casa
che lo ospita con un'intonazione probabilmente malevola, ma le signore si sono commosse alla rivelazione del *côté*
materno dell'Orco. (Ma perché poi un uomo cosí prodigo
del sangue altrui non dovrebbe amare la famiglia e i bambini? Ama per l'appunto i figli suoi, perché son suoi, e
quelli degli altri perché da grandi daranno la loro vita inutile per lui).

    Il mio calamaio ha la foggia di un minuscolo busto di
Napoleone in bronzo. Il bicorno nero funge da tappo, e si
apre all'indietro. Sotto il bicorno, un volto d'antico romano spira serenità e fermezza, nasconde pensieri che sanno volare lontano. Quando si solleva il bicorno, si vede
l'inchiostro luccicare poco sopra la linea delle sopracciglia
dell'Imperatore.
    Da quando Ferrante ha avuto la bontà di regalarmi que-
sto calamaio, lo scrivere m'è diventato un gesto ancora piú
necessario. Ogni volta che trafiggo il cranio di Napoleone
con la mia penna mi pare d'impossessarmi della sua poten-
za, come il cannibale intende far sua la forza del nemico
ucciso mangiandone le carni; ma è l'illusione di un istante.
    Piú consumo l'inchiostro del cranio, piú avverto che
Egli mi sfugge, come sfugge a tutti, agli intimi e ai lontani, ai generali e alla truppa, agli amici e ai nemici, forse a
se stesso. Se non posso rinunciare a inseguirlo, non desidero nemmeno giungere a un definitivo possesso di Lui.
La sola verità che ci è data è nel movimento della ricerca.
    C'è un rapporto diretto tra l'accanimento che metto
nella scrittura e il calamaio imperiale. Esso mi nutre, e io
credo di ucciderlo cento volte. In realtà è lui che mi este-

nua, che mi forza all'inseguimento, a un combattimento
che non sarò capace di vincere. È la stessa tattica usata da
N. nella battaglia delle Piramidi. I mamelucchi sfrenati in
folli corse di baccanti, i quadrati francesi che li aspettavano immobili per decimarli.

Ogni volta che trafiggo quel cranio sento di rivolgere
la penna contro me stesso.


*Giovedí 12.*

Gli Austriaci del generale Stahrenberg sono entrati in
Piombino. La notizia, arrivata con una feluca, ha incupi-
to l'Imperatore. Nemmeno il seguire i lavori lo rasserena.
Gli è presa la fregola degli spostamenti. Pare voglia tra-
sferire a Portoferraio la guarnigione di stanza a Longone.

In piazza i piú fini cervelli della città si scapricciano in
ipotesi.

– C'ha ragione Napoleone d'avè paura. La partita è appena cominciata, ma qui 'un si sa chi è il piú baro.

– C'è qualche bischero che crede che starà qui bonino
a pescà il polpo?

– Ma perché s'è preso l'Elba e non la Corsica?

– Perché di qui scappa piú in fretta. Ma se fanno l'assedio, si resiste un mese, due, e poi?

– Poi barano la città e noi ghiozzi di buca che gli stavamo a fa' le feste!

– Si sente topo, sente il puzzo del gatto che l'aggranfia!

– O perché gira sempre con l'Inghilesi appresso?

– C'ha fifa dell'attentati.

– Mica lo stanno a protegge quelli, gli fanno la guardia
che 'un scappi!

– Gli va a fagiolo che non c'è piú Nelson: l'avrebbe fatto a tocchi, se l'aveva fra le mani! Ci faceva il cacciucco.

– Gli può sempre veni' a taglio, all'Inghilesi, Napoleone! Magari ci fanno comunella.

– Quello è bono a tutto, è piú lesto dell'astore. Prima o dopo gli va in culo.

Dormo male, la notte. E se scappa di nuovo? Se tutto ricomincia?

Per il momento siamo la sua gabbia, la sua punizione. Può bastare, questo? La lenta graticola del Purgatorio è il castigo rigoroso, imparziale, esemplare, che ho vagheggiato per anni?

Una cosa è certa: quando ci guarda, guarda i suoi carcerieri, e li disprezza. Un giorno uscirà dal suo sepolcro come Lazzaro, e noi beoti resteremo a guardarlo a bocca aperta, con l'aria mortificata degli sbirri che al contrario dei prigionieri non sanno neanche il perché del lavoro che fanno, non riescono nemmeno a sentire l'odore di zuppa e di cimice e d'acquavite che impregna le loro divise.

*Domenica 15.*

La piccola corte è fatta. Gran Maresciallo di Palazzo il generale conte Bertrand, Governatore dell'isola il generale Drouot, Tesoriere il signor Peyrusse; ma questo si sapeva. La novità vera sono quelli di noi che sono stati onorati dai nuovi incarichi, i sei ufficiali d'ordinanza, i ciambellani. N. li ha scelti tra le famiglie piú distinte senza andare troppo per il sottile. Tra di loro ci sono i ruvidi, gli sciocchi, gli ombrosi, gli incapaci, come in ogni congrega. Fanno gruppo fra loro, come non sapessero capacitarsi di quella fortuna, e sentissero il bisogno di darsene reciproca assicurazione. L'uniforme è verde ramarro, le spalline e i bottoni d'argento, il colletto nero segnato da un bordo cremisi. Sul bicorno, la coccarda bianca e rossa con le tre api. N. li ha informati che dovranno provvedere personalmente al costo delle divise.

La loro ingenua superbia fa sorridere. Sognano la gloria, non sanno di essere dei parenti poveri invitati alla festa per dovere. La vera famiglia dell'Imperatore sono i suoi camerieri, i *garçons d'appartement*. Li ho contati: sono sessantacinque, tanto che mi riesce difficile distinguerne i volti e le funzioni. Tra loro mi colpisce Cipriani, originario della Corsica, che ha grado di maggiordomo, ma a corte si fa vedere raramente. Non dà confidenza, non parla: scivola via silenzioso, sembra che sia lí, ti giri ed è già scomparso, l'hanno visto a Lacona, a Longone, a Marciana. Pare che l'Imperatore lo impieghi per i suoi affari segreti; e di fatto nessuno sarebbe in grado di descrivere di lui nemmeno il vestito che indossa. Compare dappertutto, ma nessuno l'ha mai visto a cavallo. Ha i movimenti soffici del gufo; non fa rumore, come se al posto della livrea indossasse delle piume. Se mi dicessero che, al pari dei gufi, si ciba di topi, non mi stupirei. Tanto lui è massiccio, tanto la sua ombra mi pare piú leggera delle altre.

L'Imperatore ha dato ordini precisi: massimo rispetto dell'etichetta e delle formalità. Mai rinunciare al decoro, alle regole che si impongono a una corte reale. Tutti, anche gli intimi, anche il Gran Maresciallo e il Governatore, dovranno farsi annunciare. Le richieste di colloquio dovranno essere avanzate per iscritto. Basta bagni di popolo, basta importuni, stornellatori notturni.

Per riempire le giornate, N., che qui deve sentirsi nei panni di Robinson Crusoe naufrago e costruttore, ha ordinato una spedizione all'isola di Pianosa, che egli vorrebbe fortificare e ripopolare. Piatta, come dice il nome, a pelo d'acqua, brulla. A vederla in distanza, non si capisce se sia un grosso pesce addormentato o una zattera che sta per affondare. Bisogna essere dei disperati per pensare di colonizzare Pianosa.

È un'isola dal destino disgraziato, anche se il mare dà corallo e buoni pesci. Per lo piú lasciata in abbandono, covo di pirati anche per via di qualche pozzo d'acqua potabile; apprezzata come scalo dagli uccelli di passo. In epoca romana vi avevano costruito palazzi, templi, un teatro; Cesare vi aveva deportato Postumio Agrippa. Era stato proprio Napoleone a munirla di un piccolo presidio nel 1803, ma sei anni dopo gli Inglesi l'avevano assaltato e distrutto; quelli di Campo e di Marciana ci andavano saltuariamente a tagliar legna, con il rischio di essere catturati dai corsari. (Avevo progettato, da ragazzo, di scrivere un romanzo sull'esilio di Agrippa, su come si possa lentamente morire per troppo mare, per troppa luce. Piú in generale, sulle sfide della solitudine estrema).

Giovedí 19, giorno dell'Ascensione, l'Imperatore si è imbarcato a Campo sulla speronara *Carolina*, comandata da un vecchio e stimato marinaio di Marciana, il cavalier Galanti. C'erano naturalmente Campbell e Koller, il solito seguito, due cavalli, un prete e persino un giovane poeta di Marciana, ignoro a quale titolo.

Doppiato capo Poro, il mare s'è messo al brutto. La *Carolina* rollava come un'indemoniata, ad ogni onda sembrava volesse seguire in fondo agli abissi il cannoncino installato a prua. Ridotte al minimo le vele, Galanti, atterrito dalla responsabilità di trasportare il pezzo piú pregiato della recente storia mondiale, ha comunicato all'Ospite che era impossibile proseguire.

N. ha fatto un cenno stizzito con il mento: avanti. Per tutta risposta la bufera ha spezzato l'albero di bompresso. Il prete si è messo a pregare con gli occhi chiusi; il poeta, non udito da alcuno, ha declamato i suoi versi. N. ha vomitato e s'è inzuppato d'acqua; ma quando finalmente la speronara ha trovato scampo nella rada del porticciolo, ha confidato sorridendo a Galanti:

– In gioventú sognavo di fare il marinaio. Vedete dunque quali assurde aspirazioni si possano coltivare.

Ha piovuto e tirato vento per due giorni, ma la gita ha messo N. in allegria. L'isola deserticolo ha incantato: ha deciso di riattare la vecchia torre di guardia, di edificare una piccola caserma fortificata per dieci cannonieri, di installarvi un presidio. Sogna di farne un granaio capace di produrre cinque o seimila sacchi, dei dodicimila che servono all'anno; vuole impiantare querce, meli, peri, olivi, melograni, gelsi, viti; e allevare cavalli. Per intanto occorrerà sterminare le capre, che danneggiano le colture. Cosí gli ungulati e i gabbiani di Pianosa sono stati onorati dell'organizzazione di un piccolo Stato moderno. Persino nella cella di un carcere N. riuscirebbe a distribuire incarichi a topi e scarafaggi.

Sono cominciati i trasporti: quattro cannoni da 12 e da 18 con gli affusti, tegole, mattoni, legnami, cento palle, cartucce, polvere, quattro tende. Sono arrivati i muratori e un capomastro. Si scavano fossi, vengono erette scarpate, ripulite grotte e catacombe, già riparo e cimitero di schiavi; si mettono in buono stato i vecchi pozzi e se ne dragano di nuovi. Grandi fuochi brillano sotto le caldaie e nelle fornaci da calce. Tutto quel che non serve a Portoferraio e Longone viene portato lí. Bertrand tiene la contabilità di tutto, chiede conto anche dei chiodi. Un capitano di Longone ha dovuto pagare il ciarpame che aveva perso in mare durante una traversata difficile.

Cosí N. gioca, si diverte. Ogni settimana chiede relazioni dettagliate sullo stato dei lavori, detta ordini sempre piú precisi, protesta perché non gli ubbidiscono.


*Domenica 22.*

N. ha convocato il sottoprefetto Balbiani e gli ha notificato il suo scontento per l'igiene cittadina. La città puzza, ha detto, è la capitale di un vero *Royaume des Ordures*. Ha deprecato che gli abitanti abbiano l'immonda abitudine di rovesciare per via i loro escrementi liquidi e solidi, che manchino le fogne, che i miasmi salgano fino alle finestre della Biscotteria. Avrebbe dunque dovuto ospitare

tra quelle lordure l'Imperatrice e suo Figlio? Tra le galline e i porcelli che razzolano per le strade? Con donne pubbliche sguaiatissime, capaci d'ogni impudenza? E per as-
severare il proprio discorso ha aperto la finestra che dà su
Piazza d'Armi:
– Sentite, – ha ingiunto, – quali effluvi!
Balbiani, cereo, ha cercato di discolparsi adducendo la
maleducazione dei cittadini. È stato incaricato di stende-
re un regolamento d'igiene consono alla pubblica decenza, e di far premura al Maire affinché venga rispettato. A
chi lo avvicina ripete sconsolato:
– Ci vuole tutti profumati!
Bisogna ammettere che le nuove ordinanze vanno nel
senso della *Raison*. Sua Maestà ha ingiunto a ogni proprietario di costruire le latrine, pozzi neri e acconci cana-
li per le acque delle cucine e dei lavatoi entro due mesi,
pagando la relativa *impôt de propreté* ogni sei mesi. I con-
travventori verranno condannati in via amministrativa, in
ragione di un franco a porta o finestra della loro casa.
Inoltre: vietato gettare immondizie e acqua dalle finestre. L'immondizia va depositata davanti alla porta di casa dalle undici di sera alle cinque di mattina. A quell'ora
due carrette si incaricheranno di sgomberare i rifiuti,
mezz'ora dopo un commissario e due gendarmi passeran-
no per controlli. Le strade vanno spazzate a cura di chi le
abita e lavate con acqua dolce, da attingersi presso i pozzi della caserma del Ponticello, dove c'è una piccola pompa. Vietato tenere per le strade polli, galline, piccioni,
maiali, cavalli, somari. Le bestie morte vanno sotterrate a
conveniente profondità. Vietato a pizzicagnoli, bettolan-
ti e salumai di gettare per le strade le acque di lavaggio delle loro merci. I venditori di pesci, erbaggi e polli com-
merceranno le cose loro in luoghi acconci, e non ad ogni
angolo di via. Vietato tenere lini e canape a macerare nelle acque d'abbeveraggio o nei fossi lungo le strade.
Non ho detto niente a Balbiani o a Traditi, ma anch'io

mi sento come umiliato da questa operosità spicciola, molto piú vera e tangibile della gloria di battaglie lontane,
inimmaginabili.


*Lunedí 23.*

Arriva la notizia che il Re Borbone, Luigi XVIII, è tornato a Parigi il 13, dopo venticinque anni di esilio. Ecco
l'atroce circolarità di quella che chiamiamo Storia: venticinque anni di sangue, una Rivoluzione, un Impero, guerre, massacri, distruzioni, il sacrificio di intere generazioni per riportare sul trono un vecchio re obeso, immobiliz-
zato dalla gotta.

Ferrante non è d'accordo su questo tipo di compianto.
Dice che la stessa acqua non ripassa mai due volte sulla
stessa riva del fiume. I Borboni non dureranno, perché i
popoli hanno provato emozioni alle quali non potranno piú
rinunciare. I borghesi, alla lunga, vinceranno: specie se sa-
pranno essere se stessi, rinunciando alle mascherate della
vecchia regalità.

A me sembra che il potere, spogliato della sua teatra-
lità, perda molto della sua forza. N., ottimo conoscitore
dell'animo umano, questo lo sa benissimo.


Da almeno una diecina d'anni Ferrante e io facciamo
collezione degli oggetti d'uso popolare che a Napoleone si
ispirano. Basterebbe questo a dire quanto Egli fosse presente nella nostra vita prima che le tempeste della Storia
lo sospingessero sulle nostre spiagge, relitto di se stesso.

In giardino troneggia un busto di marmo bianchissimo
in cui il Nostro è rappresentato a capo scoperto, in attitudine d'antico romano. È un busto di buona fattura. La
chioma è folta ma leggera, turgide le labbra. In estate, mio
nipote Telemaco appiccica su quelle labbra petali di geranio. Con i primi caldi l'Imperatore rinnova ogni anno il suo

ambiguo messaggio d'amore. Adesso che Egli è tra noi la statua non ha ricevuto le consuete labbra carminio. L'Imperatore può giungere in visita in qualsiasi momento.

Gli oggetti che abbiamo raccolto sono tabacchiere con il ritratto di lui, recipienti d'ogni genere, bottiglie, boccette per i profumi, pendole, candelieri, pinzette, tenaglie, girarrosti, frontoni da caminetto, parafuochi, alamari, ventagli, portafogli, lumini da notte, termometri, borse da signora, sigilli, coltelli, recipienti per il sidro, e ovviamente calendari illustrati. Napoleone in piedi, seduto, a cavallo. Il cibo, il fuoco, il sonno, il tempo, lo svago, non c'è attività umana che non porti impresso il sigillo dell'Ubiquo.

Ferrante e io abbiamo due modi pressoché opposti di leggere questi oggetti. Per lui sono la manifestazione di una devozione universale, l'incarnazione di uno Spirito che compenetra di sé ogni aspetto della vita quotidiana, e questo basta a rivestire d'una speciale sacralità quegli oggetti di dubbio gusto. Quando Ferrante li guarda, immagina la propria effigie al posto di quella dell'Imperatore. È un sogno poco costoso, che gli tiene compagnia al pari di un cane.

Per me gli oggetti sono invece i documenti di una mania insana, utili solo in quanto mi consentono di indagare i rapporti che corrono tra la Divinità e i suoi fedeli. Non c'è religione senza reliquie, e queste hanno almeno il vantaggio di essere riprodotte in gran copia dai moderni mezzi industriali: false e vere nel medesimo tempo. Non è certo l'arricchimento dei commercianti l'aspetto che mi turba: è il bisogno che di quegli oggetti sembrano avere i consumatori.

I Lumi hanno aggredito Dio, lo hanno deposto dagli altari. La Rivoluzione, e poi Napoleone, hanno perseguitato i suoi ministri, e ridicolizzato lo stesso Papa, che avrebbe almeno dovuto cercare la gloria del martirio. Ed ecco che lo stesso bisogno di devozione e di adorazione si sfoga su una novella divinità, che ha l'immenso vantaggio di

rendersi visibile, di compiere imprese miracolose, di assegnare premi e castighi già su questa terra, di essere rac-
contabile con parole comuni, di essere rappresentabile da
pittori e scultori.

È vero che molti ritratti e molte statue dell'Imperatore, compresa quella che abbiamo in giardino, sono di fantasia, ma il modello vive tra gli uomini, e talvolta concede la sua persona alla venerazione dei fedeli. Com'è facile, questo culto, com'è terrestre! Anche in casa nostra
corre la stessa aria circospetta che si respira nei santuari.
Ho notato che da quando le nostre stanze si sono riempi-
te degli oggetti legati al culto dell'Eroe, parliamo a voce
più bassa, ci atteniamo a un più rigido decoro formale. Di
questo si è accorto anche Telemaco, che solo all'aperto si
mette a gridare, fischiare, cantare.

Non si danno oggetti di culto senza una profonda mo-
dificazione dei fedeli. Questo la Chiesa lo sa bene. Questo
l'Imperatore, copista implacabile, adattatore sagace, l'ha
capito benissimo. Se avesse ancora regnato, si sarebbe au-
toproclamato capo della Chiesa, come i sovrani scismatici
d'Inghilterra. Alla sua gloria non mancava che questo.

La tromba dei cavalleggeri polacchi di stanza al Forte
Falcone suona alle cinque, e si sente distintamente dappertutto. Vittoria dice che suo marito non dorme più. Non
dormono più nemmeno Balbiani, Lapi, i ciambellani, gli
ufficiali d'ordinanza. Con le luci dell'alba può rimbomba-
re improvviso sul lastricato il rotolío della carrozza che
scende al porto; o lo zoccolío dei cavalli della scorta lan-
ciata verso la Porta a Terra. Si svegliano col cuore in gola, con il terrore d'essersi addormentati mentre magari il
corteo sta già volando verso San Giovanni. Se anche la sera prima non ha ricevuto istruzioni, alle sei Traditi è vestito e calzato, ha fatto preparare il cavallo; esce ad annusare l'aria, a tendere l'orecchio per capire se ai Mulini si
muove qualcosa.

Gli ordini arrivano come fucilate, imprevedibili. Se è annunciata un'andata a Rio, o a Longone, si esce in mare; si dovrebbe partire per Marciana e si rimane a San Martino tutto il giorno. Per via, l'Imperatore ama fermarsi nei casali. I cani impazziscono, i bambini scappano, le donne si ritirano, gli uomini stanno impacciati con il cappello in mano; hanno ancora paura che quello gli porti via i figli. Il Sovrano fa domande, loda le famiglie numerose, regala monete, riparte.

Certe mattine li ho sentiti partire anch'io. Ci sono volte che la frenesia del galoppo arriva intatta fino a me, mi spinge alla finestra in tempo per cogliere la coda di polvere che il drappello ha sollevato. Piú spesso, lascio svanire nell'aria quel trepestio, riaffondo voluttuosamente nel guanciale e nel sonno, godo le dolcezze della diserzione.

Perché seguirlo, poi? Queste corse antelucane sono delle prove di fuga. Corre come una volpe perché già sente il suono dei corni, l'abbaiare dei cani che lo cercano. Ma in movimento è stato sempre. Corre perché può impossessarsi delle cose e degli uomini solo sentendoli attraverso gli zoccoli del suo cavallo; perché, da quel centauro che è diventato, soltanto nel furore della corsa può realizzare il suo ininterrotto coito con il mondo, la smania di possesso e annientamento che neanche qui lo abbandona.

Lo sognavo spesso, prima del suo arrivo. Lo sognavo a cavallo, che correva impettito con i suoi generali, che si perdeva nelle nuvole delle battaglie. Io cercavo di tenergli dietro perché volevo vedere com'era una battaglia, volevo finalmente vedere una battaglia vera, e vedere me nella battaglia, ma presto lo perdevo, e restavo solo nella nuvola che diventava una nebbia molle e fredda e improvvisamente silenziosa.

Adesso che è qui, camuffato da possidente, architetto e muratore, non lo sogno piú. Ma ieri notte la nebbia è tornata ad animarsi.

La battaglia si avvicinava, sentivo fischiare palle e granate sopra la testa, e un rullio di tamburi, e richiami di trombe, grida di ufficiali. La nebbia era diventata un fumo acre che pungeva in gola. Ero sceso di cavallo, e impugnavo un fucile a baionetta inastata, e con quella cercavo di aprirmi un varco nel fumo, con ribrezzo. Quel che ho ritagliato nel fumo è stata una cresta di enormi colbacchi sussultanti, che correvano verso di me. La Guardia! ho pensato, la Guardia viene da questa parte!

L'uomo che è sbucato dal fumo era grande, peloso come un orso, come se il colbacco facesse tutt'uno con il resto del corpo; bardato di giberne, bandoliere, mostrine, catenelle tintinnanti; greve e stranamente elastico. Sporgeva anch'egli il fucile avanti a sé con un'aria di norcino che ha piena confidenza nei suoi coltelli; caricava per uccidere: per uccidere me. S'è piantato a meno di un metro, come se avesse fatto quella corsa per trovarsi esattamente lí. Di scatto, ha rovesciato in avanti il calcio del suo fucile, e con quello ha colpito il mio a metà canna, l'ha fatto schizzare per aria come un legnetto.

– Là! – ha grugnito soddisfatto.

Sono rimasto a guardare le mie mani nude e rosse, spellate dal contatto. L'uomo si preparava a spanciarmi, era cosí vicino che potevo distinguere a uno a uno i forti peli rossicci dei baffi, le venuzze contorte che gli rigavano un naso tumefatto da bevitore, la polvere nera che gli incideva le rughe della fronte. Ha spalancato la bocca nella concitazione del colpo finale; me n'è arrivata una zaffata di cattiva acquavite e fumo freddo. Adesso potevo leggere in quella bocca violacea, slogata nello sforzo, tutto ciò che lui era: non solo quel che mangiava o beveva, e come, ma anche le parole, i pensieri, i gesti, i rutti, i peti, le bestemmie, il modo con cui trattava la moglie, i figli, le puttane del reggimento, i camerati, i paesani, le bestie. Ecco, ho pensato con la lucidità che si ha soltanto nei sogni, adesso sono servito, questa è la guerra, questa è la battaglia, e io devo finire infilzato come una pecora da questo essere immondo.

E tuttavia in quell'orrore, sospeso nel tempo rallentato dei sogni, mi sono sentito avvolgere di colpo da una pace di Purgatorio. Per anni, ad ogni battaglia, ad ogni bollettino dell'Armée, ad ogni arrivo di gazzetta, avevo sentito la colpa d'essere ancora vivo, al riparo di privilegi che non meritavo. Adesso stavo per entrare nella moltitudine dei milioni di vittime, dei sacrificati senza peccato, dei trucidati per la vanagloria altrui: di Alessandro, Cesare, Annibale, di tanti illustri capitani. Pareggiati i conti, estinti i debiti. Altri – forse mio nipote Telemaco – avrebbero raccolto l'eredità delle mie colpe.

Il suono crocchiante di un galoppo s'è insinuato lentamente e distintamente nel sogno, quel poco da incrinarlo e mandarlo in pezzi. Oppresso dall'angoscia mi sono trascinato alla finestra, l'ho aperta. Nella luce ancora grigia, due cani si contendevano i resti di un piccione; una donna avvolta in uno scialle sbiadito spazzava la via con gesti incolleriti; ha guardato in su, ha creduto di dover spiegare:

– Eh! Vanno! Vanno sempre! Nel culo del diavolo, c'hanno da anda'!


*Mercoledí 25.*

Ferrante ha vinto una gara per una fornitura di paglia per i letti dei soldati. Foresi l'ha offerta a 14 franchi il quintale, Bertolucci a 11, Corsi e Senno a 8.40, lui addirittura a 8. Ha fatto intendere a Drouot che ci rimette, che quello deve essere considerato un gesto di simpatia per l'Imperatore, di comprensione per le sue difficoltà.

Non sono passati dieci giorni dalla visita di N. alle miniere di Rio, che Pons è piombato nella corte della nostra casa di Schiopparello con un impeto che annunciava eventi calamitosi. Mi ha salutato appena, ha chiesto di Ferrante, e già tuonava: – *Quelle impudence!* – E: – Mi dimetto! Mi dimetto! – E subito dopo: – Non gliela darò vinta! Non mi dimetterò mai!

Ferrante ha assunto il tono grave che usa quando l'interlocutore è in difficoltà, e lui deve dissimulare la contentezza nel contegno di un padre nobile. È giunto perfino ad offrire a Pons una cioccolata, gesto inconcepibile, perché ne è ghiottissimo, dunque avaro.

Sono in ballo i duecentomila franchi dei proventi delle miniere che Pons aveva messo da parte, o per meglio dire occultato con raggiri contabili, alla notizia della caduta dell'Imperatore. Per statuto, i fondi sono destinati alla Legion d'Onore, beneficiaria delle miniere. Incerto del futuro e dei nuovi padroni, Pons aveva architettato quell'artificio per onorare fino in fondo i propri impegni. Tanto era contento di sé, che una sera delle ultime ha accennato vagamente al generale Drouot del tesoro messo in salvo, restando inteso che lui intendeva consegnarlo ai legittimi intestatari francesi.

Improvvida vanteria. Il fedele Drouot ha riferito a N., il quale ha incaricato il generale Bertrand di scrivere al Pons: versi immediatamente al Tesoriere imperiale i duecentomila franchi, e fornisca l'esatta situazione finanziaria delle miniere: quanto minerale venduto, quanto ancora da vendere, le entrate, le uscite.

Pons è venuto a Portoferraio, ha chiesto un colloquio a Bertrand, gli ha spiegato che non poteva soddisfare le richieste dell'Imperatore, atteso che quei fondi si riferiscono a un esercizio anteriore alla venuta del nuovo Sovrano, e dunque sono di esclusiva pertinenza della Legion d'Onore. Quanto allo stato delle miniere, ha fornito le spiegazioni richieste, un quadro lusinghiero. Bertrand lo ha guardato con la sua aria accorata: – Un sale pétrin! – ha mormorato piú volte. Capiva, poteva anche convenire, ma nulla avrebbe distolto Sua Maestà da quel denaro. Non sa-

peva come uscirne. Ha suggerito a Pons di affrontare direttamente l'Imperatore.

Si sono fatti annunciare. Sua Maestà stava uscendo dai
suoi appartamenti, Bertrand ha mormorato poche parole
all'orecchio dell'Augusto che, stizzito, ha investito l'ospite: – Ebbene, Monsieur, perché non volete versarmi il denaro?

Pons ha replicato (cosí almeno dice) con rispettosa
prontezza: – Perché il denaro appartiene al Governo francese, qualunque esso sia!

L'Augusto gli ha voltato vivacemente le spalle, e senza dir motto s'è rimbucato nelle stanze della Biscotteria.
Pare che faccia cosí quando è irritato, ma non vuol prendere decisioni irrimediabili. Bertrand scuoteva la testa:
– Nemmeno il maresciallo Duroc gli ha mai detto di no!

Pons è tornato a Rio gonfio di fierezza giacobina. Piú
tardi Drouot ha raccontato, nei suoi soliti modi sfumati,
che l'Imperatore voleva destituirlo su due piedi, imbar-
carlo sulla prima nave, rispedirlo ai Francesi; poi è pre-
valso un consiglio di moderazione. Ferrante ha osservato
che Pons si permetteva di fare il maramaldo con un reuc-
cio in disgrazia, ma non avrebbe osato fiatare con l'Imperatore d'Europa. Mi è venuta in mente la stampa satirica
in cui Re Giorgio tiene sul palmo della mano grassoccia un
Bonaparte lillipuziano, e lo scruta – bonariamente incuriosito – con un cannocchiale rovesciato.

Drouot s'è adoperato a prendere tempo, ha trovato parole distensive con tutti. Di lí a qualche giorno hanno spedito a Rio il signor Peyrusse, il Tesoriere.

Sembra, costui, un Cupido di mezza età: occhietti di
carbone, fronte alta incorniciata da riccioli un po' ribelli,
piccole labbra carnose che paiono sul punto di scoccare baci o piacevoli arguzie, fatte per i salotti. L'aridità del calcolo non sembra avere intaccato la sua verve mondana,
che semmai ne è uscita rafforzata. Non ha nemmeno la
grettezza impaurita di chi, dovendo custodire un tesoro,

sa bene che c'è qualcuno che trama per portarglielo via. È
meridionale, di Carcassonne; da lui rampolla una facondia
gentile, ornata, inesauribile. Sento che se fossi una donna
finirei per cedergli solo per compensarlo del suo modo fio-
rito di porgere le cose. (Mi sono accorto che l'Imperatore
non sa pronunciare esattamente il suo nome: da buon Corso, lo chiama Peyrousse).

Investito da parole e sorrisi, Pons non ha ceduto. Ha
ripetuto che lui non poteva transigere su un punto che rap-
presentava un preciso dovere di coscienza. Poteva cedere
su tutto, non su quello.

– Ma l'Imperatore vi manderà i suoi granatieri! – ha
minacciato Peyrusse, invariabilmente gaio.

– Che mandi granatieri piú robusti di me, altrimenti li
farò volare dalla finestra!

– E sia! – lo ha minacciato Peyrusse. – Vi verrò a trovare in carcere!

– Sarà un piacere. Procurerò di farvi trovare un desinare degno di voi, – s'è inchinato il sovrintendente.

Le cose stavano a questo punto quando Pons è arrivato da noi. Ferrante lo ha incitato a resistere: non ho capito se per convinzione, perché ammira tanta fermezza d'a-
nimo, o perché intende sospingere l'amico nell'abisso, e
magari prenderne il posto. Tutti sanno che è l'incarico meglio retribuito dell'Elba.


*Giovedí 26.*

L'Imperatore ha deciso di investire frontalmente la fortezza. Ha fatto scrivere a Pons che si sarebbe nuovamente recato a visitare le miniere; che non preparasse branzi-
ni, avrebbe portato il desinare con sé. Intendeva discutere d'affari, soltanto di un tavolo di lavoro aveva bisogno.

È arrivato con Bertrand e Peyrusse, la solita aria spic-
cia. Si sono rinchiusi in una stanza della Mairie di Rio;

Drouot ha preferito attendere fuori l'esito della contesa, per prudenza di mediatore. L'Imperatore ha sparato il colpo d'inizio; la battaglia è divampata.

– Il generale Bertrand pochi giorni or sono vi ha trasmesso a mio nome l'ordine di versare i proventi della miniera, e voi vi siete sottratto a tale ingiunzione.

– Io quest'ordine non l'ho ricevuto, ma in ogni caso non avrei potuto eseguirlo.

– E perché mai?

– Perché non faccio mai nulla contro la mia coscienza.

– Non avete alcun bisogno di appellarvi alla coscienza. Dal punto di vista legale, la questione è chiarissima. Le proprietà governative che fanno parte dell'isola sono mie di diritto. Vi domando di fare ciò che fa chi detiene del denaro pubblico: versarlo nelle mie mani.

– Di quel che fanno gli altri non mi occupo mai. Le rendite maturate sino all'11 aprile scorso appartengono di diritto alla Legion d'Onore, e io farò in modo che essa le riceva. Non intendo obbedire a ordini che vanno contro il mio onore.

Raccontando, Pons si infervora a tal punto da cambiare tono di voce, imitando quello dell'Imperatore. Ferrante è sbalordito:

– E Lui? Era molto irritato?

– Impassibile. Ha spiegato: «Voi non potete credere che io voglia sacrificare il vostro onore. Non l'ho mai fatto con alcuno. Credete che non abbia esperienza di queste cose? Sono stato direttore dei parchi d'Artiglieria. Quando li lasciavo, ne rendevo conto a chi mi subentrava, e non ho mai perso l'onore per questo».

Qui Ferrante si è riscosso, ma quasi dolorosamente, perché ha capito che l'Imperatore aveva sbagliato mossa:

– In quanto direttore dei parchi ne rendeva conto a chi ne aveva diritto. Mentre adesso...

– È quello che gli ho risposto io, – ha detto Pons trionfante. – Ho obiettato: «La Maestà Vostra si compiaccia d'osservare che nel nostro caso il titolare del diritto non coincide con il Sovrano».

– E Lui?

– Ah, si è fatto brusco. S'è alzato in piedi, ha scandito bene le parole, ritmandole sul tavolo con il pugno: «Son io che ho fondato la Legion d'Onore. Dunque quel denaro mi appartiene. E voi-farete-esattamente-ciò-che-v'ingiungo-di-fare».

– E voi?

– E io ho detto: «Con tutto il rispetto, Maestà: io non lo farò». Allora Lui si è messo a gridare: «Monsieur, io sono sempre l'Imperatore, non dimenticatelo». E io ho risposto: «Sire, io sono sempre un francese». Tremavo. L'avrei strangolato con le mie mani, lo giuro.

– *Bien joué*, – ha ammesso Ferrante. – *Quel courage!* E il generale? E Monsieur Peyrusse?

– Due statue di sale. Peyrusse sorrideva persino, in quel suo modo che sembra un etrusco. L'Imperatore ha chiesto i cavalli, è uscito di furia. Quando l'ho raggiunto sulla piazzetta era già in arcione, ma tranquillo come se nulla fosse successo, ah, vedeste! Stava parlando con Drouot, gli ha detto qualcosa come: «Avete visto come si è alterato quel povero Monsieur Pons! Non ha mai assistito a certe nostre discussioni...»

– C'è forse qualcuno che discute con Lui? – ho detto io.

– Ma no, intendeva dire: non ha mai assistito alle mie sfuriate. E poi non poteva mostrare in pubblico di essere davvero arrabbiato, – ha chiosato Ferrante. E rivolto a Pons:

– Avete sconfitto l'uomo delle Piramidi, di Marengo e di Austerlitz, e senza spargimento di sangue.

– Aspettate, aspettate, – ha detto Pons con un largo sorriso che voleva riuscire modesto. – Sento che sta preparando la sua rivincita...

Partito Pons, tronfio che persino il suo cavallo sembrava dimenare le natiche con sussiego, Ferrante ha scagliato il cappello per terra:

– Non ci credo e non ci credo! Figurarsi! Pons che tratta a quel modo l'Imperatore! A chi la racconta?

Quell'altro l'ha raccontato a tutta l'isola. A ogni giro,
a ogni racconto, le risposte di lui, Pons, erano piú fiere e
concise; e le ingiunzioni dell'Imperatore piú fiacche. Adesso a casa nostra, se qualcuno pretende qualcosa che non
gli è dovuto, gli si risponde: «Monsieur, io sono sempre
un francese».

Nella sua furia di vendere tutto e spremere soldi anche
dalla rumenta, N. ha cercato di rifilare a Pons delle vecchie farine avariate che ha trovato nei magazzini di Forte
Falcone, perché ne facesse pane per i suoi operai. Pons si
è rifiutato: ha detto che non vuole avvelenarli. Allora N.
ha proposto di mescolare farina vecchia e farina nuova.
Cosí è stato fatto, ma agli operai gli è venuta la cacherel-
la lo stesso.

N. si è rassegnato. Pons trionfante, ma preoccupato: la
*souplesse* napoleonica lo sconcerta. Non capisce come mai
l'I. non usi la forza, teme che la calma annunci sciagure.

Per me N. recita la parte del proprietario che rispetta
le leggi per far vedere che è cambiato, che non è piú il despota di un tempo.

Invitato dal capitano Ussher, l'Imperatore è tornato a
bordo dell'*Undaunted* per festeggiarvi il compleanno del Re
Giorgio d'Inghilterra. Ufficiali e marinai lo hanno salutato con poderose salve di urrà, ed Egli è stato per tutta la
sera di un brio, di una gentilezza, di un'affabilità che li ha
entusiasmati. I marinai sono stati gratificati di mance e do-
nativi, e mille bottiglie di vino. Non riescono a capire come mai il loro paese si sia accanito contro quell'Uomo superiore, per il quale conta solo il merito, non la nascita. Sulla nave, N. ha tenuto un'altra concione delle sue:

– Ah! La plebe! Quale splendida fattrice di eroi! Con-
siderate i miei marescialli! Augereau figlio di un murato-

re, Murat di un oste, Masséna di un mercante di vino e di olive, Ney di un bottaio, Lannes di un garzone di scuderia, Lefebvre di un mugnaio, il mio fido Drouot di un panettiere! La Rivoluzione ha liberato i talenti dalle barriere di classe e io ne ho perfezionato l'opera! L'ingegno umano ha ripreso i suoi diritti!

Gli Inglesi stanno diventando gli evangelisti dell'Imperatore, ha detto Ferrante, invitato anche lui sulla nave come fornitore della Regia Marina. Estasiati, ne ripetono e commentano i detti. Il capitano Ussher, che partirà da Portoferraio a fine mese, ha deciso di far dono al Sovrano della scialuppa che in queste settimane lo ha scarrozzato per la rada; ed Egli, grato della distinzione, l'ha prontamente ribattezzata con il nome del capitano.

Gli Inglesi ammirano i suoi modi familiari, la confidenza che dà ai sottoposti, il suo intendersi di tutto, la larghezza di vedute. L'Imperatore pare conoscere ogni dettaglio del funzionamento della Marina. Sa quanto costa al giorno una nave da guerra, la lunghezza dei turni, le differenze d'armamento, i tipi di gomena e di sartiame. Ama ripetere che non c'è niente in guerra, per terra come per mare, che lui non sappia fare: se è finita la polvere per i cannoni, lui sa prepararla; se mancano gli affusti, li sa costruire; se ci sono da fondere dei cannoni, conosce le tecniche; è in grado di insegnare ogni minimo dettaglio di una manovra.

Ussher è un uomo semplice, biondo e quasi bianco, la pelle cotta dal sole e dalla salsedine, che ha passato la vita in mare, e sembra non conoscere altra regola che gli ordini che riceve e quelli che dà. Con l'Imperatore ha riscoperto la forza evocatrice del *Logos*. Campbell cerca di conservare un ironico distacco dal suo Uomo, e tutto sommato crede di poterlo amministrare come si fa con un'amante un po' balzana, ma di cuore largo; Ussher, con un padre pescatore della Cornovaglia, vede in Napoleone quello che tanti figli dell'Inghilterra sarebbero potuti diventare se i loro governanti o il destino gliene avessero dato l'opportunità.

Non c'è nessuno che N. ami sedurre quanto gli Inglesi, i mortali nemici. Ed essi, in effetti, si lasciano frastornare dai discorsi seduttivi che accompagnano il corteggiamento. Il capitano Ussher è stupito che l'Imperatore si interessi cosí profondamente degli Inglesi e del loro futuro, che conosca il carattere dei loro governanti, che progetti per loro una vita nuova cui essi stessi non avevano pensato. Ussher non crede affatto alle vanterie militari dell'ipotetico sbarco, tuttavia è scosso dalle visioni magnanime dell'Imperatore, che adesso tornano ad affacciarsi grandiose e perturbanti, come se non ci fosse mai stato il disastro di Trafalgar.

N. ripete che gli sarebbero bastati quattro giorni per arrivare a Londra, quasi senza combattere, perché si sarebbe presentato come un liberatore, non un conquistatore. Avrebbe conservato al popolo inglese i suoi diritti, e anzi lo avrebbe sollevato alla vera libertà. In breve tempo due popoli accanitamente ostili, intenti soltanto a danneggiarsi a vicenda, avrebbero costituito un solo popolo per principî, direttive politiche e commerciali. Quale progetto meraviglioso! Quanti mali, quante stragi risparmiate alla misera Europa! Gli immensi capitali, le spese di guerra sarebbero servite a costruire un futuro comune e prospero... Tutto era pronto, quando i misteriosi decreti della Provvidenza, il capriccio della Natura avevano disposto altrimenti: prima i ghiacci di Russia, poi le tempeste sui mari. Erano stati quelli a sconfiggere l'Imperatore. Gli Dei, il Fato. Non gli uomini.

A me sembrano gli sfoghi di un vinto che cerca ancora di confondere i vincitori, a me che so che quelli di Capoliveri e Longone e Rio e Portoferraio, sparsi nel raggio di poche miglia, non sono affatto disponibili a costruire un futuro comune: il loro maggior piacere resta il poter razziare i campi e il bestiame dei vicini.

Come farà l'Inghilterra a sostenere l'immenso debito pubblico? si chiede e chiede a Ussher l'Imperatore. Perché quello è il cancro che la rode. Essa deve continuamente accrescere le tasse, che fanno aumentare il prezzo delle derrate: il popolo si riduce in miseria, il costo del lavoro continua a crescere, le merci rincarano, e non possono essere esportate alle condizioni favorevoli di una volta. L'Inghilterra perderà le sue colonie, perché il controllo che esercita costa piú di quello che rende; e perché l'iniquità dello schiavismo non paga. Ha perso l'America, perderà l'India, non sarà nemmeno tanto accorta da negoziare con le colonie un riscatto che allevierebbe il debito pubblico...

Ussher ascolta queste filippiche a capo chino, come uno scolaro colto in fallo, né trova argomenti da opporre; finge di non raccogliere le provocazioni, offre sigari. Drouot sorride a filo di labbra, e persino Bertrand pare rianimarsi. Càmbel lascia dire.

L'Imperatore ha regalato al suo fidanzatino inglese una tabacchiera tempestata di pietre rare, con la sua effigie. È dispiaciuto a tutti, che l'*Undaunted* sia ripartita per Genova. Era diventata una presenza familiare.

Non so come il capitano Ussher giustificherà con l'Ammiragliato la donazione della scialuppa.


*Venerdí 27.*

Con l'ossessione d'esser sorpreso dai suoi nemici, l'Imperatore ha cercato di riordinare quella che chiama «la flotta». Sono otto bastimenti in tutto, piú atti a trasportare minerali di ferro in continente e montoni a Pianosa che a muovere guerra. L'unico minaccioso è un brick, l'*Inconstant*, ventisei cannoni e sessanta uomini d'equipaggio: servirà per le missioni importanti, per il trasporto reale, per difendere le coste dai pirati. Per intanto s'è piazzato all'imboccatura della darsena, pronto a prendere il largo con un mese di viveri a bordo: il nuovo signore vuole identificare tutti quelli che arrivano e partono, amici e nemici.

Adesso stanno trattando un mezzo sciabecco di 80 tonnellate, lo *Stella*, che serve per trasporto merci, ma è armato di due pezzi da sei pollici. Prezzo, 8000 franchi, che Ferrante giudica eccessivo. Lui avrebbe saputo comperare meglio.

Ammiraglio è il tenente di vascello Taillade, che ha sposato una distinta fanciulla di Longone. Costui, che si sente una testa di scienziato, è bravo a parlare di matematica sin che sta a terra o c'è bonaccia; in mare è inetto alle manovre: quando il tempo si mette al brutto, si chiude in cabina, e lascia fare al suo secondo. Come molti incompetenti, si sente sottopagato; i malumori gli accendono interminabili concioni sulle ingiustizie di cui è vittima. L'Imperatore lo sopporta perché non ha di meglio per le mani; o perché i matematici, ai suoi occhi, sono creature superiori.

Ha lasciato l'isola anche il generale Koller, il commissario austriaco. Persino lui, cosí contegnoso, si sentiva autorizzato a dar sulla voce all'Imperatore. Una sera di pubblico ricevimento, che la discussione s'era infervorata – di solito sono rievocazioni di vecchie battaglie – gli è scappato detto:

– Vostra Maestà ha torto!

– È cosí che parlate con il vostro Sovrano? – gli ha chiesto N., irritato.

Koller, con una prontezza che non gli avrei sospettato:

– Il nostro Sovrano non ama i servitori che non gli dicono la verità!

– In questo caso, – ha consentito amabilmente N., – il vostro padrone è servito assai meglio di quanto lo sia stato io.

Prima di partire, Koller s'è lasciato andare a una confidenza velenosa: l'Imperatore soffre di una malattia venerea, e non nasconde i medicamenti che è costretto a prendere. Ha anche detto al colonnello Campbell che a suo avviso gli Alleati non verseranno mai i due milioni previsti dal Trattato. Campbell ne ha parlato con Pons, il quale – desideroso di dimostrare la sua lealtà all'Imperatore, ad onta dei litigi – si è affrettato a riferire a Drouot, il quale ha riferito all'Imperatore, il quale ha detto che sapeva tutto.

Del tesoro di cui si favoleggiava nei giorni dell'arrivo dell'Imperatore non c'è traccia. In città c'è malumore, sono scoppiati litigi. Nei battaglioni le diserzioni sono in aumento. Vantini si è sentito dire che lui, Lapi e gli altri del partito francese sono dei bischeri e degli ingenui, che N. ci spremerà piú e peggio degli altri padroni, che ci siamo fatti sorprendere in flagrante giubilo per una manciata di belle parole, come degli strulli.

Ho scoperto che il personale dell'amministrazione francese non ama l'Imperatore. Tengono le distanze, se ne stanno sulle loro, asciutti. La sera che Egli ha tenuto il suo primo *cercle de dames* alla Biscotteria, intrattenendosi con le signore, le loro mogli non ci sono andate. Molti partiranno con Dalesme e con i soldati che non vogliono piú servire sull'isola. Quelli che restano sembra che vogliano far sapere a Parigi che loro servono la Francia, non un avventuriero dalle incerte fortune.

Al *cercle*, le dame erano piú imbarazzate che eccitate. Stavano legnose sulle sedie, vergognandosi delle acconciature. Vittoria, la piú disinvolta, lasciava che per lei parlasse il bel seno che prende slancio dalla cintura alta dello *chemisier*, secondo i dettami della nuova moda (sembra fatta apposta per lei, che ama porgere il petto con lo speciale orgoglio ostensivo delle dame consapevoli dei pregi del loro busto). La signora Lapi, all'opposto, era quasi indistinguibile sotto i corpetti e gli scialli in cui era avvolta, rotonda piú che grassa, nella sua aria di tacchina; ma persino con lei l'Imperatore è stato di una galanteria stoica. A tutte ha chiesto dei figli; ha incitato le piú giovani a procreare. Il ruolo del paraninfo lo esalta: a Diamantina, che ha dovuto confessare di essere ancora nubile, ha promesso che le avrebbe trovato marito; a lei quella mancanza di riserbo non è affatto piaciuta.

Càmbel, presente con il solito occhio malandrino di volpe che si è infilata in un pollaio, ha notato – tra il divertito e lo scandalizzato – che tra le invitate c'era anche una ricamatrice che qualche giorno prima gli aveva rattoppato una giubba. Pare si sia già accaparrata i favori di uno dei furieri di Palazzo.

*Sabato 28.*

N. passa i giorni ai Mulini. Segue i lavori con aria distratta; sin dall'alba, attraversa spesso il cantiere per affacciarsi ai bastioni, e di là, facendosi porgere il cannocchiale da Drouot, fruga il mare. Teme incidenti, naufragi, trappole degli Alleati. Rifà il conto dei giorni.

È stato Drouot a identificare il convoglio delle navi inglesi alle prime luci dell'alba. La Guardia era finalmente arrivata. La salvezza da questi strani nemici, ancora una volta.

L'Imperatore è sceso alla punta del Gallo, ha aspettato due ore sotto il sole, passeggiando a corti passi, con Bertrand e Drouot che si tergevano il sudore con grossi fazzoletti. Si è lamentato soltanto dalla lentezza delle manovre.

Il generale Cambronne è stato il primo a volare dalla scialuppa. L'Imperatore l'ha accolto sul petto. Gli teneva entrambe le mani, non lo lasciava più, lo fissava con la gratitudine amorosa delle donne appagate. Ha detto commosso:

– Generale, ho passato tristi momenti, nell'attesa. Ora siete arrivati. Tutto è dimenticato.

Cambronne, radioso, ha ricambiato a lungo la stretta, poi si è tratto d'impaccio – la commozione travolgeva anche lui – presentando gli ufficiali che via via andavano sbarcando.

Sono più di quattrocento uomini d'ogni età, giganti

baffuti per regolamento, con facce di legno e di cuoio secco, gonfi d'una ruvida forza sul punto di esplodere. Il famoso colbacco di pelliccia d'orso è alto più di un braccio; sul lato sinistro un pennacchio scarlatto gli dà come
il canto di un gallo; la catenella lo attraversa diagonalmente con un tono d'eleganza. La giubba è di un azzurro carico, con paramani scarlatti e risvolti di panno bianco; i bottoni in rame portano un'aquila sbalzata. Bianchi
sono anche il panciotto e i pantaloni; dorate le spalline
degli ufficiali. Il cappotto azzurro sta ripiegato sulla sac-
ca di vitello. Sembra una livrea fatta per l'ammirazione
femminile, più che per le pratiche immonde degli am-
mazzamenti bellici.

Alcuni di loro piangevano; stavano lí ammassati sul molo, con i loro zaini, e si scambiavano parole, gesti, cenni
di Lui: di come aveva riconosciuto questo e quello, e come aveva ricordato le antiche battaglie, gli episodi di valore. Per la prima volta ho capito il senso del loro stare insieme, quella solidarietà di vecchia mandria che si riconosce al fiuto, il condividere la vita e la morte; e l'orgoglio
di corpo; e quella fedeltà assurda e incrollabile: che poi è
fedeltà a se stessi.

Mi chiedevo come aveva fatto quell'uomo a tenerli
uniti a sé attraverso interminabili campagne, dalla Spagna alla Germania e alla Russia, e di nuovo in Francia,
quando anche i generali più fedeli, fatti duchi e marescialli, ricompensati a milioni di franchi, avevano rifiutato di continuare a battersi. Guardavo quelle facce con-
tadine, e cercavo di capire che cosa poteva spingerli fino
all'Elba, adesso che tutto era finito, addirittura lottando tra loro per riuscire ad entrare nel novero dei Quattrocento che il Trattato assegnava all'Imperatore vinto.
Nell'abbandono e nel tradimento di molti, dei più, Lui
riceveva prove di fedeltà che basterebbero a riempire
molte vite.

I *grognards* sono sfilati tra gli evviva fino a Piazza d'Armi, in un gran rullare di tamburi. L'Imperatore li ha ringraziati con voce vibrante.

– Faremo insieme voti per la nostra patria, per la nostra cara Francia, saremo felici della sua felicità, – ha detto. – Vivete in buona armonia con gli Elbani: sono anch'essi cuori francesi.

Questo Pierre-Jacques Cambronne ha voluto seguire a tutti i costi il suo Imperatore malgrado le ferite riportate nelle ultime battaglie davanti a Parigi (pare che queste ferite siano cosí numerose da disegnargli come dei tatuaggi, di cui è assai fiero). Avrà una quarantina d'anni, cranio allungato di volpe, naso pronunciato, bocca piccola, occhi chiari e mobilissimi. La barba gli cresce cosí rapidamente che a metà giornata le sue gote sono già bluastre. Parla in tono un po' metallico, sputando le parole come le pallottole. S'è arruolato volontario a vent'anni, ha combattuto dovunque. A Hanau è diventato generale di brigata sloggiando da un bosco quattro battaglioni bavaresi con tre sole compagnie. Quando la battaglia è incerta, infila il cappello sulla spada e grida ai suoi di seguirlo, altrimenti andrà a farsi uccidere da solo.

Adesso sarà il comandante militare della piazza di Portoferraio. Che cosa potrà sognare, nelle notti estive dell'Elba? Esistono altri pensieri in quella testa che non siano la voluttà della battaglia? Deve essere un ben forte piacere questa esibizione di sé, questa continua copulazione con la morte.


*Domenica 29.*

Con gli uomini della Guardia sono arrivati anche i libri della biblioteca dell'Imperatore. Decine di casse sono state ammassate nel giardino sterrato dei Mulini. Ai libri l'Imperatore ha riservato la stanza che è proprio accanto alla camera da letto: non grande, senza molta luce – le due

finestre sono piccole –, ma intima, raccolta. Gli operai
stanno terminando i lavori, danno la calce; tra pochi giorni sarà pronta.

Il giovane Bernotti è venuto ad annunciarmi che il generale Drouot desiderava vedermi, ma dal suo volto non
sono riuscito a capire i motivi della convocazione. Non
credo che Bernotti li conoscesse, ma ci teneva a farmi intendere che lui era di servizio, dunque non dovevo aspet-
tarmi alcuna complicità.

Sono salito con lui al Forte Stella, dove Drouot ha il
suo comando. Per le rampe, un brulichio di ufficiali e di
civili, un incrociarsi di richiami come per una festa. Il generale mi attendeva nel cortiletto con il pozzo, che dà alle caserme un'aria di villaggio. Ha sorriso con quel suo modo impercettibile di stirare le labbra, lo sguardo del monaco che vive nella penombra della devozione al suo Dio:

– Monsieur Acquabona, vi devo chiedere un servigio a
nome dell'Imperatore, il quale desidera istituire un posto
di bibliotecario per le sue collezioni, che saranno ospitate
nella Palazzina imperiale. Abbiamo assunto informazioni,
e voi risultate essere persona idonea, per gli studi che da
tempo accudite, per il gusto delle lettere, le francesi in particolare – e anche per la discrezione, qualità essenziale in
ogni servitore di un Sovrano. L'Imperatore, come sapre-
te, annette una particolare affezione ai suoi libri, che per
lui sono fonte di informazione, di riflessione, e di continuo stimolo. La sua cultura abbraccia ogni ramo dello sci-
bile. Egli ama tenersi aggiornato. Voi dovreste dunque
provvedere all'ordinamento delle opere nel modo piú conveniente, ma anche informare tempestivamente l'Imperatore di ogni novità meritevole d'attenzione –. Ha sorriso
ancora: – S'intende che non siamo a Parigi, e che questo
prenderà del tempo.

Sorpreso, confuso, mi sono detto onoratissimo: spera-
vo soltanto di essere in grado di corrispondere ai desideri
dell'Augusto.

– Credo anche di sapere, – ha aggiunto il generale in tono di amichevole confidenza, – che voi siete, come dire, un cultore di studi napoleonici, e che non c'è aspetto della storia imperiale che vi sia sconosciuto.

Ho detto al generale che questo sarebbe troppo dire, che sono un semplice appassionato di cose storiche.

Lui ha ancora detto:

– Mi corre anche l'obbligo di precisare che si tratta d'un incarico modestamente retribuito. Il nostro budget non permette...

Ho fatto un gesto per significare che non attribuivo alcuna importanza a questo aspetto. Cercavo di controllare la contentezza: il più romanzesco dei casi mi offriva su un vassoio l'oggetto delle mie ricerche. Entravo nel cuore della Palazzina e delle stanze imperiali, un punto d'osservazione che ogni storico mi avrebbe invidiato. Ho sentito pulsare alle mie tempie la vanità dell'autore.

Prenderò servizio non appena arriveranno gli armadi a vetro. Ho detto al generale che gli avrei presentato un piccolo progetto di sistemazione per materia, in modo da facilitare la consultazione.

Drouot ha ringraziato, ma ha scosso la testa:

– Credo che l'Imperatore abbia delle idee precise anche a questo proposito. Soprattutto a questo proposito. Tiene all'ordine dei suoi libri come a quello della Guardia.

Mi guardava con una specie di compassione protettiva. Ho sentito che non lo avrei mai potuto raggiungere nella lontananza gentile in cui sta come protetto da un velo di malinconia.

Molte volte nei suoi discorsi e nei suoi proclami mi è capitato di trovare la parola «felicità». Buon padre, N. non sembra pensare ad altro che alla felicità dei popoli obbligati alla sua tutela. Ha promesso felicità agli italiani, agli egiziani, ai prussiani, ai polacchi, agli spagnoli, ai russi, con parole e intendimenti pressoché identici. Conse-

gnatemi le vostre anime, le vostre terre, le vostre vecchie
regole, e io le renderò nuove ed efficienti. Io vi renderò
felici. Egli ha della felicità un concetto per cosí dire collettivo e durevole. La concepisce come un unguento miracoloso che è possibile applicare a tutti gli esseri umani,
senza che il tempo ne sminuisca i benefici effetti. Un bene che si può produrre a piacere, come la farina o il vino,
secondo una ricetta nemmen tanto segreta ma sua esclusiva, di cui sono colmi i magazzini imperiali. Egli altro non
chiede ai suoi sudditi che aiutarlo a distribuire quel bene
taumaturgico. Per lui la felicità è una questione logistica,
una delle tante di cui è maestro, come trasportare viveri o
cannoni: a risolverla occorrono semplicemente ordini esat-
ti, cavalli ubbidienti, carriaggi acconci, il buon volere degli equipaggi.

So bene che tutto questo è Teatro, anche se al fondo
dei suoi proclami v'è, indubitabilmente sincera, l'attitudine del buon massaio. In questo Egli è rimasto il figlio di
famiglia che si ritrova orfano in giovane età sia del padre
carnale che del padre politico Pasquale Paoli, e si industria
con caparbia volontà borghese a parare i colpi dell'avver-
so destino, a preservare le case, i campi, i raccolti, le greg-
gi, i risparmi accumulati da sua madre.

Ma mi è difficile credere che proprio qui – spogliato
dell'immenso potere che aveva – Egli non sappia che la felicità si dà soltanto al passato. Resta vero che per un reggitore di umani la felicità è un concetto che può essere ap-
plicato soltanto al futuro, al pari di ogni promessa. Quanto a me, so che la felicità non pensa, vive. La felicità sta
tutta nella consapevolezza, postuma e tardiva, che sopraggiunge quando l'antico incanto s'è dissolto. Di quel
lume offuscato, la felicità è soltanto la pallida ombra superstite: e subito prende altro nome e sostanza, diventa
nostalgia e rimpianto. La felicità è raccontata dall'infeli-
cità, o da qualcosa che le somiglia: un'assenza, una priva-
zione. Quanti minuti di felicità riusciamo a raggranellare

nel corso di una vita? La felicità è una piramide assai piú piccola dei coni ben pettinati e rastrellati, che scintillano al vento nelle saline di San Giovanni come stendardi di cristallo. Io stesso, che dovrei tentarne il catalogo, mi accorgo che gli istanti che dovrei elencare sono impari all'idea che mi sono fatta della piú fuggevole delle felicità. Stranamente, questo catalogo non comprende visi umani, perché l'espressione di un volto è per sua natura inafferrabile, e la comune esperienza ci fa avvertiti che quanto piú intensamente pensiamo una persona, tanto piú il suo volto ci sfugge. Mi è assai piú facile rammemorare paesaggi, aromi, luci: il profumo della macchia quando la vampa estiva lo condensa in un liquore effuso per l'aria; il mare verde delle libecciate, la cresta bianca delle sue spume; il taglio radente dei tramonti sui tetti di Poggio; la pallida fiamma cristallina delle ginestre ad aprile; la neve che plana pesante tra i castagni, l'odore dell'aria di neve; il lume che Defendente accende a prua della barca nella pece della notte marina, a chiamare il pesce che si affaccia alla chiglia con la vischiosità dei sogni; il color mattone del primo totano che ho visto pescargli. Ma già allora, in ognuno dei momenti che vivevo, ero conscio della loro istantaneità: ogni emozione si velava di un senso di perdita imminente. La Bellezza, l'epifania della Bellezza sono drammatiche. Sconvolgono la nostra concezione del mondo, turbano gli equilibri raggiunti a fatica, lasciano dietro di sé una scia di dolce sgomento. La Bellezza esiste perché noi la si debba perdere, e poi disperarci.

Ho cercato spesso negli occhi grigi dell'Imperatore gli avvenimenti ai quali un uomo della sua fatta poteva pensare come a una felicità perduta. Sarebbe facile dire il ponte di Arcole, Jena, Austerlitz, la prima notte che ha dormito a Schoenbrunn, la sera che è corso incontro a Maria Luisa con l'emozione del borghese che sposa la figlia dell'Imperatore. No, non è quello.

Per lui la felicità possibile è la tensione rivolta al domani, il calcolo delle possibilità, l'indugio sulle carte del campo di battaglia, l'organizzazione della macchina in ogni suo dettaglio, perché dal dettaglio dipende il successo del progetto. Un piacere da orologiaio. A cosa pensa un orologiaio chino sui suoi congegni, l'occhio strizzato a sostenere la lente? Non certo al passato. Per lui il computo del tempo è qualcosa che riguarda il futuro.

«Tutto in me è calcolo»: così ha detto a Drouot. Quando lo guardo, sento il ticchettio dei congegni di quel suo cervello che non si ferma mai. L'ordinato girare delle ruote dentate, più piccole di quelle del più piccolo orologio da taschino, il progredire degli scatti, quella sincronia di meccanismo coeso. Il ticchettio mi ossessiona. Mi chiedo se ossessioni anche lui, se vi sia spazio in quella testa non dico per il riposo, ma per una vacanza, un'intromissione del sentimento.

Neppure all'Elba l'Imperatore ha tempo di pensare al passato. A furia di stargli vicino, di spiarlo, di registrarne detti e gesti con maniacale applicazione, mi sono accorto che anche per me passato e presente non esistono più: resta soltanto un domani da inventare. Ma quale domani è dato a me, che non sia interamente occupato da Lui? Quale domani che sia ancora circoscritto dalle mobili pareti del mare che circonda l'isola? Penso con sgomento che le isole non hanno altro domani che la partenza.

*Martedí 31.*

Non sono passati nemmeno dieci anni, ma non saprei dire il momento esatto, né le ragioni vere per cui avevo deciso di ritirarmi nella stanza in fondo al primo piano. Forse per noia, perché i giorni che mi attendevano erano una opprimente ripetizione degli stessi eventi, inclusi i piaceri carnali, come accade nelle noiosissime vite degli ani-

mali. Forse per dispetto, perché il mondo non corrispondeva ai miei disegni d'armonia, e si presentava anzi come
ferocia insensata e ingovernabile. Forse perché non ero capace di un radicale rifiuto dell'assurdità del mondo dan-
domi la morte con le mie mani. Forse per sfida a me stesso: volevo tentare l'unico vero viaggio che mi restava da
compiere: quello della fissità.

Per tutti questi motivi insieme, e nessuno di essi. Per
solito il senso delle cose ci appare finalmente chiaro quando conoscerlo non serve piú. Senza essere apatico o indifferente, ero diventato immobile. La condizione d'immobilità mi pareva l'unica decorosamente praticabile.

Fino ad allora la stanza era stata usata come ripostiglio
di oggetti dismessi: vecchi paraventi tarmati, armadiucci
sbilenchi, la cornice scheggiata di una grande specchiera
che s'era rotta, attrezzerie per il camino, un arcolaio sfat-
to, orinali bucati, un cavallo a dondolo di rustica fattura
che in casa veniva detto Baiardo, carte, giornali. Defendente aveva lavorato cinque giorni a sgomberarla.

Accanto alla finestra ho sistemato una poltrona assai
capiente con annesso poggiapiedi, e un tavolinetto da scrittura. Nell'angolo un armadio a vetri per i libri e quello che
chiamavo il «bonapartame»; nell'altro angolo un letto da
campo con quattro asticelle che reggono il baldacchino della zanzariera, e sembrano doversi spezzare da un momento all'altro, zampe troppo lunghe d'un ragno malato. Lí
dentro c'era un buon odore di cuoio, di legno vecchio, di
carta umida, di salnitro. Non uscivo per intere settimane.

Ogni mezzogiorno si affacciava sulla porta della biblioteca Elide con la sua faccia spiritata. Portava di malagrazia un vassoio con gli avanzi della cucina: una ciotola
di ceci lessati, una minestra di farro, un'acciuga, un tozzo
di pane, una brocca di rosso; il polpo bollito era riservato
a circostanze speciali. Poiché non le sembravo interessato
al cibo, lei che da bambina aveva patito la fame credeva
di punirmi a quel modo; ma tutti sanno che una panzanella

o una zuppa lombarda sono piú buone, il giorno dopo. Mangiavo piano guardando il porto, il dondolio degli alberi, e il cono viola del Volterraio, laggiú in fondo: familiare e misterioso come tutti i simboli. In ogni fagiolo, in ogni scaglia di tonno assaporavo il Dio Pantocratore.

Nessuno l'aveva annunciata. La porta s'è aperta, la sagoma opulenta della Baronessa s'è incisa nel controluce; dietro di lei Elide imbarazzata, ringhiosa.

Aveva l'aria di chi aveva occupato militarmente la casa. S'era tolta il cappello, e scuoteva la chioma ondulata, come scolpita dall'aria di una corsa. Mi guardava con una espressione d'ovvietà, quasi sapesse di essere attesa. Portava un abito di foggia antiquata, un po' liso, piú adatto alle faccende domestiche che a una visita (ama sovrintendere personalmente ai bucati, ogni giorno, e nulla le sembra mai pulito a sufficienza). I toni del grigio e del nero davano risalto agli occhi marrone, brillanti di una luce che si ritrova soltanto nei ritratti di pittori di genio, quelli che sanno raccontare l'anima, magari inventandola. Davano risalto al disegno della bocca.

Era una bocca che assommava e potenziava gli altri organi sensoriali: da quelle labbra fruttate ci si sentiva osservati, considerati, toccati, avviluppati, vezzeggiati, infine mangiati, come se per quel naturalissimo destino fossimo stati creati. Era sempre pronta, quella bocca, a inghiottire il mondo intero come fosse una crema.

Emana da lei una luce torbida, ignota a se stessa; è al tempo stesso molle e dura, come il fiore della magnolia. (Anni dopo, in una notte di litigi, a certe mie concitate – insensate – richieste di spiegazioni, ha risposto perentoria: io sono un ossimoro vivente. Mi gettava in volto una figura retorica come il piú glorioso dei vessilli).

Lei aveva preso una intonazione di benevolenza ironica:
– Sono venuta a vedere il Romitorio Acquabona.

Ispezionava la stanza con una curiosità ostentata. Si vedeva che la semplicità degli arredi corrispondeva all'idea che se ne era fatta:

– Godete degli stessi agi di sant'Antonio nel deserto…

– Sant'Antonio non subiva le tentazioni che si offrono a me, – ho detto con macchinale galanteria.

– E chi vi dice che vi voglia tentare? La mia è una visita di carità. Osservo il precetto evangelico: visitare gli infermi…

– Sto benissimo, vi assicuro.

– Parlo delle malattie dell'anima.

– Anche l'anima si porta discretamente, perché l'ho abituata al poco. Ma se è carità senz'altre specificazioni, la accetto volentieri. Ne sono onorato.

Mi studiava. Sere prima, durante un ricevimento in casa del fratello governatore, s'era parlato di me come di una curiosità locale: un eremita che s'era volontariamente recluso nella biblioteca di famiglia, privo del conforto di amicizie femminili e animali, e coltivava studi che non erano chiari ad alcuno. In un'isola nota per la lingua mordace dei suoi abitanti, il riserbo del mio carattere, una nomea di mitezza e la presunta gentilezza dei miei costumi erano tema di congetture, di scherzi. Qualcuno sosteneva che non ero nemmeno figlio di Giacomo Acquabona, armatore e possidente, ma di un ufficiale francese, tale Desgenettes, che s'era fermato qualche mese all'Elba dopo il naufragio della nave su cui era trasportato. Questa francesità, per cosí dire, poteva bastare da sola a spiegare le mie stranezze, la mia voluttà di solitudine, la mia estraneità ai traffici di cui è ordito il mondo. Non me ne sono mai offeso. La doppia identità mi pareva anzi una ricchezza: avrei voluto essere contemporaneamente figlio di un turco, di un russo, di un olandese… Quanto all'incognito Monsieur Desgenettes, lo penso con affetto.

Da quella sera la Baronessa s'era incuriosita, messa in sospetto:

– Sono venuta a vedere se siete proprio come sembrate, come dicono.

– Certo che no. Nessuno è mai come sembra. Quanto
al dire...

– Ah! Vi dichiarate vinto prima ancora di combattere! –
S'era già adagiata nella mia poltrona. Il molle abbraccio
dei cuscini le ha procurato un mugolio di piacere. Ho provato per quei cuscini l'odio della gelosia.

È cominciata così, nel maggio 1806. Era appena passato l'inverno di Ulm e di Austerlitz; di lí a poco Napoleone avrebbe vinto a Jena e Auerstaedt, e sarebbe entrato a Berlino. Gli Inglesi avevano dichiarato il blocco con-
tinentale. Da noi fu un anno secco, infuocato: raccolti
perduti, disperazione, fame. Magra anche la pesca, e il ricavato della tonnara.

La Baronessa non tardò a scoprire nell'armadietto i volumi dedicati all'Imperatore, e poi le stampe, le medaglie,
gli oggetti:

– Vi interessa così tanto quell'uomo, signor eremita?

Le ho spiegato che potevo interessarmi soltanto di qualcosa che era sideralmente lontano da me.

– Ah! Non è così semplice! – ha detto prontamente.
– Anche voi lo amate, come tutti, e nemmeno lo sapete.
Non lo volete ammettere. Lo amate perché è diverso da
voi. L'opposto.

La sua sicurezza mi sconcertava. Ho cercato di sviare
il colpo:

– Volete dunque dire che i medici amano le malattie di
cui si occupano?

– Adesso che mi ci fate pensare, direi proprio di sí.

– E voi lo amate, quell'uomo?

– Non amo i vincitori, – disse quasi con sprezzo.

Tornò nei giorni seguenti, ogni volta a sorpresa, ogni
volta stupita di trovarmi ancora recluso nella penombra,

a dispetto del fulgore struggente dei pomeriggi già estivi, dei profumi avvolgenti che salivano fin qui. Barricato in casa, pur sapendo che lei girava per l'isola, che tutta l'isola parlava di lei, dei suoi modi spavaldi, non degni di una signora. Dicevano che era in tutto eguale al fratello, quella scorreggia del Diavolo.

Si sistemava nella poltrona, gemeva di soddisfazione, mi fissava. Ci guardavamo a lungo, in silenzio. Voleva vedere se avrei osato. Talvolta reclinava il capo sulla spalliera, respirava profondamente, sembrava assopirsi, ma il petto le tremava come di un affanno non dominato.

Per parole sparse, talvolta alludeva a tormenti lontani. Seppi che aveva un marito anziano, di intelligenza acutissima e disperata: anch'egli uomo di lettere, filosofo e astronomo dilettante; sicuramente misantropo; corteggiatore della morte per il disdegno in cui teneva il mondo, se medesimo, forse la stessa moglie che diceva di essergli indispensabile. S'erano sposati con una sorta di furore quale nei matrimoni è raro vedere, lasciando a precipizio i rispettivi amanti, perché ognuno diceva d'aver riconosciuto nell'altro una di quelle persone che il Destino si incarica di segnalare, nei suoi modi imperiosi, tra milioni di altri esseri.

Parlava con ammirazione dell'intelligenza del coniuge, crudele perché esatta, e diceva di sentirsi forgiata da essa; di avere appreso da lui a perseguire verità e libertà anche a prezzo di costi sanguinosi. Cosí che quando, fresca sposa, s'era accesa di passione per un giovane medico, nulla aveva nascosto al marito, al punto che il dottore aveva vissuto qualche tempo a palazzo. La convivenza (filosofica? libertina? semplicemente perversa?) era proseguita per alcuni mesi, sino a che il medico aveva tentato di uccidersi davanti a lei.

Queste erano le storie che bevevo. Non osavo chiedere i particolari del suicidio, né cosa fosse accaduto in seguito. Erano forse quei fatti a costituire la trama irrepa-

rabile che paradossalmente aveva avuto il potere di salda-
re i coniugi in vincolo insieme doloroso, piú forte di un'ar-
moniosa concordia, di ogni passione anche estrema. Avvertivo in quella storia il rimbombo di crudeltà fatali, di
cui sembrava che entrambi non potessero fare a meno,
quasi vi trovassero una qualche loro misteriosa voluttà. Mi
chiedevo quale complicità, quale necessità potesse mai nascere da quel reciproco straziarsi.

Anche se mi elargiva racconti d'ombre e supplizi, la Baronessa non chiedeva confidenza, né intendeva ammetter-
vi alcuno: tanto meno me. Anzi, via via che la nostra familiarità aumentava, la sua vita passata diventava piú
enigmatica. Con forza sempre maggiore, come se non le cre-
dessi, dichiarava che a nessuno mai, per nessuna ragione,
e nemmeno sotto tortura, avrebbe affidato i segreti che si
portava appresso: non certo per vergogna, ma perché quei
segreti rimandavano a una esperienza unica e per ciò stesso indicibile. E tuttavia sentivo che mi escludeva dal suo
passato con un'insistenza sospetta. Avrei forse dovuto andare all'assalto di quel riserbo cosí ostentato, e insieme cosí offerto alla profanazione? Era questo che mi chiedeva?

Ero sopraffatto da un oscuro sgomento. Vivevo in uno
stato di erezione mentale, tra desiderio e pietà, frustrazione e delirio. Avvertivo la voluttà di essere risucchiato
nell'abisso che si spalancava sotto i monologhi della Baronessa. Scarsamente portato a drammi miei, mi delizia-
vo di quelli degli altri. Ma perché lei, la donna della libera verità, aveva bisogno di un ascoltatore, di un testimone? Le nostre passioni hanno un senso solo se ci possiamo
permettere un pubblico disposto a vederle recitare? E quel
pubblico: ha altri interessi che non siano le passioni altrui,
come se dubitasse delle proprie, o le trovasse poco interessanti?

Avevo l'impressione di essere spiato da qualcuno. Mi
sembrava di amare la Baronessa in pubblico, mi pareva che
ogni volta una mano scostasse il sipario domestico per non

nascondere alcunché all'osceno piacere degli spettatori.
Provavo addirittura una sorta di voluttà all'idea che degli
estranei assistessero alla violenza dei miei sentimenti. Tro-
vai il coraggio di dirlo alla Baronessa, anche per trovare
un momento di requie nello scherzo. Lei rise:

– Vedete a qual punto di follia conducono i vostri studi. Non sarò capace di guarirvi nemmeno io.

(Per essere precisi, disse «frollia». C'è nelle parole una
sapienza che non è la nostra e che ci supera, e precede e
guida. Perché ero frollo come nemmeno la selvaggina al
terzo giorno: mi si sarebbe potuto aprire con un dito).

In quel reciproco spiarsi sarà passato un mese. Un pomeriggio è arrivata abbigliata di una *mise* cosí sontuosa che
sembrava preludere a un ballo a corte: sete cangianti, nastri, velluti, scialli.

Ha battuto le mani come per scacciare degli uccelli importuni, mi ha intimato di uscire dalla mia tana di recluso, di passare nella sala accanto: avrebbe chiamato lei.

Stava nella vaporosa scatola della zanzariera, bianca e
nera nel bianco. Mi sono fermato sull'uscio. Se avessi mosso un solo passo verso di lei avrei incrinato la perfezione
dell'istante: lei che era lí, intuibile piú che immediatamente visibile; la stanza piena della sua presenza occulta
sino a ronzare di un'energia repressa e terribile; gli indu-
menti sulla poltrona – preziosi, araldici, come certe natu-
re morte dei Secentisti della sua Napoli rimandano al tur-
gore della vita. Nulla sarebbe mai stato perfetto e vertigi-
noso come quell'attesa a cinque passi dalla zanzariera. Ho
desiderato di svaporare in quell'istante.

– Venite, maestro d'indugi, – ha intimato.

Mi sono seduto sulla sponda del letto, gli occhi fissi nei
suoi che avevano mutato l'ironia in condiscendenza d'ar-
tista, e parevano dire: ammira le meraviglie della creazio-
ne che in me si rivelano. Non sapevo distogliere lo sguar-

do, ma i suoi occhi non davano spiegazioni. Rimandavano
a se stessi, alla beatitudine dell'eterno presente. Finalmente
mi sono chinato a deporre un bacio sul suo pube, e ho lungamente pianto. Come se attendesse quell'omaggio, ha posato la mano sulla mia nuca, prima dolcemente; poi con forza progressiva, quasi minacciosa, mi ha premuto a sé.

Piú tardi ho capito che il suo modo di darsi esigeva proprio i gesti che mi sono venuti spontanei, come relitti che
aggallano. Erano i gesti violenti dei soldati in ritirata che
si aprono un varco a colpi di baionetta, e saccheggiano, e
uccidono. A quei gesti lei mi incitava come a una vendetta. Talvolta piú che un beneficato mi sentivo nelle sue mani inconsapevole strumento. Un soldato, appunto, mandato a combattere e morire per la gloria d'un altro. Uno
dei tanti soldati di Napoleone. Ignari. Dunque colpevoli.

Giugno

La nostra casa è alta sul porto, sopra la Punta del Gallo. Assomiglia a una coffa, perché le finestre si affacciano direttamente sulla cima degli alberi delle navi. Di qui con un buon cannocchiale potevo vedere il capitano Ussher a colloquio con i suoi ufficiali, i marinai che lavavano i ponti; di qui spiavo le mosse dell'ammiraglio Nelson.

Nulla mi è piú familiare di questo aereo bosco di mare. Visti di quassú, i ponti delle navi sono come i cortili delle case, familiari e osceni nell'impudicizia delle funzioni quotidiane. Del porto mi piace questa sensazione di spettacolo che va a cominciare, il disordine che si ricompone per incantamento nei riti della partenza. La recita avverrà altrove, in mare aperto, e io non la vedrò, ma preferisco immaginare tutte le possibili storie quando sono ancora qui, prigioniere dell'intreccio delle sartie e delle gomene, nell'ordito prodigioso di tela e legno e corda che muove la nave, e muove le storie. Nel diradarsi notturno delle voci, quando i marinai scendono nelle loro tane sottoponte e l'unico segno di vita sono i fanali che ardono a poppa, anche le storie stanno placidamente legate alle greppie delle stive, come animali dormienti.

Esposta come una prua, la casa è anche la prima a prendersi le cannonate degli assedi, quando tirano da San Giovanni, ma nostro padre – da tutti apprezzato come uomo prudente – teneva al privilegio di quella sfida, come a dire: badate, voi conoscete la mia modestia, ma il mio fondo è diverso. Quando tutti correvano a nascondersi nelle

cantine, lui si metteva alla finestra e sfidava il cannoneg-
giamento, sordo ai disperati richiami di nostra madre. Non
aveva paura di niente, perché a vent'anni era riuscito a
fuggire da Tunisi, dove lo tenevano schiavo, nascenden-
dosi in una giara.

*Giovedí 2.*

Sono arrivate delle gabarre inglesi provenienti da Fréjus,
e hanno cominciato a scaricare carrozze sui moli della darsena. Tante carrozze: alla fine ne abbiamo contate venti-
sette. Sei berline, la *dormeuse* usata per il viaggio a Fréjus,
due calessi alla Daumont, vari veicoli di posta, carriaggi.
È stata una sorpresa, perché l'isola non ha strade car-
rozzabili, e quell'esibizione di sfarzo inutile sembra una
grulleria. Le berline sono di un'eleganza mai vista: talu-
ne in forma di zucca, con stucchi dorati, riccioli e volute
di baldacchino; enormi le ruote, che vogliono una scalet-
ta di almeno quattro ripiani. Altre carrozze, invece – le
prime sbarcate – male in arnese, addirittura sozze, che
persino un mastro di posta le avrebbe rifiutate; ma poi si
è capito perché. Gli uomini del Battaglione Franco le hanno trascinate di malagrazia nei locali attigui ai magazzini
del sale.
Lí nel cuore della notte è arrivato Peyrusse con un drappello di facchini che portavano delle torce. Il Tesoriere si
è barricato dentro con i suoi; si è capito che le carrozze
portavano nel doppiofondo almeno una cinquantina di casse piene di monete d'oro: il tesoro personale dell'Imperatore, di cui s'era tanto parlato.
C'è stato un soldato, il ciabattino Allori di servizio
nella Guardia Nazionale, che ha cercato di approfittar-
sene. È inciampato in un sacchetto smarrito nella paglia
del trasporto, e lo ha nascosto sotto lo sciaccò, sudando
per il peso che gli schiacciava le cervella; ha chiesto il

cambio con una scusa ed è corso a sotterrare il suo tesoro in cantina. Quando il Peyrusse s'è accorto della
mancanza, non ha messo molto a scovarlo. C'è qualcuno nell'isola che può spendere dei marenghi senza che
gli altri lo sappiano? Il ciabattino ha fatto in tempo a sistemare alcuni debiti, e far dire una messa alla Vergine.
Poi gli è piombato in casa un delegato di polizia, e lui,
messo alle strette, minacciato di fucilazione, ha confessato tra le lacrime. Ha dovuto restituire diciassettemila
franchi: piú o meno, lo stipendio annuo del Gran Maresciallo di Palazzo.

Il ciabattino è impazzito. Peyrusse, per la pietà, non gli
ha chiesto indietro i marenghi già spesi.


*Venerdí 3.*

Il generale Drouot ha manifestato l'intenzione di im-
magazzinare al piú presto approvvigionamenti da assedio,
grano, farina, biscotto. Per la carne, preferisce bestiame
vivo, ma bisogna tenersi pronti a salare; per fortuna in
città il sale non manca. Vino e acquavite, se ne possono
trovare a volontà in ventiquattr'ore. Per la legna da ardere e l'olio invece occorre provvedere subito.

Torno ad avvertire il lento malessere che si sprigiona
dai gesti quotidiani dello stivaggio delle provviste, quando c'è in vista un pericolo. La farina, l'olio, la legna: per
quanto dovranno bastare? Di nuovo quel senso di buio,
d'oppressione, d'interminabile inverno, proprio adesso che
il caldo fa fermentare l'isola, e l'aria, già greve di odori,
ronza di insetti in amore.

L'Imperatrice Giuseppina è morta alla Malmaison il 29
maggio, dicono per una bronchite. Se n'è andata in pochi
giorni.

I Mulini sono piombati nel silenzio, sospesi i lavori. N.

non si è piú mosso di là per qualche giorno, solo Bertrand
è stato ammesso a visitarlo per brevi istanti.

Provo pena come se Giuseppina fosse stata una cugina
di Poggio.


*Sabato 4.*

La fregata napoletana *Letizia* ha portato qui la principessa Paolina. Visita brevissima. C'è stata molta agitazione, movimento di carrozze con le tendine chiuse, scorte un po' nervose, ma nessuno l'ha vista. La gran dama è salita ai Mulini, e il giorno dopo è ripartita per Napoli per cure termali.

In città dicono che porta dei messaggi per Murat, che
N. vuole riprendere i contatti, malgrado la condotta bal-
lerina del cognato. I piú arditi tornano a parlare di alleanza fra i due, di N. Re d'Italia. Sognano. Ferrante gode:

– Gli bastano venti giorni, all'Imperatore, e già la pentola si rimette in bollore!

L'ipotesi manda in bestia il notaio Mazzei: proprio a
noi ci doveva toccare questa disgrazia, si lamenta tra i denti. Tutti quei gran politiconi, quei raffinati diplomatici di
Parigi e di Vienna per sistemare la paglia accanto al fuoco. Anche un bambino capirebbe che il diavolazzo ne com-
binerà un'altra delle sue.


Ho sperato che la nave napoletana trasportasse una
qualche notizia della Baronessa, una lettera, un ordine per
la servitú di Longone. Ormai manca da un anno e mezzo.

Ma perché illudersi? L'ho delusa, l'ho persa. Dedicherà
ad altri le sue opere di bene.


Con la *Letizia* è arrivato anche il signor Marchand, primo cameriere. È giovane, poco oltre i vent'anni, e ha un'a-
ria distinta: viene da una buona famiglia borghese, è uomo coltivato. Sua madre adesso è a Vienna come gover-

nante del Re di Roma, e anche per questo N. lo guarda
con un affetto speciale. Ha sostituito per consiglio di Bertrand il famoso mamelucco Roustam e l'altro cameriere
Constant, fuggiti dopo l'abdicazione, come tanti altri ingrati. È entrato nei *garçons d'appartement* da quattro anni.

Ha tratti armoniosi, addirittura nobili; fronte spaziosa, bei riccioli, caldi occhi nocciola; pelle bianchissima,
mani che muove nell'aria come se fossero di cristallo; lo si
direbbe un deputato di prima nomina. Non mi era mai capitato di fermarmi a considerare la bellezza di un uomo.

Il signor Marchand si aggira tra i muratori come se la
polvere e il sudore su di lui non avessero presa. Come se i
Mulini fossero le Tuileries o il Cremlino, e in giardino at-
tendessero lo Zar, il Re di Prussia.

Ci hanno presentato, e lui ha guardato anche me con
rispettosa devozione, quasi che la mia fama d'erudito fosse giunta fino a Parigi. So che è soltanto buona educazio-
ne, ma il suo tratto deferente mi ha fatto piacere.

– Diventeremo buoni amici, – promette.

N. stima a tal punto il signor Marchand che gli ha affidato la sua cassetta personale. Dovrà amministrare i 3000
franchi mensili destinati alla toilette e all'*argent de poche.*

Marchand porta con sé anche la borsa privata con i
franchi d'oro con cui N. alimenta la sua leggenda di be-
nefattore. Marchand è sommessamente orgoglioso della
beneficenza che fa il padrone, e delle buone parole che
l'accompagnano: abbiate fiducia in me, vi sono padre, vi
sono figlio, vi aiuterò, ecc.


*Giovedí 9.*

Con altre quattro gabarre sono arrivati da Savona i cavalli dell'Imperatore: i suoi personali, piú una quarantina
per le carrozze, e sedici normanni da tiro. L'Imperatore è
andato ad accoglierli di persona, con ognuno è stato pro-

digo di pacche, carezze, parole. Anche Bertrand, Drouot, i polacchi considerano i cavalli come dei vecchi commilitoni. Gli umori si sono fatti un poco piú sereni.

Ogni cavallo ha una sua storia. Wagram è un arabo grigio, che prende il suo nome dalla battaglia; non è ancora guarito delle ferite riportate a marzo, vicino a Parigi, e in questo momento l'affetto dell'Imperatore è tutto per lui. Montevideo è un baio possente, viene dall'America del Sud, e ha fatto la Spagna; è un baio anche Gonsalvo (Russia, Francia). Emin è un sauro che viene dalla Turchia; è lui che è entrato a Madrid. Roitelet ha portato l'Imperatore nelle steppe di Russia; a Lutzen una bomba gli ha bruciato i garretti, e Lui quando scende alle scuderie continua a passarvi la mano, li massaggia, e intanto gli dice parole dolci. Taurus è un persiano grigio, dono dello zar Alessandro, quando i due si amavano; è stato montato nelle battaglie di Smolensk e della Moscova; con quello Napoleone ha lasciato la città in fiamme; con quello ha passato la Beresina, e fatto le campagne di Sassonia. Intendent è un normanno bianco, è cosí bello che serve soltanto per le riviste e gli ingressi trionfali. I soldati lo chiamano Coco, come una favorita, e la sua sola apparizione sembra metterli in allegria: «Voilà Coco!», gridano festosi. L'Imperatore lo chiama familiarmente «mon cousin». Con i parenti che si ritrova, si può capire.

Dicono che l'Imperatore abbia avuto venti cavalli uccisi sotto di lui. Come facciano degli animali cosí sensibili e capricciosi ad affrontare il frastuono di una battaglia senza impazzire, è un mistero. Una sera, ai Mulini, il generale Bertrand ha spiegato le tecniche di addestramento: sparano nelle orecchie delle povere bestie petardi, colpi di fucile e di pistola, intere scatole di fuochi artificiali; gli buttano all'improvviso nelle zampe grossi involti. Si abituano ai botti, a tutto; alla fine nulla piú li sorprende.

Nessuno fa mai il conto dei cavalli uccisi. Per loro, nessun compianto. Telemaco, verso i sei anni, ha scoperto in

una stampa che raffigurava una battaglia due cavalli morti, e un altro già atterrato, che cercava invano di rialzare
la testa. Come i tanti feriti dei quadri, si protendeva anch'esso in un ultimo anelito verso l'Imperatore vittorioso,
a testimoniargli un amore piú forte della morte.

Telemaco ha cosí scoperto che anche gli amati cavalli
muoiono della stessa mala morte degli uomini. Invano suo
padre ha cercato di spiegargli che esiste un Paradiso dei
cavalli. Il bambino lo ha guardato incredulo, quasi con
odio. Per molte notti l'ho sentito piangere, a lungo. Allora mi sedevo sulla sponda del lettino, e gli stringevo la mano senza parlare. Era un modo per dirgli che condividevo
il suo dolore di adulto.

N. acquista la *maison rustique* dei Manganaro a San
Martino per farne la casa di piacere dei mesi estivi. Due
corse a cavallo, e ha deciso.

Lo abbiamo saputo dal dottor Lapi, il quale ha lasciato intendere che San Martino l'acquista lui per conto del-
l'Imperatore: un segno di confidenza del Sovrano, che gli
affida la gestione di affari riservati.

Basta questo a dire che è il dottore la vera autorità del-
l'isola. Pare che in realtà la nuova dimora sia un dono di
Paolina al fratello, cui è molto affezionata.

La casa è un edificio assai semplice, a un piano, già adi-
bito a magazzino, in fondo alla valle, tra canne, ulivi, vi-
gneti, castagni, dove la collina assume una certa asprezza
di montagna. Il luogo è appartato, passabilmente fresco,
composto in una sua grazia da quadretto di genere. La baia
appare tremolante laggiú in fondo, cilestrina; la fortezza,
con la distanza, acquista leggerezza di linee, come disegnata
a china; sembra prossima a involarsi dolcemente.

L'Imperatore ha preso ad andarci ogni giorno con i suoi
fidi architetti e muratori, Bargigli e il Bettarini in testa a
tutti. Ama togliersi la redingote, mettersi un cappellaccio

di paglia, brandire attrezzi da muratore e da contadino,
tra lo scherzo, la minaccia e il lavoro vero. Sembra che non
abbia altro desiderio che legare i tralci dei fagioli, e pota-
re le viti. Beve lungamente da una piccola fiaschetta di
cuoio, inondandosi il volto quando è accaldato. Dicono
che avesse la piú bella vigna di Corsica. Invecchiando, anche lui torna alla terra, come tutti.

N. rifà i conti, saggia la qualità dei materiali, cerca di
risparmiare; discute con gli ingegneri il tracciato della carrozzabile per la città. La strada doveva passare sul fondo
di una vecchia vedova. N. ha cercato di comperare quel po'
di terreno. Lei, cocciuta: «La terra è mia, non la vendo».
«Ve la pago bene, e in piú avete la strada». La vecchia ha
detto no e no. N. s'è rassegnato. Ha spiegato che il diritto
di proprietà è sacro, e un sovrano ha il dovere di far rispettare le leggi.

Bertrand e Drouot assistono in silenzio ai riti dell'edificazione. Sono diventati maestri nell'arte di aspettare;
fingono di interessarsi ai lavori; scacciano pigramente le
mosche, come vecchi ronzini. Credo di poter capire la pena di Bertrand, il Sommo Geniere, l'uomo che ha eretto
ponti, fortificazioni, dighe e porti in tutta Europa. Adesso dal magazzino dei Manganaro l'Imperatore ha ricavato
per lui e per Drouot due linde stanzette.

Ha spiegato a Lapi come bisogna fare con gli architetti: andare avanti con il sistema delle caparre, dei piccoli
anticipi, mai accogliere le loro richieste prima che abbiano finito i lavori.

Ai lavori ogni tanto assiste anche Càmbel. Con lui,
l'Imperatore si diverte a chiosare a piè di pagina le proprie
opere. Ai complimenti del colonnello per la scelta felice di
San Martino, ha replicato:
– Io ho il genio della fondazione, non quello della proprietà. Coltivo la mia proprietà nel futuro, nella mia gloria, nella mia fama. Il Sempione per i popoli, il Louvre per

tutti, mi sono cari piú di qualunque feudo. Dell'Elba intendo fare un nuovo Parnaso: richiamare qui i letterati, gli artisti, gli scienziati, i musicisti, affinché facciano scaturire da quest'isola la luce del Progresso.

Càmbel non crede a una sola parola di quei bei progetti. Si liscia i baffi, come fa quando deve trattenersi dal dire cose sgradevoli.

Ma già N. andava dicendo che se soltanto avesse avuto vent'anni davanti e un po' di respiro avrebbe cambiato la faccia a Parigi, alla Francia, al mondo. Si sarebbe vista, allora, la differenza che passa tra un sovrano dell'Ancien Régime e un vero Costruttore di popoli. I monarchi francesi non avevano talento amministrativo, non si curavano di abbellire le loro città, di farle fiorire. Erano, in questo, pari a certi grandi signori, inetti e stolidi, i quali si lasciano spogliare dai loro intendenti. La nazione francese è incline al fasto, al dispendio, ma senza alti progetti, mai. Nessuna traccia di quello spirito romano che sapeva costruire monumenti grandiosi, in grado di sfidare i millenni! E anche la corte del Re Sole, tanto magnificata, quante spese inutili, quanti sprechi...

Ma il colonnello si distraeva, Drouot e Bertrand – che dovevano aver sentito tante volte quei discorsi – restavano immobili come sfingi. Dalla campagna saliva assordante il frinire delle cicale.


*Sabato 11.*

Ferrante torna da Rio, dove ha sorvegliato un imbarco di materiale ferroso, con aria eccitata:

– Sapete la novità? Ha convertito anche Lazzaro!

È testimone d'un miracolo. In una sola ora di amabile conversazione N. ha ammansito il vecchio Taddei Castelli, l'integerrimo partigiano dei Lorena, l'antigiacobino, l'antifrancese per eccellenza, l'uomo che quando la testa di Re Luigi è caduta nel paniere della ghigliottina ha portato il lutto per un anno.

Ferrante racconta e gorgoglia, gli occhi gli si stringono a fessura, i denti forti azzannano l'aria. Dice che l'Imperatore ha chiesto a Taddei una relazione scritta sullo stato delle miniere e quello ha spifferato tutto: i sistemi d'estrazione piú lenti e costosi d'un tempo, il numero eccessivo di operai (Pons li usa per altri lavori *pro domo sua*), la contabilità sospetta, le malversazioni, ecc.

Gli ho obiettato che a N. degli operai non gliene importa nulla, gli servono i duecentomila franchi, e basta. Ma già mio fratello vagheggiava la caduta rovinosa di Pons:

– Ma lo capisci te che adesso l'Imperatore ce l'ha in pugno? Il signor Pons è bell'e cucinato. Lo sapevo che l'Imperatore l'avrebbe buggerato. Mica se fa impappolà da 'sto carciofano che sembra che il mondo l'ha fatto lui.

Ha ceduto per davvero, Pons, ma s'è salvato perché è un bravo giocatore. Fiutata l'aria avversa, s'è presentato all'I. e con aria spavalda, perché non sembrasse debolezza ma libera scelta d'uno spirito libero, e s'è detto disposto a corrispondergli la somma contesa. S'è dichiarato conquistato dalla grandezza di Sua Maestà: l'Uomo che avrebbe potuto spezzarlo con un sol gesto della mano rispettava le ragioni della Legge e della Morale, si comportava con una tale magnanimità da obbligare lui, Pons, all'ammirazione. Da quel grande Principe che è, N. aveva vinto con la virtú la battaglia che non aveva voluto vincere con la forza.

– Un maladetto baratto, diavolo cane, – ha chiosato Ferrante. – Duecentomila franchi, e il signorino è ritornato vergine, e giú a fotte miniera e operai, e farsi piú ricco di prima.

Naturalmente Pons s'è parato le spalle facendo firmare a Drouot una ricevuta speciale a scarico di responsabilità, se mai qualcuno un giorno dovesse chiedergli conto.

«Uomo di grandi capacità e comprovata fedeltà»: cosí

N. ha definito Pons al cospetto delle autorità. Voleva dire a Traditi, Balbiani, Lapi e agli altri: «Se ho necessità d'un vero uomo, è a un francese che devo ricorrere».

– Cosí adesso non ci manca piú nulla, abbiamo anche il Viceré, – ha commentato Balbiani.

*Domenica 12.*

N. ha espresso il desiderio di assistere alla mattanza dei tonni. Hanno adattato per lui uno dei quattro barconi piatti che chiudono la camera della morte, sino a farne un palco galleggiante, addobbato a festoni bianchi e rossi, con un baldacchino a proteggerlo dalle offese del sole. C'è stata una gara per disporsi dietro la sua poltrona (vinta da Pons). Gli esclusi si sono sistemati su altre barche; cosa rara, c'erano anche molte signore con l'ombrellino. Il Vicario Arrighi ha recitato una preghiera speciale e benedetto le acque con l'aspersorio.

Quando il guardiano ha dato il segnale che i tonni erano entrati, N. s'è alzato dalla poltrona e s'è fatto dare un rampone. Dagli uomini in camicia e brache bianche s'è alzato il canto selvaggio, ritmato, che è insieme preghiera e urlo, litania e invettiva, speranza e furore. Dicono che siano stati gli Arabi a perfezionare le tecniche della pesca; forse addirittura i Fenici, che imprimevano il tonno sulle loro monete. Adesso per il raís, i sottopadroni, i capiguardia, i tonnarotti, per tutti, i Turchi, i Barbareschi sono loro, i giovani tonni in amore che vengono a morire qui.

L'urlo strozzato dei tonnarotti dev'essere lo stesso dei fanti che attaccano. Difatti sono organizzati come un piccolo esercito, con regole e disciplina di ferro. A terra si odiano; qui, nell'utero dei barconi, nel furore della battaglia, sembrano fratelli. I mesi, le settimane dei preparativi, la calata del labirinto di canapa, la posa delle ancore bruciano in quest'ora di sudore e schiume, di pance ar-

gentate, code flagellanti, occhi sbarrati. Il sangue che esce
dalle ferite può essere scuro, quasi nero, o rosato; ogni taglio ne emette uno di colore diverso, non diversamente
dalle ferite di terra.

Dice Eschilo della tonnara: «E l'acqua era tutta un lamento».

N. affonda il rampone nel groviglio, schizzi di sangue
gli macchiano la divisa verde di granatiere; gli porgono fazzoletti. S'infervora, pare divertirsi; torna caporale. Ha le
medesime rotondità dei tonni. Mi abbandono a una delle
mie fantasie: N. fiocinato, issato a forza sul barcone, e poi
trascinato a terra, sulle spianate dei capannoni, dove fu-
mano le caldaie e stanno in attesa facchini, tagliatori, cuo-
citori, fuochisti, salatori, stivatori; gli staccano la testa con
un solo colpo d'ascia, lo appendono ai ganci delle carruco-
le per macellarlo meglio; lo mettono a bollire in tocchi…

La pesca è stata appena discreta, ma tutti asseriscono
che è la migliore da molti anni per compiacere il nuovo Sovrano, il quale ha già deciso che il signor Senno paga troppo poco per l'affitto della tonnara. Senno gli spiegherà che
la tonnara richiede ingenti investimenti, che lui ci perde
da alcuni anni, che la tonnara è uno di quegli azzardi che
possono piacere solo agli Elbani, giocatori incalliti.

Senno pagherà.

Ho aspettato a riva Defendente, assurto alla dignità di
sottoraís. Porta brache bisunte che sono diventate una seconda pelle, il coltello gli sta tra mano come un dito aggiunto, e con quello sistema un rametto storto, sbudella un
pesce, apre un ortaggio o semplicemente si pulisce i denti.
Non calza scarpe nemmeno la domenica: sotto i piedi ha
una tomaia nera fatta del suo stesso cuoio, alta un dito.

Saltando giú dal barcone, ispido e sanguinolento, ha
detto a mezza voce:

– È un tonno anche Lui, – e indicava l'I. appena rientrato. Interpreto liberamente questo apoftegma: N., capi-

tano d'Artiglieria, giovane tonno che scoppia d'energia, si infila senza saperlo nelle reti del suo destino. Crede di governare il mondo equoreo, nuota con vigore, godendo della propria forza e agilità, sopravanza gli altri tonni, corre in testa al branco e un giorno trova gli arpioni e le urla dei tonnarotti. Non ha piú scampo: finisce soffocato nel suo stesso sangue.


*Mercoledí 15.*

I capitani delle feluche che fanno i trasporti a Pianosa raccontano che operai e soldati si lamentano del vitto, e di tutto; che il vecchio comandante litiga con il giovane tenente; che si parla di far colonizzare l'isola dai detenuti che marciscono nelle carceri di Portoferraio.

Il bel sogno dell'isola di Utopia è già finito.


*Sabato 18.*

Un muratore è caduto da un ponteggio di San Martino; si è un po' ammaccato, ma per fortuna non è cosa grave. L'Imperatore lo ha soccorso, gli ha fatto coraggio:

– È cosa da nulla, caro mio. Io sto bene e sono in piedi, eppure sono caduto da molto in alto.

Si ha l'impressione che Lui dica queste cose guardando con la coda dell'occhio se ci sono orecchie pronte a raccoglierle: già con la mente all'effetto che faranno sui posteri.


*Lunedí 20.*

A San Martino N. ha piantato con le sue mani – ostentatamente, con la solennità di una sacra cerimonia – un alberello di *micocoulier*, quel parente dell'olmo che in italiano sarebbe il bagolaro, anche detto frassignuolo e arci-diavolo, parola quest'ultima che dipinge perfettamente il carattere dell'Augusto Coltivatore.

Ogni giorno N. chiede sue notizie («Et mon micocou-lier?»), e quando può lo innaffia personalmente, lo scru-ta, lo vezzeggia, quasi gli parla. Da sotto il cappellaccio di paglia che usa per i lavori campestri, fa una confidenza a Campbell, come quelle di certi matti che stanno a pren-dere il sole in darsena:

– Quando il *micocoulier* sarà cresciuto, lo abbatto e ne ricavo l'albero della nave con cui ripartirò alla conquista del mondo.

In effetti il bagolaro ha fama di legno duro e flessibile, buono per gli attrezzi agricoli; ma gli ci vogliono almeno trent'anni per diventare un albero navale appena discreto.

Mi immagino il Càmbel che riferisce a Londra e a Vien-na, e i potenti della Terra che compatiscono il rinfrolli-mento del Vinto.

Poveri scimuniti che non sanno quel che li attende, e neanche percepiscono il significato vero che sta, nemmen troppo nascosto, nel suono delle parole. *Micoculier* com-prende appunto la parola «culo», ed Egli vi sta meravi-gliosamente prendendo per il culo, signori Governanti e signor colonnello dei miei stivali.

*Giovedí 23.*

Lo Stahrenberg, il comandante austriaco di Piombino, si prende l'arbitrio di aprire la posta diretta all'Imperato-re, o addirittura di sequestrarla. Furore di N.:

– È cosa inaudita! Costui si comporta come un carce-riere, ma io non sono il suo prigioniero, sono il titolare di uno Stato sovrano! Questo va contro tutte le leggi mora-li e scritte, contro il diritto internazionale!

Adesso la posta non va piú a Piombino, ma viene affi-

data ai battelli che salpano per Genova e Civitavecchia, o
ai barchetti che approdano di notte sulla costa toscana. I
famigliari di N. sono stati avvisati della slealtà dell'austriaco; è stato messo in allarme anche il Bartolucci, l'uomo di fiducia a Livorno.

Tra i piú offesi per questi comportamenti è il generale
Cambronne, il quale ha dichiarato una sua guerra personale agli sbirri della polizia toscana.

Dalla Corsica arrivano molti giovani per arruolarsi.


*Martedí 30.*

N. vuol ricavare dal palazzo di Longone sei stanze per
l'Imperatrice. Ha dato disposizioni minuziose per i lavori; si
ingegna a risparmiare su tutto. Deve avere una testa divisa
in tanti cassettini, in cui sistema ordinatamente ogni cosa.
Non ho mai visto una memoria piú estesa, piú pronta.

Mi accorgo di non aver mai nemmeno pensato di poter
dividere una casa con la Baronessa. L'unico spazio comune erano le sue apparizioni improvvise, i discorsi oracola-
ri, le strette amorose avvelenate dall'incalzare delle ore.

– Perché guardate l'orologio? – chiedeva spazientita.
Mi sentivo un soldato in congedo, incapace di godersi la
tregua tra una battaglia e l'altra, ossessionato dall'idea del
ritorno al reggimento.

Luglio

Eravamo a San Martino quando è arrivato ventre a terra un cavaliere arabo. Indossava ampie brache a sbuffo color cremisi, una camicia azzurra sotto un corto gilet anch'esso cremisi, la vita fasciata di una seta multicolore in cui stavano infilate due pistole. Il turbante era diviso in tre bande bianche e rosse, fermate da una pietra preziosa, e sormontato da un corto pennacchio sgargiante; al fianco, la frenesia della corsa agitava una gran spada ricurva, tempestata di gemme. Aveva addosso anche due pugnali all'orientale, e un grosso moschetto a tracolla. Sembrava uscito da un'illustrazione delle *Mille e una notte*.

Il cavaliere è smontato da cavallo con leggerezza, si è avvicinato di corsa all'Imperatore; per un attimo ho pensato che dopo quindici anni qualcuno veniva a vendicare i delitti che N. aveva compiuto in Egitto. Ma l'uomo correva con la speciale deferenza che hanno i messaggeri e sembrava atteso, perché nel vederlo l'Imperatore s'è illuminato di piacere:

– Ecco il nostro Alí, – ha detto.

Non era arabo. Era un giovane francese sui vent'anni, senza un pelo sul volto ancora adolescenziale; fremente di gioia e di dedizione, come un innamorato che si ricongiunga all'amata dopo un lungo viaggio. Devo aver guardato il generale Drouot con aria interrogativa, perché egli si è sentito in dovere di rassicurarmi:

– Il mamelucco, – ha detto.

Avevo letto che i mamelucchi sono i discendenti dei giovani schiavi turchi e circassi che i bey avevano portato in Egitto per farne i loro guerrieri. Con gli anni, con i secoli, essi divennero una casta di privilegiati. Arroganti, feroci, in fama d'invincibilità, s'erano presto impadroniti del paese. Dopo averli sconfitti alle Piramidi, N. ne aveva incorporati alcune centinaia nell'Armée. Senza mai abbandonare le loro sfarzose livree, essi avevano combattuto ovunque, anche in Russia, fino a che i disastri li avevano decimati. Secondo alcuni autori i mamelucchi furono impiegati anche negli affari piú sporchi, come la fucilazione del duca d'Enghien o lo strangolamento di Pichegru.

Sapevo che dopo la campagna d'Egitto i mamelucchi erano presto diventati una moda esotica, a Parigi. C'erano *pièces* teatrali e romanzi dedicati a loro, le signore e i bambini amavano vestire alla mamelucca. Ma vederne uno autentico, vaporoso, colorito come un pappagallo, addirittura scintillante, tra i fagioli, le viti e gli asini dei Manganaro, mi ha divertito.

Era un mamelucco autentico quel Roustam che appariva sempre al fianco dell'Imperatore. Lo descrivono con l'aria molle e corrotta del favorito, al punto che gli attribuivano uno speciale potere sul suo signore; qualcuno è arrivato a insinuare che fosse il suo amante. Dopo Fontainebleau il fedele Roustam se l'è svignata, come tanti. Sono canaglie come lui a far apprezzare N. anche a chi non lo ama.

A sostituire Roustam era stato appunto chiamato Luigi Stefano Saint-Dénis, prelevato nella folta schiera dei *garçons d'appartement*. Nel 1812 era diventato Alí. Un nome corto, di facile comando, come si conviene a un animale domestico.

Alí, o della perfetta letizia. C'è nel servire adorando l'appagamento che nasce dall'annullamento in una superiore volontà (di lí traggono la loro forza gli uomini di Chiesa). Alí non si chiede se il mondo è giusto o sbagliato, non si fa domande. Il mondo è perfettamente concluso cosí com'è: una serie di doveri, scadenze, attese, premi, castighi. Comincia e finisce con il perimetro della Casa Imperiale. Per viverlo bene sono sufficienti devozione e lealtà.

Gli impegni cui Alí e io siamo stati chiamati non sono gravosi. So bene che il mio posto è stato creato non perché necessario, ma perché N. non può rinunciare al simulacro di una corte rimpicciolita, eppure funzionante in ogni sua parte. Cosí anche i compiti di Alí – l'assistenza durante la toeletta mattutina e i pasti, la manutenzione delle armi e dei cannocchiali del Sovrano, l'accompagnamento nelle gite fuori città – lasciano vuote molte ore. Quando non è in servizio, Alí si affaccia rispettosamente alla soglia della biblioteca, o del salone a pian terreno, e nei suoi modi riservati fa intendere di essere disponibile al colloquio. Tra noi si è stabilita la simpatia istintiva che talvolta nasce tra persone diverse per età e paese, chiamate a svolgere gli stessi uffizi, e presto trapassa in consonanza, in affetto. Forse ho sentito il giovane Saint-Dénis come il figlio che avrei voluto avere.

Suo padre era stato battistrada di Luigi XVI e apprezzato maestro d'equitazione. Nel 1802 il giovane era entrato come scrivano presso lo studio di un notaio di Place Vendôme, dove era rimasto quattro anni. Approfittando di certe conoscenze, il padre lo aveva introdotto nella *Maison* imperiale come praticante nelle scuderie, poi come allievo-battistrada e infine sotto-battistrada. Diventato mamelucco con l'incarico di aiuto-port'archibugio, aveva preso parte a molte campagne militari, a cominciare dalla Spagna. La sua vita s'era svolta in mezzo ai cavalli: doveva sorvegliare i ricambi lungo il percorso seguito dall'Imperatore; oppure guidare un distaccamento di animali da tiro. Si era ben portato, e nel dicembre 1811 era passato al servizio personale dell'Imperatore come secondo mamelucco. «Ne sa piú di quel che occorre», ha detto l'Imperatore nell'apprendere che il suo valletto era stato praticante notaio.

Come mamelucco Alí aveva seguito N. in Russia e nelle ultime disperate campagne tra Germania e Francia. L'armistizio lo aveva sorpreso a Magonza. Di lí, appena possibile, s'era fatto premura di tornare a Parigi. Infine era partito per l'Elba con un regalo di cui l'Imperatore gli è stato assai grato: una cassetta di libri, gazzette, libelli e manifesti sui recentissimi avvenimenti.

È un buon lettore, Alí. Come il suo padrone, ha interessi che vanno dalla storia alle matematiche e perfino alle questioni grammaticali. Racconta che per ingannare le lunghe ore d'attesa i valletti delle Tuileries leggevano libri, che talvolta – nella fretta di correre al servizio cui erano chiamati all'improvviso – abbandonavano sulle seggiole dei corridoi. N., passando, li esaminava con cipiglio di precettore. Se gli parevano buoni, lodava i valletti; se no, scagliava i libri fuori della finestra, o li faceva buttare nel fuoco. In casa sua, diceva, non doveva esserci nulla che fosse contrario ai buoni costumi. Ho cercato invano di sapere da Alí quali erano i libri nocivi. Ha parlato genericamente di romanzi.

Tutte le sere Alí getta il mantello davanti alla porta della camera da letto del padrone, e lí si accuccia, pistola e scimitarra al fianco.

Non posso scrivere la parola «mamelucco», «mammalucco», senza sorridere. Credo sia per il suono buffo che ha, in cui il «mamma» infantile si unisce al «lucco», che richiama «allocco», il «locco» che si usa da noi, e in Toscana, che è poi il *lucus* latino, folle, sciocco. «Mamelucco» è perfetto per un travestimento, quale appare ai nostri occhi la loro divisa, perché nel travestimento c'è qualcosa di comico, di grottesco, quasi di contro natura. Ma i travestimenti, come ogni maschera, finiscono per rivelare proprio quello che vogliono nascondere.

Ci sono altri sette mamelucchi, insieme ad Alí. Hanno un'aria molle e imperiosa al tempo stesso; consapevoli dell'effetto che fanno, si lasciano ammirare. Tutti gli occhi sono per loro, i bambini gli corrono dietro. I vecchi non li amano, perché qui i barbareschi sono una paura antica che si tramanda, e anche un travestimento ti afferra alla gola.

È bizzarro questo sogno d'un Oriente colorato e vaporoso in una piazzaforte di armigeri.

*Giovedí 7.*

Forse rallegrato dall'arrivo di Alí, il generale Bertrand si è un poco sciolto. Ha parlato di un suo lontano parente, un vecchio generale che quando aveva saputo che lui abbracciava la carriera delle armi aveva cercato di dissuaderlo. Ah, era bella la guerra di una volta! C'era una gran correttezza, tra gli eserciti, c'era un galateo, un cerimoniale che tutti rispettavano. Una guerra di signori. Le cantine erano ben fornite, c'erano dei buoni muli, la sera al Quartier Generale si faceva persino dell'ottimo teatro. Ma adesso! In dieci giorni si percorrono cento leghe, si dorme all'aperto, si mangia quel che si trova, si attacca all'improvviso, come dei briganti. In una sola battaglia un esercito è travolto, può scomparire; le perdite sono terribili. Non ci sono piú regole, né stile. Una guerra plebea, e anche un generale non è piú al riparo da niente. Un mestieraccio.

«Spada plebea»: cosí qualcuno ha chiamato N. Voleva essere un insulto, e invece sta proprio lí il segreto delle vittorie: l'ansia di rivincite e di arricchimento che è propria di chi «non è nato nella porpora», come Lui dice.

*Venerdí 8.*

Un sergente della Guardia se n'è andato portandosi via i tremila franchi della cassa del Battaglione. Furore di Cambronne, il quale è molto scontento dell'addestramento degli uomini del Battaglione Franco: soldati che non sanno marciare al passo, che non sono capaci di caricare un fucile, comandanti che non comandano. L'Imperatore ha riunito a consiglio i generali e gli alti ufficiali. Si saranno detti che non si caveranno mai dei buoni soldati dalla pasta mediocre di cui son fatti gli Italici.

Altre difficoltà con le strade. Sin dai primi di giugno, N. aveva dato ordine di tracciare la strada da Procchio a Campo, e da Poggio a Marciana, in nome del progresso e dei commerci. Questo vuol dire rosicare qualche palmo di terra ai proprietari a pro del bene comune. Ci sono state proteste. I soldati del Battaglione Franco si sono rifiutati di fare il lavoro, come era stato loro richiesto. Lo stesso N. si fa vedere nei cantieri, elargisce le sue monete d'oro. Lo guardano con diffidenza, quasi con insolenza.

I lavori di sterro sono ripresi di malagrazia. N., stizzito, si lamenta con Balbiani. Com'è possibile che *les bons Elbois* non riescano a vedere al di là del naso delle loro capre?

*Martedí 12.*

Arrivano a frotte, per vedere l'Uomo fatale. Aristocratici, militari, ufficiali di tutte le nazioni, gente di ceto elevato. Italiani e stranieri. Ci sono madri francesi che portano i figli a vedere «l'Eroe degli eroi», vecchie dame esaltate che non sanno darsi pace che si sia inflitto un tale trattamento alla «Gloria della Francia». Ci sono soprattutto Francesi e Inglesi: per rendere omaggio, per portare messaggi, per chiedere impieghi. Alloggiano all'albergo Bonroux, si rassegnano a dormire anche con altri ospiti, chiedono udienza; Bertrand ha il suo daffare per amministrarli. I piú fortunati salgono ai Mulini, ma v'è chi si accontenta di veder passare l'Imperatore a cavallo o in carrozza; di assistere agli esercizi domenicali in Piazza d'Armi. Ci sono ufficiali che, non essendo disponibili gradi e cariche, si dichiarano pronti a servire nella Guardia.

I visitatori piú numerosi sono inglesi, manco a dirlo. Per loro N. ha un occhio di riguardo, è a loro che dedica le sue magie di seduttore. Con loro si mostra affabile, cordiale, alla mano. Li sbalordisce con le sue cognizioni enciclopediche, con la vastità delle sue visioni in materia d'industria, economia, commerci e progresso scientifico. Gli Inglesi credevano di incontrare il Diavolo in persona, e trovano qualcuno che assomiglia al Padreterno. Un certo Sir Eunes, viceconsole a Livorno, è arrivato con sette personaggi e una milady, ed è ripartito assicurando che era stato l'incontro piú strabiliante della sua vita, e che ne era assai piú felice che se avesse guadagnato 30 000 sterline. Sono seguiti Lord Bentinck, Lord Douglas, Lord Lovington, un Lord Campbell, vari generali con il loro seguito. Si ha notizia che anche la principessa del Galles, moglie del futuro Re, stia molto insistendo per essere ricevuta, sinora senza effetto.

L'altro Càmbel, il nostro colonnello, ha ammesso che molti capitani dei bastimenti inglesi tengono in cabina il ritratto dell'Imperatore, tanto che l'Ammiragliato si è sentito in dovere di deplorare questa usanza. A Firenze l'artigiano che sforna busti di marmo del Grande è sommerso dalle richieste di clienti soprattutto inglesi.

Intanto i prezzi delle locande e degli alloggi continuano a salire. N. ha ordinato a Bertrand di provvedere alla costruzione di nuovi alberghi. Il Vicario Arrighi ha ricordato a tutti che fin dalla sua famosa pastorale del 6 maggio aveva profetato quell'afflusso eccezionale di devoti, quale nessun Sovrano regnante poteva vantare. L'intera Europa non ha occhi che per l'Elba, ha detto come se il merito dell'evento miracoloso fosse esclusivamente suo.

*Giovedí 14.*

N. ha mandato in missione Pons dal Granduca Ferdinando. Il Granduca gli ha fatto accoglienze cordialissime, e parlato con affetto del «caro», «beneamato», «buon nipote». Ha detto che gli riesce difficile tenere a bada i conservatori che non vogliono saperne del Codice Napoleonico; ha sorriso di un delatore che aveva denunciato un personaggio della corte, perché portava con sé una tabacchiera con il ritratto di N.

Anche il ministro Fossombroni ha avuto parole di rispetto per N., e lo ha invitato a stare in guardia, «perché vogliono ucciderlo».

Sarà vero, o si tratta di uno dei trucchi di Pons per mettere in luce se stesso, la sua fedeltà ed efficienza?

*Lunedí 18.*

Alí e Marchand tornano incantati da una lunga ricognizione verso Marciana: l'Imperatore ha scoperto le bellezze del Santuario della Madonna del Monte, e ha deciso di passarvi le settimane piú calde dell'estate. Mi descrivono il Santuario come se non ci fossi mai stato.

Provo un piacere violento, come se l'apprezzamento imperiale fosse il riconoscimento di un mio merito personale. Se esistono paesaggi fraterni, quello che avremmo voluto essere se non ci fosse stata assegnata l'imperfetta scoria umana, la salita che porta alla Madonna del Monte è di quelli. La identifico addirittura con la montagna del Purgatorio di cui parla Dante. Non ho mai aspirato al Paradiso, troppo astratto, troppo perfetto e placato nelle sue contemplazioni, ma a quella montagna irta e imperfetta, dove c'è ancora posto per l'umano. Che cosa di piú spirituale e terrestre della mulattiera di cui ho cara ogni pietra? Lasciata Marciana, il sentiero s'impenna sui fianchi del Monte Giove, supera un bosco di castagni, ascende nell'aria fina tra ciuffi di lentischi, mirto, timo, erica, nepitella, tra superbi cipressi e rari pini.

La salita svela il disegno dei promontori e dei golfi dell'intera isola, il dito gibbuto dell'Enfola, il saldarsi dei monti di Cavo con la Toscana; oltre la cresta delle colline s'indovina il rosa stinto degli edifici di Portoferraio. Sulle coste che precipitano a mare giacciono sparsi i massi d'arenaria che, qui come in tutta l'isola, l'acqua si è divertita a scolpire in forme bizzarre: volti d'umani e d'animali, balene, tassi, ricci, gufi.

Gli avamposti della Guardia, racconta Marchand, hanno scoperto che quasi in vetta, sulla destra, un masso ha preso forma d'aquila, e piega il becco verso chi sale. Il drappello è corso a darne l'annuncio a Sua Maestà, quasi si trattasse di un prodigio beneaugurante. Egli non si è scomposto, come se già sapesse, come se anche quell'apparizione rientrasse nei suoi disegni misteriosi e provvidi.

Poi la montagna di sasso e di vento s'addolcisce nel branco di castagni in cui sta posato il Santuario come un marrone tra i ricci: anch'esso piuttosto tarchiato, al pari del nostro Duomo. Davanti al portale d'ingresso si apre un elegante ninfeo semicircolare con ristoro di fontana. A lato della chiesa, il ricovero degli eremiti che lí vivono della pubblica carità. Sono vecchi bambini, creduloni, ridarelli, soavi, pressoché illetterati: per questo, credo, cari al loro Dio. Hanno preso anch'essi il colore delle castagne, che costituiscono il loro cibo principale.

Il piú anziano di loro ha spiegato a N. che san Paolo della Croce aveva trascorso quindici giorni al Santuario operandovi numerosi miracoli: aveva liberato il gonfaloniere di Marciana dalla gotta, un giovane pastore dall'ernia, un romito dal mal di testa. Se l'Imperatore voleva favorire...

Marchand l'ha congedato con una moneta. Pare che adesso il vecchio la tenga serrata in pugno anche quando dorme. Lo reputerà un altro dei miracoli del santo.

N. ha deciso che il romitorio gli conviene. Il luogo è fresco, sicuro, a due ore di cavallo da Portoferraio; di lassú può continuare a governare i propri affari. Ha impartito ordini a Bertrand su come ricavare un alloggio decoroso dalle camerette degli eremiti, che saranno rimandati a Marciana: un'anticamera, una stanza per gli ufficiali, un gabinetto di lavoro, una camera da letto, una stanza per il Gran Maresciallo; un bugigattolo fungerà da cucina. Lo spiazzo antistante e i boschi ospiteranno le tende della Guardia e dei camerieri: c'è posto per tutti, acqua e frescura non mancano.

Saranno contenti gli Inglesi di sapere che N. si fa monaco.

Alí e Marchand apparivano commossi per il loro padrone perché salendo di poche braccia oltre il Santuario, tra i massi bigi e le erbe gialle per siccità, si può vedere la Corsica in tutta la sua estensione, metà fortezza e metà leviatano dormiente. Al pomeriggio il sole lascia colare tra le due isole un largo fiume dorato, abbagliante: allora anche la Corsica si dissolve in quello, come i pensieri di chi guarda. Da ragazzo, in un periodo di rapimenti mistici, m'abbandonavo anch'io a quella visione come all'abbraccio smemorante d'una divinità. La nostalgia di quella lontana emozione m'accompagna ancora oggi.

L'Imperatore ha chiesto di essere lasciato solo tra quei massi; è rimasto a lungo in meditazione, a puntare la sua isola ormai invisibile nel controluce del tramonto. C'è chi dice che ha pianto; altri sostengono che s'è addormentato su un masso. Sulla via del ritorno ha cavalcato a lungo, come per sfogo, lanciando per i dirupi il candido Libertin, un cavallo dei nostri, piccolo e forzuto, a suo agio in quelle danze sull'abisso.

La scorta ha faticato a tenergli dietro.

Adesso che è qui, N. della Corsica parla molto. E di sé bambino irrequieto, anche discolo, frenato a stento dalla severità della madre.

*Giovedí 23.*

Viene annunciato per imminente l'arrivo di Madame Mère. Ci saranno movimenti anche a corte: per ospitare gli ufficiali di Madame ai Mulini, il dottor Fourreau, il farmacista Gatti e Peyrusse non pranzeranno piú a Palazzo.

N. ha anche chiesto lo stato dei salari dei domestici; esige notizie certe sulla rendita delle saline. La stagione dei risparmi è cominciata. Malumori generali, di Fourreau in specie.

N. si è lamentato perché la biancheria è rimasta nelle valigie, e appare in cattivo stato.

Mio piacere meschino di fronte a queste miserie.

*Venerdí 24.*

Ansie per il mancato arrivo di Madame Mère, attesa invano a Civitavecchia. N. assai nervoso sembra quasi attribuirne le responsabilità al generale Bertrand, al quale s'è allungata la scucchia.

*Sabato 25.*

I falegnami hanno finito di sistemare gli armadi a vetri, Bertrand ha dato ordine di portare le casse dei libri. Le apro con una curiosità un po' malevola. Che cosa mai leggerà il Grand'Uomo? Scosto con ruvidezza i fogli che avvolgono i volumi: sono vecchie gazzette, bollettini di vittorie inutili. Ma la sontuosità delle rilegature – verde ninfea, rosso melograno, biondo tabacco – mi ferma il respiro. Mi sembra di compiere una profanazione, di introdurmi in un ballo a corte cui non sono stato invitato. I volumi hanno livree da gran cerimonia, una sfarzosità anche tattile. Le tonalità sono cariche, intense; dicono la regalità, prima ancora che il sapere. Che l'abito faccia il monaco anche per quello che riguarda i libri?

I volumi recano inciso in oro sul piatto lo stemma imperiale e la scritta delle biblioteche di provenienza: Fontainebleau, Saint-Cloud; lo stemma è minutamente ramificato, esso stesso scrittura. I sommi greci e latini ci sono tutti, il Plutarco in 13 volumi, e Cesare, Seneca, Tacito, Esiodo, Virgilio, Ovidio, Pausania, Senofonte, gli *Amori di Dafne e Cloe* di Longo Sofista. Ci sono, con mia sorpresa, le *Confessioni* di Agostino. Riporto alla luce Boileau e Bossuet: non li leggerà mai, ma intanto sono qui in parata. Saluto con deferenza Rousseau e Montesquieu in 5 tomi, Diderot in 15, Voltaire in 70. Ci sono anche le Opere complete di Madame de La Fayette e le lettere di Madame de Sévigné; e quel simpatico furfante di Beaumarchais. Mi tuffo avidamente su Saint-Évremond, libertino erudito; ne provo colpa come d'un vizio solitario.

Le preferenze di N. vanno alla storia, alle scienze, alla geografia. Ha curiosità che spaziano dalla storia della filibusta alle imprese del principe di Condé e di Eugenio di Savoia, dagli Egizi agli Incas. Ci sono molte storie militari, varie storie di Francia (i 26 volumi del Fantin!), biografie (Francesco I), cronologie, curiosità, Luigi XIV raccontato da un *valet de chambre* che, adesso lo so, era nella posizione migliore per vedere. Vari trattati d'astronomia antica e moderna, persino indiana e orientale, il *Traité de mécanique céleste* del Laplace (e io che ho accusato N. di non saper alzare gli occhi al cielo). L'*Anatomie générale* del Bichat, che è anche autore di ambiziose «ricerche fisiologiche sulla vita e sulla morte». C'è naturalmente una

*Histoire de l'Isle de Corse*, Nancy 1749, che a un primo esame mi sembra modesta.

Riconosco nei molti volumi dedicati alle tecniche il suo volersi intendere di tutto. Varie opere di chimica, le funzioni analitiche del Lagrange, botanica, trattati sugli alberi da frutto, il *Système des plantes* di Mouton-Fontenille, una «filosofia chimica», le credenze popolari sulla medicina, la tintura del cotone, il «pilota istruito» ad uso dei naviganti di commercio, l'arte di produrre acquavite del celebre Parmentier, rimedi contro le malattie del bestiame, i *Saggi di agricoltura pratica sulla coltivazione de' gelsi e delle viti* di Carlo Verri. L'*Histoire naturelle de la rose*, adorna di delicate incisioni, è di certo un ricordo di Giuseppina, che di rose era cultrice appassionata e competente.

Il vero orgoglio dell'imperiale Lettore sono i 196 volumi delle annate del «Moniteur», dal 24 novembre 1789 al 30 giugno 1813. Mentre gli operai terminavano le loro faccende, mi sono concesso delle spigolature: atti dell'Amministrazione, resoconti, notizie, anche riprese da giornali stranieri: insomma tutto ciò che fa politica e fa propaganda, ma noiosissimo. Le battaglie e i caduti sono rigidamente fissati nelle frasi sempre uguali dei bollettini dell'Armée; i morti, semplici numeri: dieci, trenta, cinquantamila, che importa. Il giornale ha una freddezza formale che è l'esatto risvolto della foia della regalità, la quale deve tutto aggiustare nella luce che meglio le conviene: non i fatti come sono, ma come avrebbero dovuto essere per l'edificazione dei bravi cittadini e la gloria del Sovrano.

A parte il muro compatto del «Moniteur», sono 186 i volumi arrivati dalla Francia. Apprendo da Marchand che nella notte di Fontainebleau, alla vigilia della partenza per l'Elba, il Vinto è entrato in biblioteca e vi si è trattenuto per un'ora: voleva scegliere di persona le opere che dovevano accompagnarlo. Dettava i titoli, Marchand scriveva.

La scena notturna ha una grandezza che mi sconcerta. Faccio ripetere il racconto a Marchand. Di scatto, il Massacratore delle cento battaglie assume i tratti di un bibliofilo: diventa un fratello di solitudine, abbandono, sventura. Lesage, Montaigne, Fenelon, La Bruyère. Ogni titolo che sceglie mi avvicina un poco a lui.

Come posso odiarlo? Quanti diversi uomini stanno in un solo uomo? Gli orchi possono essere degli eccellenti lettori? E se sí, i libri possono modificarli? E se no, a cosa servono i libri?

Arrivano altre casse. N. si è annesso la biblioteca del Genio militare, centinaia di opere di architettura, topografia, strategia, tra cui quelle del famoso stratega Vauban. Poi giungono gli invii del cardinal Fesch, un centinaio di volumi. Mi affanno a dividere tutto nelle cinque classi canoniche: teologia e religione, diritto e giurisprudenza, storia, scienze e arti, belle lettere.

Non so dove piazzare l'*Encyclopédie des enfants* del Masson, che evidentemente attende il piccolo Re di Roma. Quei tomi mi danno disagio, come se il bambino fosse già morto, ed essi fossero lí a testimoniare lo strazio degli affetti perduti.

In queste giornate caldissime i volumi sprigionano un aroma stordente e quasi osceno, come di frutti troppo maturi, prossimi a marcire. Schedo, sistemo, e mi sembra di organizzare la decomposizione del mondo.

Agosto

Madame Mère è finalmente arrivata da Livorno con il brick inglese *Grasshopper*, scortata da Càmbel. Era a Roma da giugno presso il fratellastro cardinale, in attesa di istruzioni dall'Elba; per raggiungere Pisa ha scelto animosamente la carrozza, malgrado il pericolo dei briganti. Ha viaggiato sotto il nome di Madame Dupont, con la sola scorta del suo ciambellano Colonna d'Istria, quattro guardie e le cameriere.

A Livorno, dove è scesa all'albergo Gran Bretagna, il popolino l'ha fischiata. Il colonnello ha fatto intervenire i gendarmi.

Anche Madame Mère si è guadagnata la simpatia dei marinai inglesi per la sua fierezza e dignità. Giunta in vista dell'Elba s'è arrampicata da sola su un viluppo di gomene per vedere meglio l'isola che si avvicinava.

Quando il brick ha gettato le ancore nessuno ha accostato per ricevere l'ospite, perché N. era in passeggiata verso Marciana. Madame si è molto stupita e imbarazzata. Allora Càmbel ha proposto a Colonna di mandare un messaggero a terra per avvisare Drouot.

Era già pomeriggio avanzato quando hanno imbarcato Madame e il seguito sulla scialuppa. In darsena sono accorsi i generali e le autorità, l'hanno portata ai Mulini.

N. è tornato nel cuore della notte. Incontro commovente con lacrime.

*Giovedí 4.*

Madame Mère si è sistemata dai Vantini, in via Ferrandini. Quattro stanze piuttosto buie, che guardano a nord, piú la galleria. I Vantini hanno il coraggio di farle pagare 2400 franchi l'anno, quando lo stipendio del dottore sarà sui 6000 franchi.

Come moglie del Maire, Vittoria ha avuto l'onore di entrare nelle dame di compagnia. È rimasta molto colpita dal letto, una specie di vascello mitologico in mogano, con baldacchino e colonne, e gran profusione di bronzi dorati. Da Parigi sono arrivati pochi mobili: principalmente tredici poltrone in velluto rosso, che quando non ci sono ospiti vengono ricoperte con delle *housses*; i tappeti vengono dall'Egitto, ricordo della gloriosa campagna.

Le rare volte che Madame Mère esce a passeggio con le sue dame, non dà confidenza. Accoglie i segni di deferenza, i bambini che offrono fiori, persino qualche applauso, senza mutare cipiglio. La severità degli abiti e del contegno contrasta con i colori infiammati del volto. Si pitta in modo incredibile: le guance sono rosse come due pomi d'autunno, e questo le dà un'aria stranita di uccello esotico, di quelli che lo stesso pittore che li ritrae non ha ancora deciso se sono mansueti o pericolosi.

N. ha voluto conservare un'abitudine delle Tuileries: il *lever*. La domenica la piccola corte si riunisce ai Mulini, assiste ai cerimoniali del risveglio. Poi quando l'Imperatore s'è abbigliato – la solita divisa verde, anche la domenica – scendono tutti a Casa Vantini, e lí la scena si ripete.

Questa storia del *lever* ha colpito i miei concittadini. È una raffinatezza che ci fa sentire rozzi, cosí come le carrozze dorate irridono i nostri birocci fatti per portare fieno, polli e fagioli piú che le persone. Però capisco N. che non vuole lasciarsi andare, e sul cerimoniale non transige. È rispetto di se stesso, prima che fumo per incantare i bravi Elbani.

*Sabato 6.*

Arriva anche la contessa Bertrand. È alta; ha un viso piuttosto stretto, un naso allungato che scende forse piú del desiderabile su una piccola bocca, ma gli occhi vivaci, il brio che mette in ogni gesto e parola la fanno sembrare bella. La gravidanza molto avanzata spicca allegramente sul fusto sottile. Sta sempre abbracciata ai figli di cinque, quattro e tre anni, somigliantissimi al generale, molto belli ed eleganti nei loro velluti verdi e blu, e nei colletti di pizzo. I bambini si proteggono gli occhi con la mano, come se fossero cresciuti al chiuso. Il generale è fuori di sé dalla gioia; ha per la moglie una devozione, un sentimento che incantano; non finiva di baciarle la mano. Si è poi saputo che Madame ha fatto un viaggio penoso, che è stata piú volte fermata dai gendarmi dei Borboni, perquisita, derubata; cercavano lettere compromettenti, documenti cospirativi. Al solo racconto di quelle traversie il generale s'è fatto prendere da una disperazione retrospettiva.

Li hanno alloggiati alla Biscotteria, nell'appartamento che era stato dell'Imperatore.

Mi vergogno per i miasmi che salgono dalle nostre strade. Il sole è crudele, in questi giorni; non c'è una bava di vento nemmeno a notte.

*Lunedí 8.*

La Palazzina si avvicina a compimento. N. è riuscito a ricavare una trentina di stanze, tutte di modesta dimensione, tranne la Galleria a pian terreno e il salone del pri-

mo piano. A pian terreno, quattro grandi porte-finestre di
nuovo disegno si aprono sul giardino. Il vecchio teatro set-
tecentesco annesso alla caserma è stato ridotto e modificato in modo da ricavare anche una sala da pranzo e un
bagno.

Tra fare e disfare, i lavori non procedono con la celerità che N. vorrebbe; ma adesso i suoi solleciti e i suoi rim-
brotti non sembrano spaventare piú nessuno. Impaziente,
ha fatto sistemare una tenda e un letto da campo in giardino, e se non fa troppo caldo dorme lí. Mi sembra di poter leggere in quell'accampamento estemporaneo una nostalgia delle vecchie campagne militari, il nomadismo che
deve avere nel sangue.

Anche Alí è contento di servire all'aperto. Dice che talvolta N. nel cuore della notte si va a sdraiare su una poltrona, e guarda il cielo per ore, cosí immoto da sembrare
la statua di se stesso; lui che non sapeva star fermo piú di
dieci minuti, se doveva posare per David o per Canova.

Marchand, che ha anche una discreta mano di pittore,
ha provato a schizzare dei disegni – a memoria – dell'Augusto Osservatore. Me li fa vedere con una certa complicità, e io lo incoraggio a proseguire: per avvicinarsi al segreto dell'Uomo può accadere che un carboncino valga assai meglio dei pennelli di quel ruffiano del David.

I disegni di Marchand – imperfetti ma freschi – mi fanno pensare, perché non riesco a far combaciare quelle immagini con l'idea del Nemico che mi ero costruito negli
anni raccogliendo la mia documentazione. Mi ripeto invano che non c'è assassino che non sappia abbandonarsi
alle dolcezze delle notti estive, che la mia isola sa dare a
chi le intenda.

Anche a San Martino un ragazzo ha cercato di schizzare un ritratto a carboncino dell'I. Sembra che questa sia
la via piú sicura per carpirgli l'anima. Difatti quando se
n'è accorto Egli si è avvicinato al ragazzo, gli ha fatto il
ganascino, ha detto – scherzoso ma non poi troppo:

– Ah signorino, voi mi rubate! Lasciate almeno che acquisti il vostro bel disegno.

Mi accorgo che la semplice frequentazione della corte mi sta lentamente inghiottendo nelle sabbie mobili della consuetudine, della familiarità. La mia curiosità per l'uomo, la necessità di capire sono piú vive che mai, ma non sento piú la rancorosa necessità di chiedergli conto delle sue azioni. Non desidero piú la sua punizione; o meglio, non mi sembra una faccenda cosí urgente. Il mio risentimento metafisico sta svaporando lentamente nelle bassure dei piccoli traffici quotidiani. Le voci dei morti che ha fatto mi arrivano fioche, non piú forti dei mugolii del vento nelle cappe dei camini. Tendo a identificarmi con la *Maison* imperiale, provo per i suoi uomini un cameratismo che assomiglia allo spirito di corpo. Mi rallegro delle loro piccole soddisfazioni, mi affliggo delle loro contrarietà. Ho anch'io bisogno del branco, del rassicurante calore animale che emana? Possibile che sia questo il risultato della vita solitaria che ho condotto per molti anni? Si può odiare soltanto di lontano? Quanto dura un'indignazione?

È breve il volo della nostra immaginazione. Mi riesce ogni giorno piú difficile identificare in questo borghese umiliato, ridotto a occuparsi del nostro scarso senso dell'igiene, il potente che umiliava gli imperatori e disponeva dell'Europa come di un suo podere.

Le mie certezze vacillano. Tanti anni di rovelli e di studi per arrivare a provare una specie di simpatia per il mostro? Sono molto scontento di me.

*Mercoledí 10.*

Pochi rispettano le ordinanze sull'igiene, le strade sono rimaste sdrucciolevoli, fecali. La carrozza dell'Imperatore le percorre con la stessa fretta d'estraneità che dove-

va sospingerla tra le vie del Cairo, anguste d'un eterno
mercato. Bertrand ha nuovamente sollecitato Balbiani, e
questi il Maire: tenessero almeno sgombra d'immondizie
la via del Carmine sino alla Porta a Terra, dove N. è solito passare. Traditi s'è giustificato accusando i soldati: sono loro che persistono nelle male abitudini. Molti sono
stranieri, a casa loro si comporterebbero con maggiore decenza. Si sentono superiori ai normali cittadini, e poi sono convinti che presto partiranno.

Le latrine non sono state ancora costruite. È stata accordata una proroga. I forestieri continuano a lamentarsi,
ma quando scendono dai Mulini – i privilegiati che vi sono ammessi – non vedono piú le nostre deiezioni. Marciano ispirati e leggeri come i pellegrini che tornano dalla
Madonna del Monserrato, quasi non toccano terra.

Quando ai Mulini viene ultimata una stanza, alle decorazioni provvede Antonio Vincenzo Revelli. È un pittore
piemontese di folte sopracciglia, parole avare e sobrie abitudini: non beve vino, mangia solo verdure crude. Pare
che in gioventú abbia avuto simpatie repubblicane. Qualcuno sostiene che sia sordo, o sordastro; io inclino a rite-
nere che una finta sordità sia un espediente assai opportuno, quando si hanno a servire i potenti. Con me qualche volta parla: a suo modo, senza disserrare la chiostra
dei denti. Faccio fatica a capirlo, e sembra che il sordo sia
io, da come mi protendo verso di lui. Ma non mi dispiace
questo suo senso dell'economia delle parole, e di tutto.

Delle maniere pompose della voga neoclassica, pronta
ad adulare la committenza, il Revelli mi pare immune. Egli
si attiene a quel senso della misura e del decoro che credo
sia proprio delle sue terre. Non so se N. si è dovuto accontentare di lui, non potendosi permettere di meglio, o
se la decorazione corrisponde ai suoi desideri. Revelli predilige semplici disegni a calce e tempera, motivi floreali,
bordure di fogliette stilizzate (agrifoglio, quercia, leccio?

gliel'ho chiesto, ma non ha risposto). Nella sala destinata
agli spettacoli teatrali, un gioco di tende appena accenna-
te corre lungo i muri in tenui colori primaverili: rosa, azzurro, verdino. A me è sembrata una chiarità poetica, una
visione che non osa ancora rivelarsi al sognatore. Revelli
si fa pudore (dovere?) di non evocare i passati splendori,
adombra piuttosto un destino nascente; e certo le sobrie
pitture non assomigliano al padrone grassoccio che abiterà
quelle stanze.

M'è parso che Revelli, nella sua lodevole semplicità, abbia come dei dubbi sull'identità dell'Augusto Commit-
tente. D'altronde, ne abbiamo anche noi sulla nostra, dopo il suo arrivo. Improvvisamente, non sappiamo piú chi
siamo; e quel che è peggio, tendiamo a credere che ormai
il nostro destino sia strettamente legato al suo.

Prima del suo arrivo, non bastavamo soltanto a noi stessi: eravamo la misura di noi stessi. La percezione del mondo vasto e tumultuoso, al di là del mare, non ci offendeva. Ma adesso l'Uomo che si è posto a misura di tutte le
cose è piombato tra noi, ci ha obbligati a misurarci per davvero: con Lui, con la sua storia, con la Storia, con il continente. Questo facciamo ogni giorno: prendiamo accurate misure della nostra persona, e il risultato ci mortifica.
Nei sentimenti oscuramente ostili che alcuni di noi provano per N. ci deve essere anche questo. Il solo ricordo
dei passati splendori offusca il nostro modesto presente:
non conta che il Sovrano si sia messo – finga di mettersi,
o l'abbiano fatto mettere – al nostro modesto livello.
Quando esce in carrozza o a cavallo, quando si sforza di
essere galante con le nostre donne, N. sembra dirci: am-
mirate la fermezza con cui sopporto la sventura. Ma non
temete: uscirò da questa gabbia, ritroverò le vie della
Grandezza, le sole che mi competono.

È questo che fa male. Quando Lui non ci sarà piú, ci
ritroveremo diversi. Senza sparare un solo colpo di cannone, ha segnato anche noi.

*Giovedí 11.*

Con l'arrivo dei Francesi e il colmo dell'estate, l'isola ronza come un alveare. L'isola è in fregola. Certo per via dell'Ape regina lassú ai Mulini, con il suo corteggio di ciambellani esagitati anche quando dovrebbero star cheti; per gli ufficiali che sembrano fagiani di monte, pavoni; e le bandiere, le parate, la stessa galanteria del francese, la lingua eletta del libertinaggio. Sembra che gli uomini di N. abbiano dei crediti con la vita, e che siano venuti qui per riscuoterli. Le donne questo lo sentono. Hanno già alzato i prezzi. I mariti si lamentano.

Per darci una parvenza d'eleganza, diamo fondo ai risparmi. Diamantina si è lamentata del proprio guardaroba: è costretta a portare vecchi abiti della mamma, appena rimaneggiati. Ferrante non ha ceduto.

Mai ci è sembrato di avere tante cose da fare, tanti piaceri da scoprire. Contrattare il prezzo di un pesce è diventato un rituale di corteggiamento: ammicchi, sottintesi, doppi sensi. Le verduraie del mercato hanno abbassato i corsetti e tirato fuori le poppe. Al caffè del Buon Gusto il cameriere ha l'aria tronfia di chi è appena uscito da un congresso carnale con una duchessa. La fornaia di via dell'Amore, incipriata della sua stessa farina che le fa meglio risplendere gli occhi smaltati di viola, rende pubblici i complimenti che le hanno rivolto certi alti ufficiali. Le sartine si raccontano le ambizioni delle dame che servono e le parole acide che corrono tra di loro. Al caffè del Buon Gusto si litiga per un tavolino, una sosta di un quarto d'ora è sufficiente a raccogliere le novità del giorno, quel che ha fatto N., e quel che pensa di fare, ogni sbalzo d'umore.

Si vedono girare commercianti mai visti prima, ciabattini e bottai e cavallanti e venditori di tessuti e granaglie e pesce e olio. C'è persino un mercante giunto da Parigi, che si vanta d'aver ricevuto una commessa sostanziosa per il guardaroba della Casa imperiale; e uno stampatore, parigino anch'esso, che ha messo le sue macchine a disposizione dell'I. per rispondere agli attacchi malevoli dei suoi detrattori (lo hanno rimandato spiegando che N. è morto alle ambizioni della politica). Tutti a interrogarsi e a scambiarsi notizie, a vantare relazioni con la nuova amministrazione, con i ciambellani che non contano niente, con il generale Bertrand che non dà confidenza ad alcuno ed è avaro di parole persino con il suo Imperatore. Basta mandare giú un valletto, un sergente della Guardia e in cinque minuti la città s'è già bevuta le notizie che Lui vuole propinare: va a Longone! va a Pianosa! E invece è su a Marciana, è uscito con il canotto degli Inglesi.

N. dice che i Mulini sono di cristallo, che si sente esposto alla visione di tutti. Ma è anche vero il contrario: il caffè del Buon Gusto è diventato il suo megafono. Da lí comanda gli umori, e la partita.

Data l'affluenza dei visitatori, N. ha dato incarico a Bertrand di studiare il progetto di nuovi alberghi. Impossibile trovare alloggio al Bonroux, dove la sera tolgono i tavoli del pranzo e mettono letti. Intanto i prezzi sono raddoppiati.


*Venerdí 12.*

N. irritato perché, in visita a Campo, non l'hanno fatto entrare in paese sotto il baldacchino, come negli altri paesi: Lui, l'Unto del Signore.


*Martedí 16.*

Nessuno sapeva di un san Napoleone che non è mai esistito, ma adesso viene festeggiato il 15 agosto, che poi è il giorno natale di Sua Maestà.

Per celebrare la giornata, Traditi ha predisposto salve d'artiglieria allo spuntar del sole, Messa solenne in Duomo e celebrazione del matrimonio di una onesta fanciulla, alla quale il Comune assegna una dote di 600 franchi, la corsa di un Palio per mare alle sei di sera, innalzamento di un globo aerostatico alle sette, luminarie la sera, e infine ballo in Piazza d'Armi con vino per rinfrescarsi.

Tutto si è svolto come desiderato. Molto ammirati gli esercizi svolti impeccabilmente dalla Guardia, e la cavalleria che è passata due volte al galoppo con sciabole sguainate e lancia in resta. Entusiasmo per i mamelucchi. Il generale Cambronne ha aperto le danze con Vittoria Traditi. Malgrado le ferite, è ancora agile come una scimmia. Ha detto di non aver ballato mai tanto in vita sua, ma sono altre le danze che lo appassionano.

*Mercoledí 17.*

Ferrante ha invitato Cambronne a cena con il colonnello Jermanowski, e altri due ufficiali. Diamantina ha lavorato tre giorni a pulire il servizio buono e gli argenti, con il muso lungo perché non c'è il generale Drouot, di cui è palesemente innamorata. Pur di sentir pronunciare quel nome, a tavola ha interrotto un discorso di strategie belliche per chiedere notizie di lui.

– Povero generale! – ha sogghignato Cambronne, straripante di quella sua energia bacchica, scuotendo la corta criniera. – Da due settimane l'Imperatore lo sta facendo uscir di senno perché si è messo in testa di costruire un altoforno sull'isola, per lo sfruttamento del minerale, voi mi intendete, Madame –. Diamantina cominciava già a perdersi. – Insomma, gli ha chiesto dei preventivi.

Ferrante ha prontamente spiegato – a chi peraltro lo sapeva benissimo – che per raffinare il materiale greggio occorrono due cose: l'acqua (che deve garantire la forza motrice per le soffierie) e il fuoco, cioè legna forte o carbone. Di acqua, si sa, l'isola ne ha pochissima, non c'è torrente che abbia un corso regolare. Anche di carbone ce n'è poco; quanto alla legna, i pochi boschi che abbiamo bastano appena alle necessità attuali, e non possono alimentare forni. Ma il nostro ferro è puro, il piú ricco di minerale e fondibile e abbondante e malleabile di tutte le specie conosciute: eguaglia in bontà il ferro di Svezia, Lapponia e Siberia, e da esso si ottiene un acciaio naturale molto buono.

Il colonnello Jermanowski, che dev'essere un tipo preciso, ha confermato, precisando che Drouot stava studiando per N. un procedimento detto «alla catalana». Questo ha provocato nel generale Cambronne dei risolini soffocati, degli ammicchi, degli ondeggiamenti del corpo: sembrava che non di tecniche metallurgiche si stesse parlando, ma di qualche danzatrice dedita a balli licenziosi. Difatti Ferrante lo ha ammonito:

– Generale, voi confondete le catalane con le andaluse!

Risate. Ma già la conversazione correva da tutt'altra parte: l'impressione che a Ferragosto aveva destato in tutti l'esibizione del pallone aerostatico di Monsieur Aubry, venuto appositamente di Francia per la nostra meraviglia. Un pallone colorato – un giocattolo di carta cinese – che si sollevava mollemente sul porto, tra i gridi delle signore e dei bambini. Il signor Aubry, aggrappato alle funi e al cavagno che lo portava, salutava di lassú agitando il cappello; i cannoni dello Stella hanno sparato una salva in suo onore. Quella leggerezza, quei colori – tutto era veramente come nei sogni, quando spesso mi accade di volare.

Quando è ridisceso, il signor Aubry è stato quasi soffocato dai presenti. Defendente, che è piú forte di tutti, s'è aperto un varco nella calca, a gomitate, ed è persino riuscito a baciargli una mano, onore che non ha mai dispensato ad alcuno in tutta la sua vita. Per giorni, non s'è parlato che di lui. Alloggiava alla Biscotteria, come in stato d'assedio, e ogni tanto si affacciava a salutare; i Traditi l'hanno invitato a pranzo; Vittoria ha poi confidato che Monsieur è uomo non meno galante che ingegnoso.

Ferrante si è detto un poco sorpreso perché l'Imperatore non sembra dare importanza alle possibilità offerte da questa geniale invenzione. Si pensi, ha detto, all'utilità del pallone nelle ricognizioni, nel disvelamento delle intenzioni del nemico. In effetti, in ogni campagna militare si cela la stessa angosciosa domanda: dov'è il nemico? quale consistenza hanno le sue forze? quanti cannoni e cavalieri? dove si sta dirigendo? dove ha posto il campo? Si procede a tentoni, mandando avanti dei ricognitori, e costretti poi a fare la tara delle loro impressioni, fatalmente lacunose e soggettive. Come nel gioco delle pignatte.

L'indecisione, le perplessità: ecco il tormento, a petto del quale la battaglia dichiarata è un virile sollievo, ha proseguito Ferrante. Ne sanno qualcosa i Francesi che a Marengo, per essersi disposti su una linea troppo allungata, e aver allentato i collegamenti, hanno corso il rischio di una disfatta clamorosa. È singolare che dei vantaggi offerti dai palloni Sua Maestà non si curi. Che ne diceva il generale Cambronne?

– Ve lo vedete voi un artigliere che si solleva per aria? – ha spiegato il generale con finto stupore. – Sarebbe come mettere le ali di Mercurio a Vulcano. Intendo dire che l'Imperatore – *si magna licet componere parvis* – è un animale terrestre, ha bisogno di «sentire» il terreno dello scontro, di aderire ad ogni sua piega o anfratto, di palparlo, di fiutarlo...

– Volete dire che l'Imperatore è una sorta di Bracco Supremo? – ha azzardato Diamantina, stupita del suo stesso coraggio. Tutti hanno riso.

– Madame, – ha consentito il generale, paziente, – seguitemi, prego. La visione dall'alto, per quanto ci è possibile immaginare, appiattisce il quadro, fa sparire i particolari, quei dettagli, quei rilievi che in battaglia sono cosí

importanti. La terza dimensione! Che una collina sia piú
alta di un'altra di trecento piedi può cambiare le sorti del
combattimento, perché sono i cannoni a decidere. Insomma l'Imperatore non si fida, ecco. Vuol toccare con mano,
ecco. L'occhio, lo sappiamo, signori, è un organo somma-
mente ingannevole. Per le stesse ragioni l'Imperatore non
ama le battaglie per mare, e la Storia gliene ha dato una
triste conferma. Lí tutto è piatto, e le sorti di uno scontro
sono nelle mani di Eolo. Questo dipendere da circostanze esterne riesce insopportabile all'Imperatore. Pensiamo
a una battaglia come Austerlitz, che è un ventaglio di colline in continuo movimento. È un gioco del rimpiattino,
e poi c'è la nebbia, ecco la sorpresa che l'Imperatore ha
congegnato, spuntare dove i Russi non ti aspettavano proprio! Ebbene, signori, figuratevi una Austerlitz sulla gran
tavola di una distesa marina! Improponibile! Addio sorpresa! Non c'è nessuno come un isolano che diffidi del
mare, e anche dell'instabilità dell'aria. Fare affidamento
sull'efficienza di un pallone, può riuscire pericoloso. E poi,
come comunicare con quelli rimasti a terra? In una battaglia, la rapidità delle valutazioni e delle decisioni è tutto.
Il pallone è lento. Ad Austerlitz, ho detto, c'era la nebbia,
il pallone sarebbe stato inutile. Bisogna scegliere un elemento, e a quello restare fedeli. È quanto ha fatto l'Imperatore. Ecco!

Ferrante, deluso, non ha trovato alcunché da obietta-
re. Allora Cambronne si è lanciato in una digressione mondana e galante, sull'impiego del pallone negli assedi amorosi, nella sorveglianza degli amanti, dei mariti, ecc. A Diamantina è andato di traverso un boccone di pesce, e il
colonnello Jermanowski si è affrettato a soccorrerla dan-
dole colpetti sulla schiena, dopo aver chiesto e ricevuto
permesso.

Stanotte Diamantina sognerà che Drouot arriva con un
pallone e se la porta via: però non oltre Piombino, perché
lei del pallone ha paura.

Finalmente Ferrante s'è riscosso, ha illustrato il possibile impiego dei palloni per uso postale.

– Già, bravo, – gli ha obiettato il generale. – Qui dove tutti ci spiano, e la segretezza della posta è una chimera, con quell'infame poliziotto di Piombino che apre la nostra corrispondenza, un pallone, figurarsi, lo vedono a trenta leghe, e cosí tutti sanno chi sono i nostri corrispondenti.

– Per uso civile, intendevo, – ha replicato Ferrante, piccato.

– Nessuno piú di noi desidera la pace, credetemi, – ha mentito Cambronne. – Ma i tempi non sono ancora propizi... E tuttavia state sicuro. Con tutti gli uomini di scienza di cui si circonda, l'Imperatore non deluderà le vostre attese, e un giorno potrete volare in pallone sino a Parigi –. Parlava come se fossimo ancora, o di nuovo, nella capitale.

– Al novello Icaro! – ha brindato il generale nel congedarsi. E non si è capito se alludeva ai sogni di Ferrante o a quelli dell'Imperatore, all'aquila in procinto di spiccare il volo.

N. ha messo gli occhi sul promontorio di Capo Stella, coperto di lentischi e ricco di pernici. Intende farne una riserva di caccia personale, e non ha ancora deciso se cintarlo con un muro, o scavare un fossato per trasformarlo in un'isoletta sua propria.

Mentre stava a discutere con Bertrand, ha scorto un contadino che arava con i suoi bovi in un campo vicino. Con le manie di coltivare la terra che gli sono venute qui, s'è fatto dare la fune dei bovi, pretendeva di guidarli lui. Le bestie hanno sentito un'altra mano, prima hanno deviato dai solchi, poi si sono impuntate.

Il contadino rideva. N. non gli ha elargito le solite monete d'oro.

*Giovedí 18.*

Difficoltà di Jermanowski a Longone. Scarsità di alloggi, e diffidenza degli abitanti, che non sembrano amare N. e tanto meno i suoi soldati. Carlo Perez, appena nominato ufficiale d'ordinanza s'è fatto vedere in chiesa domenica con la nuova divisa, ma è stato ingiuriato, gli hanno dato del servo. Allora ha sguainato la sciabola, si sono dovuti intromettere per evitare che si spargesse del sangue.

Ci sono anche casi di diserzione. I gendarmi di Marciana hanno sorpreso su una barca quattro giovani di Longone che cercavano di raggiungere la Corsica dopo essersi impossessati di una barca da pesca genovese. Ci sono state risse tra minatori e polacchi anche a Rio. N. ha dovuto istituire un Consiglio di guerra, ma siccome ha bisogno di soldati – anche cattivi – le prime condanne sono state miti, e i riottosi mandati a lavorare a Pianosa.

Uomini del disciolto esercito d'Italia arrivano dall'Italia e dalla Corsica per arruolarsi nei Cacciatori, con la speranza di sistemarsi. Non è possibile accoglierli tutti, e poi non ci sono denari per le divise, le calzature. Si vedono girare i nuovi arrivati con le divise dei reparti d'origine, alcuni perfino scalzi. Poveri esseri anche loro, relitti delle grandi tempeste che le correnti hanno sospinto fino alle nostre spiagge.

Cambronne è andato a Longone per ispezionare i reparti, ed è tornato di pessimo umore. L'addestramento lascia a desiderare, i soldati continuano ad avere un'aria stracca.

Il distaccamento dei cinquanta polacchi al comando del capitano Balinski, inviato a Parma per scortare Maria Luisa, che dovrebbe essere arrivata in quella città, è stato accolto con ostilità. Gli Austriaci hanno fatto molte difficoltà, e negato ai lancieri alloggio e stalle. Per di piú i lancieri non hanno ancora ricevuto la paga, e sono inquieti.

Adesso che con l'estate i lavori agricoli sono fermi N. insiste con la sua mania delle strade. Tempesta Bertrand di messaggi; Bertrand scrive ai Maires; i contadini protestano per la terra che gli portano via, perché li obbligano a lavorare con i soldati, perché non hanno nemmeno il pane da portarsi dietro sul lavoro.

*Venerdí 19.*

N. vuole assegnare ai suoi soldati le terre incolte attorno alle Saline, poco fuori il Ponticello. Erano abbandonate, ma adesso che Egli le reclama ci sono improvvisamente diventate preziose. Il notaio Mazzei parla di rubarizio, invoca sul Gran Ladrone i castighi divini.

*Sabato 20.*

L'avvocato Balbiani dovrà formare un giurí per accertare i titoli di quanti esercitano la medicina e la chirurgia, e sono soltanto dei praticoni. La notizia suscita malumori e ilarità. È certo che continueremo a curarci come gli avi, i contadini la sanno piú lunga del dottor Fourreau. (Gli uomini della *Maison* lo chiamano Monsieur Pourgon, neppur troppo sottovoce).

*Lunedí 22.*

Malgrado il caldo, N. è di un attivismo vulcanico. S'è messo in testa di rimboschire la città e l'intera isola. Ha ordinato cinquecento gelsi al giardiniere Hollard, per abbellire le passeggiate fuori e dentro le mura. Dice che i gelsi sono anche utili all'industria.

A San Martino detta ordini anche per sistemare i cavalli, i polli e gli altri animali da cortile. È arrabbiato con l'ingegner Lambardi, dice che lavora male, che non bisogna pagarlo, ecc.

Ieri che il discorso doveva essere tornato sulle miniere, N. mi ha fatto chiamare e mi ha chiesto se gli autori greci e latini si sono occupati dell'antichissima metallurgia elbana. Ho ricordato il famoso verso del decimo libro dell'*Eneide*, che tutti si sentono in dovere di citare, quando si parla dell'Elba: «Insula inexhaustis Chalybum generosa metallis», ma lui lo conosceva già. Allora sono ricorso a testi meno noti, Strabone, Plinio, Silio Italico, Rutilio, Cassiodoro. Ho anche spiegato che vari autori, tra cui lo stesso Virgilio, sostenevano che il ferro dell'Elba avesse la proprietà di riprodursi, di rigenerarsi man mano che si estraeva: impressione fallace, a null'altro dovuta che all'abbondanza del materiale.

N. ascoltava e assentiva; pareva gradire le divagazioni. Adesso tende ad aggregarmi alla piccola corte, mi porta con sé come una curiosità pittoresca, una scimmia parlante, un mamelucco. Anche se non abbandono mai la mia marsina grigia, mi sento addosso i colori sgargianti dei corpetti e delle brache di Alí.

Ho notato che non c'è Plinio, nella biblioteca imperiale. Fatto singolare, perché N. potrebbe trovarvi una quantità di notizie perfettamente intonate alla sua curiosità enciclopedica e al suo piacere di stupire gli interlocutori.

*Martedí 23.*

Il dottor Fourreau è venuto a riferire all'Imperatore delle condizioni di salute di Madame Mère, che soffriva di qualche mancamento o capogiro. Il dottore ha riscontrato uno stato di stanchezza diffusa e ha prescritto all'Illustre Inferma riposo e infusi di melissa...

Per tracciare questo semplice quadro clinico, Fourreau ha impiegato almeno dieci minuti, citando persino Aristotele e Ippocrate. A Parigi era medico delle scuderie imperiali: un veterinario. Qui è diventato Protomedico del Sovrano, e quel che non gli avanza in scienza, lo spende in ciance. Usa un tono sussiegoso infiorato di figure retoriche, quasi che invece che dell'arte medica si occupi di eloquenza, e tenga Quintiliano per suo maestro. Con i vezzi di una condiscendenza untuosa, lascia intendere che ogni sua prescrizione discende dallo studio della tradizione classica e da una incomparabile esperienza pratica.

La piccola corte ride.

Quest'affettazione diverte l'Imperatore, tanto piú che Fourreau ha un vero talento per il pettegolezzo. Le sue orecchie pelose raccolgono confidenze e malignità, che egli poi abbellisce e infiora, riversandole sul Sovrano, che ha un suo speciale modo di utilizzarle. Anche le tresche, le piccole beghe, le gelosie, gli episodi di rapacità o di egoismo gli servono non solo a comporre un quadro fedele del carattere di ciascuno dei suoi sottoposti, ma soprattutto a confermare la fama di Padre che tutto sa e vede, e distribuisce premi e castighi secondo giustizia. Non c'è soldato o ufficiale o semplice cittadino che non si senta osservato.

Ferrante sostiene che l'Imperatore è bravo in tutto, ma nessuno lo supera nell'organizzare la polizia segreta. Da anni corrono per l'Europa *pamphlets* che lo accusano di utilizzare per lo spionaggio persino dei bambini: nei giardini pubblici fingono di sfuggire alle governanti per riferire i discorsi di pacifici vecchi che confabulano sulle panchine. Essendo Egli convinto che tutto si può e si deve comperare, non ha certo lesinato in fondi segreti, e ha ottenuto dei risultati buoni per Lui. Ha sventato congiure, ha intimidito i riottosi.

Fino a quando i servi corrotti hanno tradito il corruttore (Fouché).

Credo sia questo il motivo per cui l'Imperatore sopporta Monsieur Pourgon. Ha troppa poca stima della medicina per pensare che un medico serva davvero a qualcosa. Anche oggi l'ha lasciato parlare solo perché immerso in pensieri che evidentemente gli davano qualche piacere. Poi l'ha bruscamente interrotto:

– Eh, dottore, risparmiatemi Aristotele e la sua dotta cabala, che alla mia età so governarmi da solo!

Poi, puntandolo frontalmente come se volesse incornarlo, gli ha chiesto se avesse mai letto il *Gil Blas* di Lesage. Il dottore non l'aveva letto.

– Ebbene, – ha continuato Lui, – v'è una pagina in cui si racconta che l'eroe del titolo, ansioso di sperimentare nuove terapie, incontra a Valladolid lo stimatissimo dottor Sangrado, il quale gli svela gli arcani dell'arte sua: «Non c'è bisogno d'altro che far salassi e far bere acqua calda: ecco il segreto per guarire tutte le malattie del mondo». È ben fortunata la corporazione che per esercitare ha bisogno di due soli principî ispiratori!

Il dottore ha annuito come se gli fosse stato raccontato un pettegolezzo dei suoi, o qualcosa di cui egli era perfettamente al corrente. Non ho capito se era d'accordo con Sangrado o con Gil Blas, se era per l'*auctoritas* della medicina tradizionale o le sperimentazioni della nuova scienza. Un pomeriggio che ero di servizio, ed ero uscito a vedere la mareggiata, ho trovato il dottore nel giardino dei Mulini. Siamo venuti sul discorso dei frizzi che Sua Maestà dedica all'arte medica, e io ne ho scherzato appena, fingendo di testimoniare al dottore la mia solidarietà di uomo sensibile al progresso delle scienze.

– Ah! Ma è una cosa serissima, invece! – ha detto Monsieur Pourgon. – Sua Maestà ci ride sopra e tratta i medici da saltimbanchi che non riusciranno mai ad ingannarlo, perché ha una paura fottuta della malattia – (ha detto proprio cosí: fottuta. Quando non c'è pubblico, Fourreau si permette un eloquio piú franco). – Ma dopo le battaglie i medici gli servivano, eccome! Se il servizio di infermeria e i lazzaretti mobili, che lui stesso aveva istituito vent'anni fa, non funzionavano a dovere, diventava una furia. E stimo che nella sua considerazione nessuno sopravanzi il dottor Larrey, che ha fatto miracoli ovunque, in Egitto, in Germania, in Russia! Gli ho sentito dire una volta che era l'uomo piú virtuoso che avesse conosciuto. No, no. Gli è che suo padre è morto abbastanza giovane di un cancro al piloro, ed Egli ha l'ossessione di fare un'identica fine. Sa bene che se un male del genere capitasse anche a Lui, non varrebbe medico o medicina a curarlo. Questo dobbiamo essere tanto onesti da ammetterlo. Per questo si fa beffe di me –. Abbassa la voce a un sussurro: – Per questo non si curava di esporsi al fuoco piú micidiale, in battaglia. Meglio una palla in fronte che leggere nel viso di un dottore che non ci sono rimedi per la cosa immonda che ti rode le viscere.

Questa notizia del cancro al piloro m'ha turbato. La notte m'è sembrato di sentire delle fitte allo stomaco.

*Mercoledí 24.*

Alle nove N. era già salito a Marciana per una partita di caccia. Molto deluso perché non ha visto una sola lepre, una pernice; quasi offeso con noi. Continua a parlare di riserve. Sono discorsi che non piacciono ai contadini. Preferirebbero cedergli le mogli, piuttosto che la selvaggina.

*Giovedí 25.*

Al mercato, tre soldati della Guardia hanno avuto un alterco con dei verdurai per un cocomero troppo acerbo o troppo maturo che avevano appena comperato. Sono volate parole forti, è comparso un bastone. Allora i Francesi, per paura di essere sopraffatti, hanno fatto arrivare rinforzi dal Forte Stella. Gli Elbani si sono incarogniti. È partita una fucilata, c'è stato un ferito.

N., furibondo, ha consegnato i soldati nelle caserme e ordinato un'inchiesta.

Il trasferimento di Madame Mère a Marciana è stato regolato da disposizioni minuziose. Alloggerà a Marciana, in casa Vadi, con ciambellano, intendente, due dame di compagnia, due cameriere, un cuoco e quattro domestici. L'elenco dei mobili e delle suppellettili che mancano, e dovranno rendere piú gradevole il soggiorno, prevede un letto di ferro, un canterano, tre tende (le bacchette ci sono già), vari utensili di cucina, candele e candelabri, palette e molle per il camino, perché ci sono sere fresche in cui è meglio accendere il fuoco. Madame è freddolosa.

*Sabato 27.*

N. ci bombarda di ordini anche dalla Madonna del Monte. Adesso vuole costruire una strada da Marciana alla marina; si lamenta che quella da Poggio a Marciana non va avanti. Si occupa anche di musica: è inutile che Paolina voglia portare un maestro di piano, bastano un buon tenore e un buon soprano, perché un buon violinista e un buon pianista ce li abbiamo già. Si parla anche del nuovo contratto da fare con il signor Pons per le miniere, a partire dal 1° gennaio. Tutto il minerale andrà a Genova; estrazione di centomila quintali l'anno; pagamento con cambiali a quattro mesi su Portoferraio.

N. ha una grande stima dei Genovesi, vuol combinare affari solo con loro. Del signor Senno, che viene di là, ha detto: – Ci vogliono quattro ebrei per fare un genovese.

Pare abbia fatto una gran reprimenda a Bernotti che stava a radersi in chiesa: – Radervi nel tempio di Dio! Un uomo che non rispetta la sua religione non può essere un buon soggetto!

Bernotti disperato: – Non me lo merito, sono un buon cristiano, – ripete.

Diamantina ha lodato il rispetto che l'Imperatore porta alla religione.

Settembre


*Venerdí 2.*

Sono in biblioteca, quando in mattinata si sparge la notizia che è arrivata l'Imperatrice con il Re di Roma. Esco fuori, cerco gli ufficiali d'ordinanza, i ciambellani. Apprendo che N. è alla Madonna del Monte, e con lui sono Bertrand, Bernotti, Alí e Marchand. Drouot sta a Forte Stella e non si fa vedere; Vantini non sa niente, e una volta tanto appare mortificato della sua ignoranza. Gli ufficiali ostentano una calma sospetta.

Si sa per certo che ieri sera una fregata inglese è entrata in rada, ha fatto segnali, ha sbarcato qualcuno a San Giovanni; lí gli ospiti si sono dileguati, ma dove altro possono andare se non a Marciana? I marinai inglesi, poi i palafrenieri, i cocchieri, hanno parlato: portavano una dama velata e un bambino che lei chiamava «mio figlio», «il figlio dell'Imperatore»; una dama di compagnia, un colonnello d'alta statura, gli occhiali d'oro; il bambino – quattro, cinque anni – aveva i tratti di Sua Maestà: boccoli biondi, fronte bombata. Ma se è davvero Maria Luisa, perché tanti misteri? Perché N., impaziente, addirittura ansioso di averla, la nasconde alla Madonna del Monte, invece di tributarle accoglienze solenni? Lui che bacia pubblicamente i ritratti del figlio non lo esibisce all'adorazione dei fedeli elbani?

Trovo il dottor Fourreau in stato di grande eccitazione:
– Avete inteso la mirabile notizia? Quale sorpresa! I nostri voti si sono realizzati! Il dovere mi spinge a Marciana! Devo offrire i miei servigi all'Imperatrice!

Si precipita verso le scuderie, si fa preparare i cavalli:
– Corro! Volo!

Vorrei seguirlo, ma sarebbe un'indelicatezza, un'intrusione. Mi rassegno, torno al mio lavoro senza frutto alcuno.

Il pomeriggio è interminabile. Verso sera Monsieur Pourgon ricompare piuttosto mogio. Non è riuscito di vedere l'Imperatrice; Sua Maestà – sorpreso, quasi contrariato – l'ha ricevuto nella tenda sullo spiazzo. Aveva il bambino sulle ginocchia, gli ha chiesto come lo trovava. Il dottore ha detto di trovarlo molto cresciuto. N. lo ha ringraziato della premura e congedato, non senza averlo pregato di non far parola con alcuno dei visitatori. Per ragioni particolari madre e figlio devono ripartire senza passare per Portoferraio, ma ritorneranno presto.

*Sabato 3.*

Entusiasmo popolare in città. Il giovane ufficiale che accompagna la signora è stato identificato con Eugenio di Beauharnais. I *grognards* hanno indirizzato un appello al comandante Mallet, dichiarandosi pronti a tutto pur di trattenere sull'isola l'Imperatrice e il piccolo Re.

Drouot, preoccupato, ha inviato un ufficiale d'ordinanza alla Madonna del Monte. Risultato: la dama incognita e il bambino sono ripartiti nella notte, nel mezzo di una tempesta.

*Domenica 4.*

Vado a trovare Pons per capire qualcosa. Raccomanda la discrezione, il silenzio. Mi mette un braccio attorno alle spalle con aria complice:
– Con voi posso parlare, – sospira. – Trattavasi di Madame la comtesse Walewska!

Mi scappa da ridere pensando alla faccia del dottore che scambia il piccolo Walewski per il Re di Roma. Pons quasi mi riprende:

– Ah, no, la faccenda è assai seria, amico mio! Voi comprendete che Sua Maestà ha dovuto occultare quello specchio di grazia e dedizione, perché tra i primi doveri di un Sovrano c'è quello di proporsi a tutti come esempio di moralità. Siamo pur sempre in attesa dell'Imperatrice! Ma credo di conoscere l'affezione di Sua Maestà per la contessa e il bambino.

Devo portare libri e dispacci alla Madonna del Monte; ne approfitto per cercare di parlare con Alí, Marchand, Bernotti, i mamelucchi, i polacchi della scorta. Chi sa, tace; alcuni sono ancora convinti che si trattasse proprio dell'Imperatrice. Alí, stupito che io sappia, qualcosa ammette.

Mia ricostruzione dei fatti. Bertrand e Bernotti accolgono gli ospiti sbarcati nella notte a San Giovanni con un tiro a quattro, tre cavalli da sella, otto muli; a Marciana Marina è ad attenderli N., che sale in carrozza al posto del generale. Dove la strada non è piú carrozzabile, montano tutti a cavallo fino alla Madonna del Monte. La luna se n'è andata, si avanza a fatica in un nero di pece. Arrivati verso l'una, consumano la cena che N. ha fatto preparare. Sua Maestà, di ottimo umore, scalca le carni con le sue mani, e riserva tenerezze al bambino, assai vivace. La dama velata è d'altezza media, bionda, carnagione rosata, incantevole nei tratti, dolce nella voce e nei gesti; abbigliata di *faille* grigia, una stoletta d'ermellino sulle spalle; la sua devozione verso l'I. commovente. La dama di compagnia e l'ufficiale polacco sono i fratelli di lei, le assomigliano molto. Dopo la cena, N. accompagna Madame nelle stanze del romitorio, e si ritira nella sua tenda. Nel cuore della notte scoppia un uragano con tuoni e saette. Alla luce dei fulmini l'Imperatore è visto abbandonare la propria tenda in veste da camera, il soprabito

sulle spalle, e dirigersi al romitorio. Ne esce all'alba. (Qui
gli occhi di Alí brillano di una malizia che non gli cono-
scevo).

L'indomani la tempesta lascia cielo e aria d'una tra-
sparenza cristallina. Il dorso grigio delle montagne di Corsica s'è fatto cosí vicino che quasi lo si può toccare.

Passeggiate nei boschi di Sua Maestà con Madame e figlio; lunghi colloqui. Madame torna con occhi pieni di lacrime.

La sera cena al Santuario. Un polacco cava un flauto
dalle sue giberne e suona delle arie popolari del suo paese.

Madame deve ripartire alle prime luci del giorno dopo.
La nave inglese si porta sotto Marciana Marina, ma il tempo si mette al brutto, il libeccio torna a flagellare la costa,
impossibile il trasbordo. Di nuovo acqua e vento. La nave è rinviata alla Mola di Longone, dalla parte opposta del-
l'isola, dove l'ampia insenatura offre riparo dai venti. I
passeggeri sono costretti ad arrivarci a cavallo. È un viaggio penoso, reso piú duro dalla pioggia e dall'oscurità. N.
accompagna Madame fino alla Marina, poi torna alla Madonna del Monte, in grandi ambasce per la violenza della
tempesta. Nel cuore della notte manda giú un ufficiale
d'ordinanza, il Perez, a fermare i partenti. Perez non li
trova in porto, e da quello sciocco che è decide che a quel
punto è inutile proseguire e si mette al riparo.

A Longone il mare è ancora in burrasca. Le autorità
portuali non vogliono lasciar imbarcare la contessa, che
tuttavia non intende ragioni, affermando che quelli erano
gli ordini dell'Imperatore. Nessuno si sente di contrariar-
la. La nave parte.

Penso a certe partenze della Baronessa dallo stesso
golfo, con il mare grosso. Stesso imperio. Sua complicità
con il mare. Amore per le tempeste, come se qualcuno le
avesse promesso di riuscire a scamparle ogni volta. A bordo, cantava romanze d'amore, alle tempeste.

Partiva, tornava, assorta in misteriose faccende. Non c'erano mai congedi, con lei. Partiva, e basta. Restava – per così dire – la sua assenza; ed era un vuoto talmente solido che talvolta sembrava dovesse schiacciarmi da un momento all'altro, come una nave tirata in secco può rovesciare i puntelli e travolgere i calafati che la spalmano di pece.

Ho imparato a conoscere l'asfissia dei pesci tratti fuori dall'acqua; ho imparato a non fare domande; evitavo di andare a Longone per non vedere la casa dei De Gregorio; ma notizie arrivavano comunque, e piú delle notizie contava la faccia dei servitori che le porgevano.

Tornava, e riprendevamo gli stessi discorsi dallo stesso identico punto. Riprendeva a tessere l'elogio dell'intelligenza del coniuge, del suo desiderio di morte, di quel loro sodalizio tanto piú perfetto quanto piú vicino alla rovina finale. Rispondevo a morsi d'antropofago, non avendo altro modo di raggiungerla. Così nutrendomi mi allontanava. Ogni partenza era un conoscerla meglio, ogni momentanea vittoria una resa definitiva.

Per vincere l'angoscia delle assenze scrivevo lettere e poesie che non le mandavo. Scrivere mi dava esaltazione per il tempo esatto che l'atto durava, come nell'amore, appunto. Era un piacere anche fisico, che bastava a se stesso, anche se non volevo ammetterlo. Mi stordivo di quel provvisorio possesso attraverso la zanzariera delle parole. Dopo qualche giorno i versi diventavano cenere, mi sembravano troppo letterari, inadeguati a rappresentare i miei tormenti. Quando li rileggevo non li riconoscevo per miei, me ne stupivo, e cercavo di riconoscere in essi il carattere di chi li aveva scritti. Rarissime volte mi parevano folgoranti, e tali da trasformare in incendio la piú languida delle passioni.

Fantasticavo che al solo leggerli la Baronessa, ammirata e commossa, avrebbe preso la prima nave per gettarsi ai miei piedi. Nello stesso momento in cui formulavo questi sciocchi pensieri mi dicevo che non c'è mai stata pagina della letteratura mondiale che sia riuscita a capovolgere un destino amoroso già segnato. Cosí come i banchieri prestano soltanto a chi già possiede, cosí le pagine d'amore commuovono soltanto chi è già innamorato: di se stesso.

Con gli anni, quel che restava nella memoria era una confusa emozione. Le parole erano evaporate, vino troppo vecchio. Ricordo un sonetto che alludeva al senso di pienezza e appagamento da cui mi sentivo invaso in quel 1806, quasi fosse lei a penetrarmi:

Cosí s'annida al fodero la lama
cosí l'acqua del mare empie gli abissi
beata plenitudo in quel che vissi
nei doni che la bocca tua dirama.

Avvertivo in lei una sorta di *pietas* cosmica: dispensava una sorta di risarcimento ad ogni essere vivente per via del suo precipitare verso il Nulla. Dev'essere stato quel sentimento ad ammettermi nel novero dei beneficati. Perché – malato di separatezza, povero di sangue e ricco soltanto d'astrazioni mentali – ne avevo piú bisogno di altri.

Le rare volte che uscivamo a cavallo in passeggiata era capace di fermarsi per elargire a un cane o a una pecora rognosa parole e gesti di tenerezza. I gatti di Longone sapevano a distanza di mesi o anni che il suo arrivo coincideva con un'abbondante distribuzione di cibo. Il gabbiano ritrovato nella piana di Capoliveri con un'ala spezzata è stato consegnato al dottore perché applicasse ai suoi ossicini un sistema di steccature.

– Il vostro lato migliore, – ha detto una notte, – è che tenete un'anima nera.

– Nera sarebbe troppo dire. Non ambisco a tanto.

– Ma sta proprio qui, in questo sfumare, sopire, il segno della vostra nerezza. Ora, voi null'altro dovete fare se

non liberarla. Io vi posso aiutare a tanto. Vi posso dare
tutto senza chiedere niente.

Allora l'assalivo, frugavo ogni suo varco, quasi a cavar-
le la vita, come avrei potuto fare con un Turco alla battaglia di Lepanto. Non era per mediocre brama di possesso.
La sentivo isolata in un castello il cui accesso mi era vietato, e cercavo di raggiungerla pur conoscendo l'inutilità delle mie rincorse. L'esclusione mi dettava sentimenti assassini.

Ogni mio gesto violento le riusciva insufficiente. Mi
rimproverava maternamente di non sapermi abbandonare, d'essere troppo fedele alle buone maniere cui, nelle
profondità del mio buio essere, non credevo:

– Se eravate un soldato di Napolione, v'avrebbe fatto
un piacere grande a sbudellare agli altri.

La guardavo con occhi di demonio. Mi pareva, a volte,
che mi chiedesse di spingere l'accettazione della mia nerezza sino al sacrificio rituale di lei. Mi sono chiesto se per
caso, rivelandomi a me stesso, mi stesse chiedendo di essere l'esecutore del suo annientamento. Per quali motivi
desiderasse giungere a tanto, non oso nemmeno congettu-
rare.

Una notte s'è cinta il collo di un nastro di velluto nero.
Non indossava che quello, e mi guardava trionfante, quasi mi sfidava a trovare il coraggio di stringere quel nastro.

Nulla si dà mai senza prezzo e senza ragione. Agendo
con pietà sacerdotale, essa si rende indispensabile ai suoi
assistiti: crea un culto, una dipendenza. Aumentare il numero dei suoi devoti umani e animali, impossessarsi delle
loro fibre piú remote, occupare ogni lembo della loro carne, significa imprimere su di loro i segni indelebili del possesso. Rendersi indispensabili: perché si teme di non esserlo? Il potere che dà il desiderio è piú forte di mille biblioteche e cento eserciti. Vi sono momenti che per esaudire
quel desiderio, che non è piú carnale, ma metafisico, si può

vendere l'universo intero, rubare, uccidere. Gli anni senza di lei erano quei momenti. Trovare un passaggio su una nave per Napoli. E poi? Tiepidamente o distrattamente accolto, non mi sarebbe rimasto che precipitarmi nel Vesuvio.

Per scacciare i miei tormenti argomentavo che forse le divinità hanno bisogno dei loro fedeli molto piú di quanto i fedeli chiedano grazie alla divinità. Che cos'è, al fondo, questo scambio non dichiarato che sta alla base di ogni sentimento religioso? Dio avrebbe dunque creato il Cosmo per essere certo della propria esistenza?

Non sono mai riuscito ad esprimerle questi pensieri confusi, ma non mi è difficile immaginare la risposta. Non c'è bisogno che lei sia ancora sull'isola per sentire i suoi toni notturni:

– Che c'entra tutto questo? Voi provate a rovesciare fuori di voi l'inchiostro di seppia che vi nasconde a voi stesso. Voi cercate di annegare Dio nel vostro stesso calamaio. Voi avete troppa pietà per voi stesso. Voi vi perdonate tutto.


*Giovedí 8.*

N. ha lasciato la Madonna del Monte e s'è stabilito a Longone. Ansia per il viaggio della contessa. Si aspettano corrieri da Napoli.

Per ingannare il tempo, N. pensa all'arredamento delle sei stanze per Maria Luisa. Poiché mancano sedie, ha dato ordine di comperare a Pisa un modello da cinque franchi, per un migliaio di franchi in tutto. Vuol recintare anche la penisola dell'Enfola, e metterci daini e cinghiali. Si lamenta che le spese per le divise dei soldati sono troppo alte. Fa anche i conti di quanto si può risparmiare sulla legna che serve ai Mulini tagliando a Monte Giove e al Volterraio, se il trasporto non costa troppo.

Pons ha offerto per la bisogna gli operai della miniera.

A Bertrand i panni della *femme de ménage* vanno stretti. Pare se ne sia andato da Longone senza salutare il suo Imperatore. Disposto a transigere su molte cose ma non sul cerimoniale, N. s'è infuriato, lo ha minacciato di castighi.

Era già irritato perché aveva chiesto due tappeti, e ancora non glieli hanno portati.

*Sabato 10.*

Ieri mattina una salva di cannoni ha fatto scattare l'allarme: un bastimento barbaresco aveva ancorato sottocosta. Il giorno prima il colonnello Jermanowski era stato incaricato di armare l'*Inconstant* per andare in caccia di due vascelli pirati che erano stati segnalati al largo di Montecristo.

L'ufficiale di Sanità stava per salire a bordo per la solita visita d'ufficio, quando i barbareschi hanno inalberato la bandiera parlamentaria e messo in mare una scialuppa. Il primo a saltare a terra è stato il capitano. Ad accoglierlo sulla punta della spada c'era Cambronne in persona, con il suo cipiglio piú fosco. Quella faccia d'inferno, sudata e inturbantata, la barbaccia incrostata come se avesse appena ripulito i resti d'un cacciucco, faceva cenni di pace. In un francese gutturale ha chiesto se il Dio in terra era ancora lí. Cambronne s'è tenuto sulle generali. Fare guerra a Dio medesimo, s'è stupito l'altro? Mai! Insisteva:

– *Nous voir!*

Cambronne faceva finta di non capire. Allora il capitano ha chiesto se poteva avere la bandiera dell'Imperatore; ha ripetuto tre volte la richiesta: «Acheter, acheter!», diceva. Gli hanno venduto a caro prezzo la bandiera con le api. Quello, tornato a bordo, l'ha fatta issare sull'albero di maestra, e salutata con tre salve di cannone e gli urrà dei suoi. Poi è ridisceso a terra in un abito che doveva essere

di gran cerimonia. Ha chiesto di nuovo se poteva chinare
il capo di fronte al Grande Dio della Terra.

– Per vederlo dovete passare la quarantena, – gli ha intimato il generale. Ma se era fortunato, il capitano poteva osservarlo mentre al pomeriggio usciva a cavallo con la
Guardia.

L'uomo, convinto a metà, è tornato sulla nave. N., che
seguiva la scena con il cannocchiale, gli ha spedito a bordo
Pons per saggiarne le intenzioni. Ma il capitano non ri-
spondeva, le domande le faceva lui, sempre la stessa: perché i Francesi avevano abiurato il loro Dio? Erano forse
stolti, empi?

Durante quel dialogo tra sordi l'I. è comparso davvero
a cavallo sulla spiaggia, in grande uniforme, con i suoi soldati. A quella vista il barbaresco s'è gettato in ginocchio
sul ponte, come nelle preghiere della sera, s'è piegato tre
volte. N. ha salutato con la mano, ha mandato a bordo
provviste e regali.

Il barbaresco è partito nella notte, nel sollievo generale.


*Giovedí 15.*

Arrivano gazzette secondo le quali l'isola è scossa da
terremoti, afflitta dalle pestilenze. A sentir quelle, anche
la Natura dovrebbe infierire sul Vinto, propinargli ulte-
riori castighi. Il solo fatto che sia ancora in vita e in discreta salute costituisce un affronto insopportabile.

L'Imperatore ride di queste notizie. Il dottor Fourreau
le prende come un'offesa personale, perché sostiene che
mai l'ospedale ha avuto pochi ricoverati come adesso, e lo
stesso Sovrano, che nelle ultime settimane di Francia era
terreo, giallastro in volto, adesso ha ripreso colore.

– Sua Maestà sprizza salute, – si compiace il dottore,
quasi fosse merito suo.

*Martedí 20.*

Raccontata da Campbell: mentre attraversa la Provenza, tremante, livido, con il terrore d'essere avvelenato o pugnalato, N. trova la forza di buttare in faccia ai commissari alleati un sogghigno d'orgoglio: «Dopo tutto non perdo niente. Ho cominciato la partita con una moneta da sei franchi, e la finisco con un piccolo regno».

Campbell dice d'averlo ammirato.

Ha spiegato: – Non è che in Provenza volessero ucciderlo. Gli si accalcavano attorno perché volevano vedere che effetto fa la disgrazia.

Anche noi ci comportiamo allo stesso modo: vogliamo vedere che effetto fa la disgrazia.

Siamo rimasti delusi, Provenzali ed Elbani. Non cede di un pollice, quest'uomo. Invano cerchiamo di prendergli le misure. È già avanti, sulla sua strada, al galoppo. Possiamo soltanto vedere la nuvola di polvere che lascia dietro di sé.

– La notte dell'abdicazione, a Fontainebleau, quella notte che non finiva mai, tutti parlavano piano, come ci fosse un morto da vegliare. Voi non potete avere l'idea di quanto ha sofferto quell'uomo. No, non per le sconfitte. Ha messo in granaio una gloria militare sufficiente per alcuni secoli. Per i tradimenti degli ingrati.

Questa idea della grandezza misconosciuta e irrisa è una scoperta che fa ancora soffrire il giovane Alí. Siamo in una sera di fine agosto, sui baluardi di Marciana fuori Porta Lorena. Di lassú il paesaggio prendeva un movimento d'armonia cosí leggero e perfetto che sembrava che tutto il mondo fosse in pace, e in quella fosse sempre vissuto. Dai castagni saliva un odore di sottobosco, muschio e castagne appena sfatte; sul viottolo che serpeggia sotto la piazza s'era affacciata una vecchina con bastone e paniere.

Conosco la struggente perfezione dell'ora in cui perfino le nostre vite assumono un senso compiuto. Guardiamo in silenzio, mentre Madame Mère si riposa delle fatiche della giornata e si muta d'abito in casa di Cerbone Vadi. La Guardia s'è dispersa per il paese, forse a cercar vino.

In quel silenzio Alí ed io siamo stretti da un sentimento d'improvvisa fraternità, ma è vano supporre che la bellezza ispiri le stesse emozioni. Io vorrei dirgli l'appagamento di un sentimento del vivere che allontana da sé ogni violenza; lui non riesce a frenare la memoria di violenze non ancora sepolte, di tradimenti e di offese. È sopraffatto da un singulto di pietà e di sdegno, rievoca il tentato deicidio consumato nei paesi di Provenza al passaggio della carrozza imperiale: le urla, le sassaiole, gli assalti, le donne feroci:

– Per fortuna c'era Noverraz, lo svizzero, ch'è forte come un bue. Il generale Bertrand ha respinto i facinorosi con la spada in pugno. Le belve avevano preparato un fantoccio in divisa di granatiere, impiccato con sul petto la scritta: *Tel sera tôt ou tard le sort du tyran.* L'ostessa della posta non l'aveva riconosciuto, e gli ha chiesto se per caso aveva incontrato Bonaparte: chissà s'era riuscito a mettersi in salvo o l'avrebbero fatto a pezzi come il birbante meritava; ma se anche l'avessero imbarcato gli Inglesi lo avrebbero buttato a mare... È stato costretto a travestirsi da postiglione, una vecchia redingote blu, e sul cappello la coccarda bianca dei Borboni! Lui!

Alí mi sbircia per controllare se afferro l'enormità dell'evento.

– Il popolaccio di Provenza mi fa orrore... Durante la Rivoluzione ha commesso ogni sorta di crimini, e adesso sono pronti a ricominciare, ma quando c'è da battersi sono dei vigliacchi! Non c'è stato un solo reggimento di Provenza di cui l'Imperatore potesse esser contento... Non uno! Domani saranno pronti a rivoltarsi contro il Re Luigi... Ma anche i commissari alleati si sono comportati senza onore, non l'hanno protetto. Una cosa ho imparato: è proprio nella vittoria che gli uomini rivelano il peggio di sé.

S'era alzata una brezza leggera, i tigli stormivano appena. Saettavano passeri.

– È in sere come questa che le cose fanno piú male, – ha concluso.

Avrei potuto rispondergli che anche Sua Maestà aveva dato il peggio di sé nelle vittorie, diciamo a partire dal 1808; che anche lui aveva tradito, aveva abbandonato i suoi soldati in Egitto, Spagna, Russia. Quando si farà la contabilità di questa storia orribile, sarà difficile pareggiare il passivo di un cumulo di abiezione. Con che cosa, poi?

Ma tutto, dalle mura di Marciana, era sideralmente lontano, come le storie degli imperatori di Cina. A me sembrava che nemmeno le vicende di quelli che abitavano la manciata di case sul mare, un miglio sotto, fossero capaci di mandare dolore sino a noi, di superare il vello leggero dei boschi di castagni.

Non ho saputo dire ad Alí se davvero i dolori degli occhi sono piú crudeli di quelli della mente.

Interrogo Alí sui cibi prediletti dall'Imperatore. Risponde contento, come una mamma di un figlio che mangia di buon appetito: consommé (per il quale vengono sacrificati decine di polli), frittata con le cipolle, uova al tegame (*au miroir*, detto in modo piú elegante), patate fritte, un po' di parmigiano, fagioli, lenticchie. Niente dessert. Vino allungato con acqua. A Parigi, non si sapeva mai quando interrompeva il lavoro. Cosí i cuochi ogni mezz'ora infilavano altri polli sullo spiedo, per farglieli trovare pronti al momento giusto. A tavola, non ha mai resistito piú di dodici minuti d'orologio. Si vantava che la tavola imperiale non costava piú di cento franchi al giorno.

Ai Mulini, a pranzo sono invitati Drouot – assai spesso –, due o tre ufficiali della Guardia, Poggi capo dei gendarmi, qualche volta i Maires. Bertrand, fedele agli affetti fami-

liari, pranza a casa. Talvolta compare anche Madame Mère (di solito N. pranza da lei il sabato). La domenica c'è
qualche invitato in piú. La Messa viene celebrata dall'Arrighi nel salone del piano terra, con l'ausilio dell'abate Buo-
navita, che è anche l'elemosiniere di Madame Mère, assai
attiva nelle attività benefiche, e sia pure con quel suo modo un po' burbero.

N. beve pochissimo, ma è convinto che un po' di vino
puro aumenti nelle donne la capacità di procreare. Difatti nei ricevimenti si preoccupa che le signore abbiano i ca-
lici pieni.
*Ha bisogno di altri soldati.*
Mi ha detto Alí che in Francia era diventato alla moda
il *poulet à la Marengo*. Ecco quel che rimane delle battaglie: un nome che i cuochi possono dare ai loro piatti, per
strappare un gridolino alle dame.


*Venerdí 23.*

Ho scoperto che il signor Peyrusse è un gran ghiottone, e soffre la cucina spartana dell'isola. Non apprezza i
nostri cibi rustici, i nostri formaggi troppo salati. Ama l'artificio, le invenzioni barocche di piatti che sono anzitut-
to degli incantamenti: giochi di prestigio, teatro. Insomma è un marinista. Ho capito che appartiene alla razza di
quelli che preferiscono l'affabulazione all'esperienza diretta; in questo lo sento fraterno. Per la gioia dei suoi spettatori, Peyrusse si diverte a ricostruire in ogni dettaglio i
menu delle cene di gala piú splendide dell'Impero. Allora
atteggia la bocca a cul di gallina, sospira, succhia, schioc-
ca le labbra, geme. Arriva a interpretare i piatti, mima la
crosta dorata dell'arrosto di cappone, la morbidezza languida delle salse, la svenevolezza dei dessert... Gli occhi
gli diventano tondi, sembra una dama in solluchero, al cul-

mine dell'estasi amorosa... Minestra con purea di castagne e maccheroni... coda di bue con contorno, luccio alla
Chambord, pernice alla Monglas, pollo in fricassea *à la che-
valière*, costolette di montone alla Soubise, anatra alla cac-
ciatora... Trentasei portate... gelatina d'arancia... torta
*biscuit*... Ah, sí! *Café-crème à la française*! Ancora!

– Monsieur Peyrusse, siete sconveniente, – gli dico,
– un vero romano della decadenza.

– Già bell'e decaduto, – fa lui allegro, – ma datemi un
buon sorbetto al limone, e sono pronto a ricominciare dac-
capo! Sono un uomo di molte risorse, sapete! Vi faccio
presente che non mi avete ancora onorato di un invito a
desinare.

– I vostri gusti raffinati sono il terrore di ogni cuoca.
Mia sorella vi teme...

– Allora non le racconterò quel che mi è toccato mangiare nel deserto egizio per sopravvivere! Le locuste al confronto sarebbero state un piatto sopraffino, una vera manna! E non mi sono preso nemmeno le febbri tifoidee!

Le misure di sicurezza sono state rafforzate, come appare chiaro dagli ordini che sono stati diramati da Longone in data 5 settembre. La cavalleria è posta agli ordini del
primo ufficiale d'ordinanza, Bernotti: accompagnerà ovunque l'Imperatore, armato di due pistole. Comanderà le
scorte e provvederà alla protezione dell'Imperatore. Di
concerto con il comandante della gendarmeria, piazzerà
guardie sulle strade di passaggio. Al seguito della vettura
imperiale dovranno stare cinque uomini di servizio, armati
di carabine e pistole già cariche.

Giubilo di Bernotti, che l'I. chiama familiarmente *mon
gaillard*, e a cui elargisce pacche sulle spalle. Sul volto legnoso del ragazzo adesso corrono lampi di fierezza e di
preoccupazione. Guarda le persone che incontra – gente
che ha visto fin da bambino – come dei potenziali atten-
tatori. Si è fatto raccontare gli altri agguati subíti da N.,

in particolare quello parigino della macchina infernale, che è scoppiata poco prima del suo passaggio, mentre stava andando a teatro. Per sua fortuna qui da noi non c'è nessuno di tanto bravo con la polvere da sparo. L'artigliere maestro è Drouot.

L'altra sera a cena Ferrante ha osservato, scucchiaiando nella zuppa di ceci:

– Siamo circondati dagli spioni! – L'ha detto con soddisfazione, e come se il fatto lo riguardasse personalmente, come se i *cabinets noirs* degli Alleati tramassero ai danni dell'Acquabona. Ha aggiunto:

– Anche di quel Taillade che fa l'ammiraglio ma non saprebbe stare a galla nella tinozza di casa sua, non c'è punto da fidarsi. Troppo ambizioso per essere un bambacione. Convinto d'esser pagato poco per quel che vale. Sono quelli come lui che li comperi facile. Ci mette nulla, mentre è in navigazione con l'*Inconstant* a chiudere l'Imperatore in cabina e a filare in Corsica. Poi da lí lo fanno sparire, lo portano all'isola Sainte Marguerite, come hanno fatto con la Maschera di Ferro, e chi l'ha piú visto...

– Ci hai la mente fertile te, – ho obiettato. Ferrante ha alzato le spalle:

– Meno male che c'è Cambronne. Lui gli spioni li sente all'odore, li sa scovare, con quell'aria da murena che si ritrova. Sa come farli cantare. Li porta su al Falcone, li tiene ad acqua per tre giorni senza lasciarli dormire... E poi con gli strumenti giusti... pinze... tenaglie...

– Tenaglie! – s'è sbiancata Diamantina.

– Son modi di dire, – ho tentato di tranquillizzarla. – Ferrante parla al figurato.

– Non credo che il generale Drouot permetta queste crudeltà, – ha detto lei.

– Ferrante parla di quello che vorrebbe fare lui, agli spioni, – ho concluso io. – I Francesi son gente ammodo.

*Domenica 25.*

N. ha fatto mettere dei grandi vasi d'alabastro sui due pilastri al centro del giardino. Di notte nei vasi vengono accese delle lanterne, che irradiano un mite lucore. Alí dice che N. è vaghissimo di quelle pallide lune domestiche, ancorate tra la mortella e i gerani.

Tutte le campagne napoleoniche non raggiungono la perfezione di un nido di rondine, la meraviglia del profumo del fico, del basilico, del rosmarino.

Dicono che Madame Mère è avara, ma credo sia soltanto parsimoniosa. Fa molta beneficenza. È addirittura prodiga con i Corsi che in gran numero si rivolgono a lei per qualche speciale favore, ad esempio essere assunti dall'amministrazione. Lei li sta sistemando ovunque. Anche se si lamenta delle troppe spese per il personale, N. non sa dirle di no. Cosí ci sono dei Corsi che comandano al porto, al tribunale, alle dogane, nella gendarmeria. Questo non aggiusta le cose, anzi. Scoppiano litigi, tensioni. Ai Corsi gli sta venendo l'aria dei padroni.

*Martedí 27.*

Ieri sera che a Palazzo N. non aveva piú voglia di giocare a rovescino e la conversazione languiva, si è trovato tra le grinfie l'avvocato Balbiani, e lo ha scelto a bersaglio della modesta opinione che Egli ha dei giuristi e dei legulei. Ha detto di aver attivamente partecipato ai lavori per il nuovo Codice civile con un intento preciso: far diminuire il gran numero delle liti, poiché gli pareva incongruo perdere tanto tempo in beghe da cortile quando c'era il mondo da rifare. Ma dai giuristi, si sa, non è fa-

cile ottenere la semplicità, e men che meno la geometria.
I Codici erano appena comparsi, che su di essi già si ab-
batteva un diluvio di commenti, interpretazioni, chiose,
sviluppi: già tutti volevano emendarli. Cosí Egli doveva
continuamente ammonire: «Signori, abbiamo terminato
di pulire le stalle di Augia, e perdío badiamo di non tornare a insudiciarle».

Fin qui, Balbiani consentiva. A questo punto l'Imperatore gli si è fatto sotto, come per tirargli le orecchie, ma
parlava a voce sufficientemente alta perché tutti, intorno,
potessero intendere:

– Illustre avvocato, – (ma era chiaro che l'illustre stava a significare: fuori dell'isola nessuno sa chi sei), – non
si può impedire agli uomini di litigare, come hanno sempre fatto e sempre faranno, ma vivere sulle spalle di quei
litigi, mi sembra immorale. Piú volte ho cercato di stabilire che procuratori e avvocati venissero remunerati solo
nel caso avessero vinto la causa. Con questo semplice prov-
vedimento, quante liti troncate! Una causa dubbia o temeraria non troverebbe patrocinatori, e il numero delle
controversie diminuirebbe all'istante! Ma si sa, quando si
discute con gli esperti, le idee piú semplici diventano com-
plicate. Mi prospettarono infinite obiezioni, e io che non
avevo tempo da perdere accantonai il progetto. Ma resto
convinto che sia ottimo e che, approfondito e migliorato,
darebbe buoni frutti. Voi, avvocato, potreste farvene carico, e procurarvi la riconoscenza della società civile, – lo
provocava.

In sala sorridevano un po' tutti, perché la micragna di
Balbiani era nota. L'avvocato s'è inchinato, sforzandosi
di stare al gioco:

– Vedo che Vostra Maestà vuole ridurre alla fame noi
poveri uomini di legge. Ma noi rendiamo semplicemente
un servizio e assicuro la Maestà Vostra che siamo sempre
dalla parte del buon senso e della ragione, come i presenti, qui, potranno confermare...

– Ecco, vedete, signori! La corporazione degli avvocati è prontissima a far quadrato! Vuol dire che ci proverà un altro Sovrano meno indaffarato di me.

Diamantina trascina Vittoria e le amiche a conversare con Drouot sulle emozioni delle battaglie, la paura, i pericoli, ecc. Il generale assume l'aria del buon precettore, per modestia minimizza:
– In tutte le umane faccende ci sono piccoli trucchi che bisogna imparare. Come i giochi che si fanno con le carte. Ad esempio, in battaglia è meglio stare relativamente vicino alle bocche da fuoco del nemico: diciamo cinquecento metri, piuttosto che ottocento o mille, perché cosí i proiettili passano sopra la testa, se no ci si ritrova nell'area mortale della loro caduta. Con tutto questo ci sono state delle volte che Sua Maestà sembrava esporsi in maniera cosí temeraria che gli stessi generali, meno esperti in calcoli balistici, volevano trascinarlo via. Non sapevano che l'Imperatore non lascia nulla al caso. E poi non c'è nulla di cosí tonificante, per un soldato, come vedere il proprio comandante esporsi al fuoco. Se non ha qualcosa dentro, un soldato non avanza, per quanto possano spingerlo i suoi ufficiali.

Nel crocchio delle signore mi sembra che Drouot guardi con un occhio speciale, di paterna tenerezza, Enrichetta Vantini, che ha vent'anni meno di lui. È figlia di Vincenzo, il giocatore, il puttaniere, il dilapidatore delle sostanze familiari, il giacobino. Può accadere che figli di genitori di scarsa moralità crescano come degli specchi di virtú.

Enrichetta ha gli stessi occhi grigi del generale, ma laddove quelli di lui dicono la paziente accettazione del dovere, quelli di lei – mobilissimi – brillano d'allegria. Sottile, slanciata, misurata nei gesti, la timida Enrichetta comunica con lo sguardo: cosí bene, che di parole non ha bisogno. Con gli sguardi dice la gaiezza, il tenero stupore dell'esistere. Suona benissimo il clavicembalo: un altro modo di esprimersi senza le parole.

Non saprei vivere senza la scrittura, eppure, proprio perché ne avverto la macchinosità e l'imprecisione, invidio Enrichetta: mi sembra vicina alla perfezione come può esserlo una ginestra, una cinciallegra. Per questo probabilmente il generale l'ama.

Poiché egli non parla troppo bene l'italiano, le ha chiesto di dargli lezioni; in cambio, lui migliorerà il francese di lei, un poco scolastico. Cosí a pomeriggio avanzato Drouot arriva con i suoi armigeri a casa Vantini, posa spada e cappello, e fa le viste di studiare.

Queste frequentazioni hanno fatto montare in superbia Vantini padre.

Drouot ha avuto la debolezza di confidarsi con Pons, il quale non sa conservare segreti, per confermare ancora una volta che lui è il vero *dominus* dell'isola, e conosce anche i moti segreti del cuore d'ognuno.

Pare dunque che avendo il generale annunciato un probabile viaggio, Enrichetta si sia sbiancata, l'abbia supplicato: «Oh no, vi prego! Non partite! Ne morirei!»

Drouot è caduto in ginocchio, come se quella morte fosse imminente: «No! Vi prego! Non morite!»

Enrichetta: «Oh sí, invece!»

Si parla di nozze.

Al tepore chiaro di Enrichetta mi scaldo anch'io, come un vecchio cui basta il sole di novembre per essere piú sereno.

*Mercoledí 28.*

L'Imperatore ha vivamente raccomandato a Traditi, eccellente agricoltore, una nuova coltivazione che viene dall'America, e lui chiama «la parmentière». In Francia è già abbastanza diffusa, malgrado la diffidenza dei contadini, i quali ritenevano che portasse la peste. Ne ho sentito parlare anch'io. Pare sia un tubero molto sostanzioso e di facile coltivazione, che in Italia viene chiamato patata. Dev'essere una parola spagnola, o india.

Traditi è un po' irritato che N. suggerisca nuove colture proprio a lui, esperto agricoltore, ma ha promesso che la sperimenterà.

*Venerdí 30.*

Foresi ha raccontato che l'altro giorno N., passeggiando in darsena, s'è accostato a una barca di pescatori, attratto dal profumo di un cacciucco che saliva da una pentolaccia, in coperta. Gli uomini pescavano dalla pentola con le mani, leccandosi ogni volta le dita; soltanto il capitano mangiava in disparte, da un piatto suo.

N. è salito a bordo, s'è fatto dare il piatto, e ci s'è messo a mangiare allegramente, apprezzando. Rapido com'è a ingozzarsi, l'ha finito in un amen. I pescatori hanno battuto le mani. Lui ha cavato monete dal panciotto, al solito, e ha regalato una tabacchiera al capitano.

Foresi dice che il capitano è stato invitato a preparare un cacciucco ai Mulini, ma che l'Imperatore non l'ha trovato saporito come la prima volta.

Sento dire che N. apprezza molto anche il cacciucco di Senno, quando passa da Magazzini, e che anzi ci va apposta. Trovo strane queste storie di goloserie in un uomo per il quale nutrirsi è l'ultima delle preoccupazioni.

In realtà gli aneddoti sul cibo sono il modo piú facile e diretto che abbiamo per impossessarci del segreto di un uomo che non conosciamo, per riportarlo ai nostri gusti, alla nostra misura. Se gli piace il cacciucco, sarà uno come noi, soltanto un po' piú fortunato.

Confidenza di N. riferita da Càmbel:
– *Mourir ou être ici c'est la même chose.*
Ripete di essere stanco, di aver diritto al riposo. Il bello è che gli Inglesi, Càmbel in testa, sembrano credere a quelle parole. Ecco a cosa servono le storie del cacciucco, a mettere tranquilli gli Inglesi. Il colonnello si è addolcito, tratta il Sorvegliato con una sorta di benevola pietà, ma nello stesso tempo appare insofferente. Si annoia, si capisce che vorrebbe essere altrove, a far strage di dame a Livorno, a Firenze.

Intanto il dottor Lapi continua a ripetere di non dare troppa confidenza a Vincenzo Vantini. È cognato della signora Filippi – da tutti lodata per la sua bellezza – che è l'amante del console inglese di Livorno.

Gli rode, a Lapi, l'idillio che lega Drouot e la luminosa Enrichetta. I Vantini, di cui non sopporta la spocchia, imparentati con uno dei grandi generali dell'epopea napoleonica! Mi vedo madama Lapi in cuffia da notte che arringa Cristino, come se lui potesse farci qualcosa, come se l'idillio fosse sbocciato per una sua disattenzione.

Ottobre

*Domenica 2.*

Avevo accompagnato Ferrante a San Martino, per via
di certe forniture di telai per le finestre; N. era appena arrivato, e girava per casa con gli architetti. C'era un po' di
confusione, sulla vecchia aia dei Manganaro troppi muratori e manovali e badilanti e contadini curiosi; la Guardia
s'era sparpagliata. Ho intravisto sui margini dello spiazzo
Alí a braccia conserte e dietro di lui un individuo di mezza età, che si guardava nervosamente in giro, aguzzando la
vista; abbigliato come un mercante, ma un po' troppo gonfio e impacciato nei suoi abiti, come se nascondesse qualcosa. Mi vanto d'essere buon fisionomista, e di ricordare a
distanza di anni il profilo di una persona, l'inflessione di
una voce; la città è piccola, e anche se vivo ritirato conosco tutti. Costui non l'avevo mai visto; è vero che in queste settimane molti sono i foresti approdati sull'isola, ma
un istinto che non sapevo di possedere m'ha fatto fiutare
la minaccia. O meglio: non volevo che qualcuno entrasse
nella partita che m'illudo di giocare con l'I. Ho richiama-
to l'attenzione di Alí, gli ho fatto cenni nella direzione del-
l'uomo. Alí s'è girato sui tacchi, ha spianato con eleganza
pistola e scimitarra.

L'uomo è indietreggiato, è caduto sulle sue gambe; sono arrivati di corsa quelli della Guardia, l'hanno abbran-
cato e legato come un capretto, perquisito. Aveva indos-
so una pistola e un coltello.

– Largo! Largo! – Era Cambronne fiammeggiante.
– Me ne occupo io! Al Forte Falcone!

Il drappello è partito al galoppo. Passandomi davanti, l'uomo mi ha fissato con occhi d'agonia. Sembrava piú dispiaciuto per me che per se stesso.

L'indomani sono stato chiamato da Drouot, il quale si è rallegrato con me per la prontezza con cui avevo identificato il sicario.

Ingenuamente, ho chiesto se era davvero tale.

– Ha confessato, – ha detto Drouot, asciutto.

– E che ne sarà di lui?

Il generale non ha mosso muscolo del viso:

– La Giustizia seguirà il suo corso.

Prima che potessi chiedere altro, il generale s'è allontanato. Nei giorni seguenti non l'ho piú visto. Ho chiesto invano notizie del reo. Bernotti, Vantini, gli ufficiali di servizio asseriscono di non saper nulla, mettono persino in dubbio il fatto.

In città girano strane storie. V'è chi giura che la notte seguente un ufficiale d'ordinanza di Cambronne se ne è uscito dal Forte con un grosso sacco in spalla, che ha portato in darsena e scaricato su un battello pronto a prendere il largo. Ma non si può credere che i Francesi non sappiano disfarsi di un uomo in un modo meno ingenuo. Altri sostengono che l'hanno tenuto qualche giorno nelle prigioni del Falcone, e poi l'hanno imbarcato sulla *Carolina*, e ributtato sulle spiagge di Corsica. Cosí almeno racconta Pons, il quale sostiene che questa è una mossa di N. per far sapere a Bruslart che lui sa. Io invece sono incline a credere che i Francesi non si facciano tanti scrupoli, e l'uomo sia finito a tocchi in qualche discarica del Forte.

A riprova, l'I. è entrato in biblioteca, dove stavo a sistemare volumi, mi ha guardato come sorpreso e ha esclamato:

– Acquabona! Non sapevo che oltre che bibliotecario foste pronto e avveduto come un mamelucco! Avrete testimonianze della mia gratitudine.

L'indomani Marchand mi ha consegnato una tabacchiera contornata di brillantini, con il ritratto dell'Imperatore sul coperchio, simile a quella donata al capitano Ussher.

A casa, udito il mio racconto, Ferrante se l'è rigirata a lungo tra mano, l'ha soppesata, considerata:
– Riesci ancora a stupirmi, – ha detto.
Alí mi ha chiamato «mon frère».

Stanotte ho sognato Cambronne che scalcava il suo prigioniero come se fosse un succulento arrosto di capretto. Si leccava le dita, e si beava dei pezzi piú grassi schioccando rumorosamente le labbra.

Ho nascosto la tabacchiera nell'ultimo cassetto di un comò. Ecco lo spregiatore di tiranni trasformato in servitore zelante, sbirro. E poi: l'uomo aveva davvero intenzioni assassine? Si può dare un attentatore piú ingenuo, piú sprovveduto, che s'aggira in solitudine sul luogo del delitto facendosi notare da un altro sprovveduto? Sono questi gli espedienti cui si affidano i nemici di N.? È chiaro che l'ipotesi dell'attentato non sta in piedi, che l'uomo è innocente, che la cosiddetta Giustizia francese è brutale come ogni altra.

Mi tornano alla mente le angosce che qualche anno fa aveva suscitato in me il caso del libraio tedesco Johan Philipp Palm, arrestato a Norimberga il 26 agosto 1806, tradotto davanti a una commissione militare e fucilato tre ore dopo la sentenza, per aver pubblicato un pamphlet antifrancese, intitolato *La Germania nella sua profonda umiliazione*. Pubblicato quando Norimberga era una città libera, allora non soggetta alla Francia. La sua storia, raccontata da un libello anonimo che era arrivato fino all'Elba, mi aveva profondamente turbato.

Possiamo sopportare piú facilmente la notizia della perdita di migliaia di uomini – il numero li rende anonimi – che la tragedia d'un singolo. Non mi è facile immaginare le sofferenze degli eserciti, e invece ho avuto davanti agli

occhi la fucilazione del libraio tedesco come se vi avessi
assistito di persona.

Aveva solo trentatre anni, il signor Palm, ma io me lo
raffiguro già un poco imbiancato, gli occhiali da presbite,
e l'aria di carta fragile che hanno i librai rintanati delle loro botteghe. Davanti al plotone di esecuzione il signor
Palm sbatte gli occhi cosí poco abituati alla luce, e non capisce i latrati degli ordini impartiti alla truppa, anche se
lui il francese lo conosce, ma adesso i soldati si sono disposti su due file, la prima ha già messo a terra i ginocchi,
e la seconda sta rigida e pronta, ha spianato i fucili, l'ufficiale sguaina la sciabola, lí accanto c'è un prete a testa
china, e allora il signor Palm alza gli occhi asciutti, fa una
smorfia come quando una stampa non viene bene, e cerca
il cielo, cerca le nuvole. Uno stormo di merli è l'ultima cosa che vede.

Avevo consegnato il libello a Ferrante come se si trattasse del dispositivo di una sentenza di condanna emessa
a suo carico. Lui mi guarda senza capire. Sfoglia, leggiucchia. Quando ha finito si stringe nelle spalle:

– E allora?

– Eccolo lí, il tuo Eroe.

– Vuoi dire che ti turbi per cosí poco? È routine anche
la storia di Palm. Sono i tipici eccessi di zelo dei subordi-
nati.

– Non c'era nessuno nell'Armée che potesse prendere
un'iniziativa del genere. È farina del suo sacco, la riconosco. Un gesto a freddo, per intimidire...

– ... Gli eccessi... Le guerre non sono un ballo in piazza, non sono cose da bibliotecari.

– Ma da librai sí.

– Si sarà pentito anche lui, come forse si è pentito di
aver fucilato d'Enghien. Sono cose vecchie.

– Il delitto non invecchia.

– Invecchia, invecchia. Non c'è niente che invecchi piú
rapidamente.

– È come se avesse fucilato me, ecco.

– Ma tu non avresti mai avuto il coraggio del signor Palm.

So che Ferrante dice il vero, e per questo l'ho odiato di un sentimento assassino. Ci sono momenti in cui la mia pavidità mi ispira desideri di strage universale. Semplicemente, non sopporto di avere intorno dei testimoni.

Mi sono alzato di scatto, ho preso il cavallo, ho cavalcato di gran carriera fino alla spiaggia di Magazzini. Mi sono tolto gli stivali e ho camminato a lungo sulla sabbia, a piedi nudi. Ho cercato sassi nell'acqua bassa. C'erano granchiolini che caracollavano in tondo, come ubriachi. Come uomini.

Rimasto vedovo, Ferrante frequentava periodicamente in città la casa di una signora rotondetta e burrosa, rimasta anch'essa precocemente sola, di cui tutti in famiglia conoscevano il nome, ma alla quale lui continuava ad alludere – per una sua inesplicabile civetteria – come al «signor notaio». Ogni volta usciva di casa con un'aria un po' ribalda annunciando che aveva degli affari urgenti da sbrigare con il «signor notaio». Forse Ferrante ritiene che gli slanci amorosi producano frutti migliori se regolati da un metodo.

La vedova, che peraltro non aveva nulla della rigidezza notarile, si lasciava amare impetuosamente da Ferrante: non sembrava chiedere alcunché, né anelava essere annessa agli Acquabona con un regolare contratto matrimoniale. Si accontentava di quegli incontri bisettimanali e – opino io – dei gran discorsi che mio fratello le avrà fatto: quei monologhi dei suoi, per i quali trova una spiegazione per ogni singolo fatto personale o collettivo, pubblico o privato, vicino o remoto, che si dà nel creato: con un effetto infallibilmente rassicurante, in tempi calamitosi come i nostri. Ingrandendo la propria figura e il proprio sapere, egli automaticamente illuminava di luce riflessa la buona vedova.

Grande è stata dunque la sorpresa quando pochi giorni fa Ferrante è rientrato al passo, e non a briglia sciolta come solitamente gli accadeva, e ha annunciato con voce grave:

– Clorinda è partita –. Non l'aveva mai chiamata con il suo vero nome.

– Povero caro, – ha detto Diamantina togliendosi rapidamente il grembiule che indossava nel sistemare le rose, perché il momento richiedeva una solennità di comportamenti anche formali.

– Partita come? – ho detto io, tardo nell'afferrare il senso ultimo degli accadimenti.

– Partita per Livorno con il capitano Destousches che ha chiesto congedo, e se ne ritorna in Francia.

Non avendo concesso altro alla vedova che l'impeto dei suoi abbracci (il quale mi era noto, in un certo senso, avendomi egli piú volte superato nelle stolide gare d'onanismo che si danno tra i giovani), Ferrante non poteva certo abbandonarsi alle recriminazioni, o all'acre piacere del vituperio. Io pensavo che l'incidente lo avrebbe in qualche modo distolto dalla sua passione per tutto quanto riguardava la Grande Armée di un passato glorioso, e la Petite Armée di un presente da inventare.

Nulla di questo sembra accadere. Anzi, in un certo modo Ferrante si sente ancora piú solidale con l'Imperatore. Anche lui, come l'Augusto, sperimenta il tradimento delle persone che piú gli sono state vicine. Penso a Ney, ad Augerau, a Marmont, ai generali fedifraghi; penso naturalmente a Maria Luisa. Non si è mai tanto ciechi come nelle faccende che ci riguardano da vicino. Chiunque, nell'isola, dall'ultimo zappatore di Pomonte ai calafati di Marciana e ai minatori di Rio in cuor suo sa d'istinto che non ci sarà quell'altro e definitivo arrivo che manca alla nostra gioia, come direbbe il Maire. Non ci saranno le salve di cannone dal Forte Stella, né archi trionfali, balli in piazza, fuochi artificiali e fiumi di vino per tutti. Al di là delle ragioni dell'alta politica e dei sottili calcoli diplomatici, è difficile pensare che una Asburgo desideri davvero accasermarsi – per cosí dire – all'Elba, per dividere il destino del soldato della sua vita.

Forse è meglio cosí. L'Imperatore è alla mano, con tutta la sua smania di far salva la pompa dell'etichetta e il decoro imperiale. Partito dal poco, nel poco è rientrato: lo conosce, ne sa prendere le misure. È un piccolo possidente che ha fatto fortuna, un isolano di gran talento, e non è poi tanto lontano dal vero Ferrante quando in cuor suo pensa che se avesse abbracciato la carriera delle armi, se lo avessero mandato all'assedio di Tolone, se avesse conosciuto Barras e quanti altri «se», lui adesso non sarebbe all'Elba ma – accorto amministratore di se stesso – alle Tuileries: tuttora in sella.

Mi immagino l'imbarazzo delle feste da ballo che l'Imperatore dà ai Mulini, se fosse presente l'algida Sovrana uscita dai magnanimi lombi degli Asburgo. Conosce davvero poco il cuore donnesco, l'Imperatore, se pensa che una gran dama sia disposta a seguire uno sconfitto in una sistemazione tanto modesta. L'unico che si sarebbe follemente divertito, in barba alle apprensioni delle governanti, sarebbe stato il piccolo Re di Roma, che adesso ci guarda con grazia malinconica dal ritratto appeso nella camera da letto di suo padre, di fronte al baldacchino con le colonne dorate. Spesso, nei sogni della mia paternità, lo immagino nella villa di Schiopparello, a giocare con Defendente e i contadini; o addirittura alla pesca del polpo. Avrebbe scoperto il mare, i piccoli golfi a misura d'uomo; e adorato i nostri cavalli nani, gli asini mansueti. Dopo le piogge, lo avremmo condotto per fossi a cercar lumache.

Ieri Alí – stavamo a parlare di bambini – si è lasciato scappare un aneddoto che mi ha ghiacciato. Siamo alle Tuileries, due anni fa, poco prima della Russia. Dopo colazione l'Imperatore, al suo solito, si fa portare il piccolo Re, lo prende in braccio, lo accarezza, lo fa ridere con le sue smorfie buffe, gli mette in testa il bicorno, lo fa saltare sulle gi-

nocchia come se fosse sul piú impetuoso destriero, gli racconta filastrocche, infine porge il bambino a Maria Luisa,
le dice qualcosa come: prendi! abbraccia dunque tuo figlio!
Lei lo guarda quasi con tono di ripugnanza, ribatte con fermezza: non comprendo come si possa abbracciare un bambino. Il piccolo torna in braccio alla governante.

Invece a Lui piaceva molto abbracciare i bambini; spesso riceveva i nipoti, i figli di Luigi, di Giuseppe, che venivano a baciargli le mani. Li interrogava sui loro pro-
gressi, e quanto avevano imparato dall'ultima volta che si
erano visti. Si informava delle governanti, dei precettori.
Chiedeva ridendo cosa dicevano i genitori. Ai bambini piaceva parlare, si scioglievano, e quando l'udienza – mai piú
di un quarto d'ora – era finita, se ne andavano insieme allegri e sgomenti.

Dai discorsi dei camerieri e dei valletti, ho capito che
gli uomini della *Maison* amavano profondamente Giuseppina, le erano grati di gesti e parole gentili; la preferivano
di gran lunga all'arciduchessa. Giuseppina sapiente nelle
carezze e negli abbracci. La carnalità come balsamo, come
pioggia carezzevole di cui godevano anche i subalterni:
un'aura, un tepore che riverberava dall'Imperatore fino ai
servitori.

Per questo la notizia della sua scomparsa ha recato dolore vero alla piccola corte dei superstiti. Uno staffiere giura di aver sentito l'Imperatore che, scendendo da cavallo
a San Martino, diceva al generale Bertrand: «Elle avait le
plus joli con du monde». Non importa che N. l'abbia veramente detto. Importa che lo staffiere ne sia convinto.


*Mercoledí 5.*

Il signor Rathéry è arrivato nello studio dell'Imperatore con un'aria indisposta, abbattuta; ha preso posto al tavolo da lavoro come se sedersi gli costasse una gran fati-

ca. Si teneva la testa, tossiva. L'Imperatore se n'è subito accorto, gli ha chiesto cos'aveva.

– Sono malato, Sire, perdonate, – ha detto quello in tono un po' piagnucoloso.

– Andate a letto, allora. Non voglio malati intorno a me. Tornerete quando starete meglio.

Il Segretario, mogio, se ne è andato. In capo a mezz'ora ho sentito aprirsi la porticina della biblioteca. È entrato il generale Bertrand:

– Monsieur Acquabona, il Segretario è indisposto. L'Imperatore vi prega di sostituirlo per il tempo necessario. Immagino sarete consapevole dell'onore che vi viene fatto, e della fiducia che Egli ripone su di voi. Siatene degno.

Mi alzo di scatto, arrossisco. Ecco il frutto delle mie attività di servo zelante e di delatore. Balbettando un poco, ho ringraziato. Mi sono affrettato a prendere posto nello studiolo. Ho riordinato i documenti davanti a me, peraltro già ordinatissimi, la risma della carta, il calamaio. Ho impugnato risolutamente la penna. Ho atteso.

N. è arrivato e ancora sulla porta ha cominciato a dettare. Parla con una tale velocità che ho dovuto inventare sul momento una sorta di scrittura abbreviata:

– Scrivete! A Monsieur le Général comte Drouot! Ho esaminato il vostro rapporto sul grano acquistato a Civitavecchia. Il subbio, pesando 450 libbre, equivale a tre sacchi e tre quarti dell'Elba, il che dà 133 libbre e due terzi per il peso di un sacco. Se il subbio costa 12 piastre e mezzo a sacco, il quintale a peso di marco risulta costare L. 17.10. Poiché il capitano Richon ha portato 400 subbii di grano, cioè 1500 sacchi o 2000 quintali per un valore di franchi 26 250, il grano costerebbe all'Elba L. 18.10 a sacco. Desidero sapere a quanto si vende attualmente il grano a Longone e a Portoferraio. Ordinate al capitano Richon di scaricare il grano nei magazzini di Portoferraio, dandolo in carico al magazziniere.

– Scrivete! A Monsieur le Général comte Bertrand! Il

direttore del Demanio imperiale mi ha comunicato la quantità di legna che è possibile ottenere dai tagli sul Monte Giove e sulla bandita del Volterraio. Desidero conoscere la quantità di legna necessaria all'approvvigionamento del presidio, e i ricavi stimati, visto che i tagli del Giove costeranno 50 franchi e quelli della bandita 700. Osservo che non bisogna assolutamente tagliare le piante grosse, ma provvedere a diradarle, avvalendosi degli operai della miniera. Il diradamento gioverà al bosco e sarà piú redditizio.

Cosí è cominciata la mia carriera di segretario e di scrivano. Dopo un'ora mi massaggiavo anch'io le mani come il signor Rathéry.

– Non ditemi che siete già indisposto anche voi, – ha scherzato l'Imperatore. Ha dettato per un'altra ora, mi sono sentito come le olive sotto la macina del frantoio. L'angoscia di tenergli dietro. Quando non arrivo a decifrare i miei scarabocchi, provo a metterci del mio. Poca cosa, s'intende, piccoli giri formali. Lui rilegge, bada al sodo, scorre a volo la pagina, firma.

Si mette spesso in bocca pezzetti di liquerizia, pastiglie, specie nelle giornate umide, per la tosse che lo infastidisce; allora diventa difficile capirlo.

Dettando, si muove in continuazione per la stanza, un po' curvato in avanti, le mani in tasca, piú spesso dietro la schiena. Se è molto preoccupato, un ticchio gli fa scattare all'insú la spalla destra, e contrarre l'angolo della bocca; oppure si afferra il risvolto della giacca, e tira la manica come se fosse troppo corta. Tuffa di frequente le dita nella tabacchiera, e fiuta rumorosamente. Questo di pescar tabacco sembra il suo lavoro principale. Ci sono tabacchiere ovunque, in camera da letto, in biblioteca, nei salottini che danno sul giardino. A ogni istante chiama i ciambellani: – Andate a cercarmi del tabacco.

Questo è appunto uno dei lavori di Alí: caricare le tabacchiere.

*Domenica 9.*

Il mio lavoro di scritturale procede bene, N. pare soddisfatto. Ieri mi ha fatto il ganascino: – Come si porta il nostro Signor Erudito?

Ma ieri è stata una brutta giornata. I sessanta cavalleggeri polacchi sono tornati da Parma senza Maria Luisa, di cui non c'è nemmeno l'ombra. Ancora niente lettere, da lei. Si sa soltanto che a settembre era ad Aix per passare le acque, e che N. ha spedito a Genova almeno due capitani con l'incarico di raggiungerla e avere notizie.

N. ha scritto al Granduca chiamandolo «Signor Fratello e Carissimo Zio», chiedendo il favore di potergli far avere ogni otto giorni una lettera per Maria Luisa. Staremo a vedere.

È curiosa la calligrafia di Drouot: la firma è piccolissima, quasi racchiusa entro due sbarre, sopra e sotto; la scrittura minuta, dimessa; in compenso la «J» si slunga verso sinistra come una grossa melanzana. Mi fa l'effetto di un budello sfuggito al banco del macellaio e volato fin qui, al tavolo anatomico su cui si dissezionano i destini degli uomini.

*Lunedí 10.*

A San Martino abbiamo trovato il pittore Revelli un po' intirizzito, che stava ritoccando le decorazioni della Sala Egizia, per amore di perfezione piú che per reale necessità. M'è sembrato che Revelli si sia ispirato a una mattina d'autunno come quella, fredda senza esser gelida, per nostalgia del suo Piemonte, chissà. L'Egitto che lui ha immaginato, oltre le colonne in forma di papiro, oltre i simboli geroglifici che fanno da bordura lungo il soffitto – e sono al tempo stesso religione, linguaggio e ornamento –

è un paesaggio di cristallo, quasi salino, con rari ciuffi di piante e palmette, inabitabile per troppo lindore. Unico segno di vita, a contrasto, sopra il caminetto, due mamelucchi a cavallo – cilestrini anch'essi – che si affrontano a spade sguainate, ma con un movimento quasi di danza; a lato, un dromedario curioso, che guarda i mamelucchi azzuffarsi stoltamente. Sulla parete opposta, due giovani etiopi si bagnano castamente nel Nilo, e sembrano rabbrividire. Anche il cielo della volta, stretto in un anello di simboli zodiacali di un oro un po' spento, è quello di una mattina autunnale. All'apice delle colonne si può leggere il motto *Napoleo ubicumque felix*, che è poi quello che certi patrioti italiani avrebbero fatto incidere su una medaglia di loro conio. È un'affermazione vagamente spavalda, quasi antifrastica, direbbe l'abate Lorenzi, resa accettabile da un velo di autoironia. Dedicata a qualcuno, ma a chi? A Maria Luisa? Ai Borbone? Agli Inglesi? Ai patrioti che sognano di affidargli l'unità del paese?

Nella sala accanto, il rebus è di piú agevole scioglimento. Revelli ha pittato sulla volta azzurra del soffitto due colombe avvinte da un lungo nastro rosso, stretto in nodo che si rinserra quanto piú esse si allontanano: allusione anche troppo trasparente alla separazione che divide l'Imperatore dalla sua sposa.

Revelli s'è allontanato in silenzio, com'è suo costume, per lasciare all'Imperatore il piacere dei commenti; o forse perché non si può lavorare con sguardi addosso. Il Sovrano ha controllato attentamente i dettagli degli affreschi; ha detto a Bertrand che le figure geroglifiche gli sembravano un po' vaghe, un po' esangui.

– Per forza, – ha osservato acidamente Bertrand quando il suo padrone non poteva sentirlo, – *notre barbouilleur* in Egitto non c'è mai stato.

– L'effetto è rasserenante, – ha concluso N.

Alí è andato ad ammirare – ad annusare, quasi – i mamelucchi del caminetto, come un discendente che s'imbatta nel ritratto degli antenati, tra reverenza e curiosità. Mi ha guardato con un cenno di perplessità interrogante: forse gli sembravano un po' dimessi, non abbastanza sontuosi.

Dei ricordi che affollano queste giornate d'autunno, l'Egitto è il piú frequentato: riaffiora ogni tanto come l'anticamera della vera grandezza. L'Imperatore ama ripetere che l'Europa non è che una topaia (detto dall'Elba!): le grandi rivoluzioni, i vasti imperi non si possono dare che in Oriente, dove vivono seicento milioni di uomini. Ancora oggi si diverte a immaginarsi nei panni di un Imperatore d'Oriente, montato un elefante, con un turbante in testa, in mano un nuovo Corano. Spiega che un cambiamento di religione, imperdonabile se consigliato da interessi privati, è ammissibile per alte finalità politiche; se fosse stato necessario, avrebbe abbracciato l'islamismo. Già in Egitto si era proclamato ispirato da Dio, e suo inviato; aveva fatto intendere agli arabi che la loro fede era la sua. Adesso ci scherza sopra, ammette che si trattava di ciarlatanerie, però «d'altissima sfera», perché dovevano incantare i nuovi sudditi (come non sembra sia avvenuto).

I suoi soldati capivano, ridevano. La nostalgia d'Oriente è rimasta. È la nostalgia di spazi sconfinati in cui «far trionfare le nuove idee». Ancora non vuol capire che le nuove idee non si possono affermare sin che avanzano sulla punta delle baionette. Persino all'Elba le hanno buttate a mare nel '99.


*Martedí 11.*

Quel che invidio a Bertrand e a Peyrusse – gli unici «egiziani» del gruppo – è proprio la spedizione del '98. Ancor piú di loro invidio i *savants*, il generale Desaix, che dovendo inseguire l'inafferrabile Murad Bey sino all'antica Tebe s'è riempito gli occhi di meraviglie, templi, colonne, tombe, statue colossali, affreschi. Appena mi è con-

cesso, assillo Peyrusse con richieste di racconto. Lui si
schermisce:
    – Io sono rimasto al Cairo, avevo già sufficienti
preoccupazioni: il caldo, le rivolte, la peste, la mancanza di denaro... Non so quello che Desaix ha potuto vedere, perché il generale e i suoi valorosi furono afflitti
da una terribile oftalmia, e procedevano a tentoni, si può
dire, a fiuto, con gli occhi chiusi dal pus, fra sofferenze
atroci.

    Un eroe semicieco di fronte uno spettacolo emozio-
nante: nulla sembra divertire Peyrusse quanto i capricciosi paradossi della guerra. Chi ha visto di piú, e meglio, è
stato Vivant Denon, il pittore che s'era aggregato alla compagnia. Ho imparato da me che ricordiamo meglio quello
che riusciamo ad ancorare a un'immagine: elaborata da noi
o da altri, non importa.

    A me Denon pare di conoscerlo intimamente perché
quattro anni fa Ferrante, in un accesso di munificenza, mi
ha regalato l'edizione italiana del suo *Viaggio nel basso ed
alto Egitto*, edita dal Tofani di Firenze con 150 bellissime
tavole che ho consumato con gli occhi.

    Percorrendo quelle tavole con una voluttà che il vero
viaggiatore non può conoscere, ho capito che Denon «vedeva» con la sua matita. Disperato perché le matite si con-
sumavano troppo in fretta, perché il contingente era sul
punto di ripartire, al traino di Murad e dei suoi mamelu-
chi imprendibili.

    Adesso Peyrusse racconta, ma io credo di sapere già tut-
to. Che non c'era tempo per la contemplazione, e Denon
doveva sentirsi morire all'idea di dover abbandonare nuovamente i templi e le colonne e le statue e i geroglifici alla sabbia e all'incuria: sopraffatto dall'esaltazione e dal-
l'abbondanza, perché aveva la responsabilità di scegliere,
lui che guardava, che disegnava per tutti, anche per i posteri, e ogni oggetto non ancora ritratto gli sembrava migliore di quello che stava schizzando; e già Desaix impa-

ziente lo richiamava. Che passava la notte a ordinare nella memoria le immagini che non aveva potuto disegnare, come per cercare di salvarle.

Denon aveva cinquant'anni, all'epoca, ma non c'è stato nessuno piú agile e sveglio di lui in quella folle campagna di quattromila miglia nel deserto. Lo ha aiutato la sua natura sanguigna e godereccia (già diplomatico di carriera, pare che in gioventú abbia anche scritto un racconto licenzioso; dicono che all'Imperatore lo abbia raccomandato Giuseppina che lo aveva in stima – forse anche troppa; mi son fatto l'idea che Denon abbia dato il meglio di sé nella cerchia di Barras, cosí incline ai piaceri). Per i soldati, tra gli asini e i *savants* della campagna d'Egitto non c'era alcuna differenza: facevano eccezione soltanto per l'allegro compagnone con la mania del disegno. Le volte che s'era attardato o perso in contemplazione, l'avevano anche salvato dalle spade dei beduini.

– Ah! Gran personaggio, – rammemora adesso Peyrusse a occhi socchiusi. – Di gusto sicuro e larghe vedute! Intelligente, vivo... Incisore sopraffino... I musei di Parigi gli devono molto, e a giusto titolo l'Imperatore lo ha nominato direttore...

– Veramente, – ho obiettato, – è Monsieur Denon che deve qualcosa all'Italia, con tutto quello che ci ha portato via, a cominciare dai cavalli di San Marco. Mi piacerebbe stilare un elenco delle opere d'arte che sono state trafugate...

– Trafugate... – ha tentato di scherzare Peyrusse. – Diciamo che erano delle contribuzioni di guerra. E poi le opere d'arte devono andare là dove c'è qualcuno che le sa apprezzare. Vi assicuro che nessuno come in Francia, senza nulla togliere ai bravi Italiani, sa godere il Bello... Notate poi che duecento opere sono state regolarmente comperate dal principe Borghese per la bella cifra di otto milioni di franchi...

– Sí, ma la requisizione, e non dico nemmeno spolia-

zione, che s'è fatta nei conventi e nelle chiese, anche qui
nel Granducato... Che Monsieur Denon sapesse scegliere
non c'è dubbio...

– Gli è che Denon aveva vissuto a lungo a Firenze, prima della Rivoluzione, – ha cercato ancora di difenderlo
Peyrusse. – Conosceva a memoria il Vasari, lo teneva per
la sua Bibbia. Non vorrete fargliene una colpa! Ricordo
che al Cairo parlava di Firenze come voi adesso parlate
dell'Egitto... Con voluttà, con rimpianto... Il Paradiso degli intenditori d'arte, dove con cinque franchi si potevo-
no acquistare delle meraviglie, anche senza aver dietro i
soldati di Napoleone a fucile spianato. E poi aveva tatto,
discrezione... Vi dava persino delle cose in cambio! Me lo
ha raccontato lui stesso. Con Brera, ad esempio, ha scambiato due Rembrandt e un Van Dick... Non mi vorrete dire che non ci avete guadagnato!

– ... Quel che so per certo, perché me ne ha fatto cenno il bravo Revelli, – qui mi sono morsicato la lingua, perché non volevo mettere in imbarazzo il brav'uomo, ma ormai il danno era fatto, – è il saccheggio delle collezioni sa-
baude, nel '99. Lí c'erano molti egregi pezzi delle raccolte
del principe Eugenio. Per non parlare del saccheggio di Firenze in quello stesso anno: i Raffaello, i Tiziano, i Ru-
bens... Vi risparmio la prima campagna d'Italia, su cui sono poco documentato. Magari adesso Luigi XVIII si sentirà obbligato a restituire le prede...

– Che fretta c'è, amico mio? Magari facciamo in tempo a tornare, – s'è lasciato scappare a sua volta. – Insomma, vi dovete convincere che non si dà Museo, cioè pubblica utilità, senza qualche sacrificio privato. Convenite-
ne. Sono cose che bisogna valutare nella loro complessità,
con l'occhio dei posteri. I Musei sono tra le poche cose che
ci sopravvivono... Io poi, permettetemi, guardo a queste
iniziative con speciale simpatia, perché esse non intacca-
no la cassa di cui mi occupo, – sorrideva ancora. – Se poi
anche l'Imperatore ha peccato – ma, come si dice: chi fa,

falla – ha trovato il suo castigo: qui all'Elba si è dovuto accontentare di Revelli.

L'ho pregato di lasciar stare Revelli, che a me piace, perché non ha voluto scimmiottare le Tuileries o Saint-Cloud: perché sa stare al suo posto. Peyrusse voleva avere l'ultima parola:

– Piace anche a me, perché costa poco.

– Voi tesorieri, Monsieur Peyrousse, – l'ho chiamato intenzionalmente come lo chiama il Gran Corso, – siete tutti eguali: il denaro del padrone sembra che sia vostro.

– Difatti. Questa è la condizione prima per fare bene questo lavoro, come io mi lusingo di fare. Ma quello che invidio veramente a Denon sono le sue conquiste amorose. Non so come faceva. Perché era persino brutto! Ma aveva il fascino di un serpente... Incantava le signore con certe chiacchiere... Sapeva tutto... Le faceva ridere... Forse sta lí il segreto... Ha dato il meglio di sé nei salotti, altro che Desaix e i deserti egiziani e l'archeologia.

Le rivisitazioni delle glorie egizie mi eccitano e mi sfiancano. Mi pare di avere buttato la vita in occupazioni insignificanti. Torno ogni volta a casa con il sapore acido dello spreco di me.

A proposito di Denon, Peyrusse ha raccontato un aneddoto delizioso. Il pittore era a cena dal principe Talleyrand, e la moglie, bella ma ignorantissima, gli ha chiesto se aveva ancora al suo servizio il famoso negro Venerdí.


*Giovedí 13.*

N. riceve notizie sull'influenza nefasta che avrebbe su Maria Luisa la contessa Brignole, dama d'onore, che sta soppiantando Madame de Montesquiou. Costei è una grande intrigante, manovrata dal Talleyrand, e soffia nelle orecchie dell'Imperatrice tutte le buone ragioni che avrebbe per divorziare.

N. tuttavia non pare preoccuparsi. A sentire Vittoria, ha detto a sua madre che conosce troppo bene l'attaccamento di Maria Luisa, che l'Imperatore suo padre è troppo religioso per sentir parlare di divorzio, che il matrimonio è inattaccabile dal punto di vista legale, che tutte le dicerie sono senza fondamento, ecc.

Approfittando dell'aria ancora tepida N. ama uscire in calesse con la contessa Bertrand. Immagino la ritenga l'unica dama degna della sua compagnia; o forse la considera una cosa sua perché è una cugina di Giuseppina, ed è lui che l'ha fatta maritare con Bertrand. La corteggia in modo abbastanza scoperto, allude alla bellezza radiosa, ai colori di rosa che hanno le madri appena sgravate. Lei lo guarda da sotto i suoi incantevoli cappelli con un'aria tra il divertito e lo spaventato, fa la distratta, parla dei figli. Una sera è arrivata ai Mulini in ritardo, gli invitati avevano già preso posto al tavolo. N. l'ha fulminata con la severità dei gelosi:

– Madame, non è bene, non è cortese che voi ci facciate aspettare.

La contessa è scoppiata in lacrime. Per fortuna Madame Mère l'ha cavata dall'imbarazzo chiedendole con la sua voce chioccia come stavano i bambini.

*Martedí 14.*

Stavo schedando dei volumi in biblioteca, quando ho sentito la nota voce alzarsi dallo studiolo contiguo. Canticchiava sottovoce, come qualsiasi borghese in faccende, soddisfatto dei propri affari. Era una voce incerta, bassa e calda, ma decisamente stonata; continuava a ripetere le stesse parole, «Oui, c'en est fait, je me marie», perché non

conosceva il seguito, o semplicemente perché gli piacevano. Un giorno gli ho sentito canticchiare anche «Voilà le
jour, Colette ne vient pas».

Ne ho parlato con Marchand, il quale ha annuito soddisfatto: – Ah, sí, gli piace cantare, soprattutto la notte.
Ci sono delle notti cosí belle, qui, notti pure, profumate.
Talvolta Sua Maestà esce in giardino con la veste da camera, e canta rivolto al mare: «Si le roi m'avait donné Paris,
sa grand'ville»… Però cambia il finale: invece di «J'aime
mieux ma mie» dice «Rendez-moi Paris!» Ah! Il pensiero corre sempre lí!

Ho chiesto a Marchand se Parigi gli mancava. Ha detto che Parigi o altrove era lo stesso, che il suo piacere stava nel servire il suo signore. E poiché devo averlo guardato con un'aria di perplessità, si è dilungato a parlare del
carattere di Lui. Ha detto che non è assolutamente vero
che è collerico, intrattabile: non lo ha mai visto battere un
servitore, e anzi detesta i gesti violenti; e se è costretto a
sgridarti, è il primo a dispiacersene; magari dopo un po' ti
tira l'orecchio, che è il suo modo di dire che tutto è dimenticato. Ha aggiunto che non soffre affatto di attacchi
epilettici, come qualcuno ha insinuato per spiegare le sue
collere, e che non porta un corpetto d'acciaio sotto l'u-
niforme, come qualcuno ha detto per spiegare la sua in-
vulnerabilità. Porta soltanto il gilet di flanella.

– È buono, è dolce, – si intenerisce Marchand, – i segni della sua grandezza e della sua gloria per me sono dappertutto.

Persino la pinguedine dell'età di mezzo, a sentir lui,
conferisce all'I. la giusta autorevolezza; loda l'armonioso
disegno della sua testa, sotto cui si distende «une superbe
charpente».

Marchand ha parole di apprezzamento per tutti coloro
che circondano il Sovrano. Il Vicario Arrighi gli sembra
«buono», «eccellente», «stimabile per virtú e saggezza».
Forse perché quando ogni mese porta ad Arrighi 150 fran-

chi per i poveri della parrocchia, il Vicario lo intrattiene
amabilmente raccontandogli aneddoti sulla gioventú del-
l'Imperatore, e sulle grandezze dei Buonaparte, nobile famiglia fiorentina che i rivoluzionari (ma quali? quando?)
costrinsero ad espatriare in Corsica. La famiglia conta tra
i suoi antenati anche un beato, Bonaventura Bonaparte,
uomo piissimo.

Marchand non può ammettere che qualcuno non ap-
prezzi le sublimi virtú di Sua Maestà. È indulgente persino con i traditori: basta aver incrociato anche fuggevol-
mente l'Imperatore per entrare nel numero dei buoni. Del
generale Marmont, che N. ritiene il vero e unico respon-
sabile della sconfitta, è arrivato a dire che «un accordo tra
lui e il principe di Schwarzenberg non gli permetteva piú
di difendere gli interessi dell'Imperatore». Però è severo
con gli ex colleghi della *Maison* imperiale, con Constant e
Roustam, persone che lui «onorava del suo affetto», alle
quali destinava stipendi annui di cinquantamila franchi.
È orgoglioso che gli Inglesi abbiano una speciale adorazione per l'Imperatore, come quel capitano Tower, il comandante del *Curaçao*, che è solito chiamare N. non altrimenti che «il grand'uomo».

Non mi stupisce che il giovane Marchand riservi dolci
parole perfino a Monsieur Pourgon. A sentir lui, l'I. avrebbe per il dottore stima e affetto. Fourreau compare puntualmente al *lever* delle sette, e N. si compiace di chiac-
chierare con lui di medicina – peraltro nei suoi consueti
modi scettici e irridenti – e degli avvenimenti del giorno
prima. A una sola cosa crede N. in fatto di medicina: alla
trasmissione ereditaria delle malattie. A sentire il dottore, Sua Maestà gli avrebbe raccomandato di prendersi cura della salute di suo figlio.

Il dottore ha regalato a N. svariate tavole anatomiche,
e ha passato mezza mattina ad illustrarle in ogni dettaglio.
N. lo ha ascoltato con molta attenzione, e gli ha confidato che avrebbe voluto dedicarsi allo studio di questo uti-

lissimo ramo della scienza, ma ne era stato trattenuto dal-
l'odore dei cadaveri, che gli riusciva insopportabile. Poi
ha esposto al dottore la sua teoria che mi azzardo a definire dell'equilibrio degli eccessi: dopo un periodo di riposo, una giornata dedicata alla caccia o al cavallo, insomma
a forti fatiche fisiche, gli facevano un gran bene. Cosí pure, quando era molto stanco, poteva riposare ventiquattr'ore. D'altronde si sa che, da vero soldato, dorme a comando, ovunque, e al risveglio è pronto e lucido a riprendere le sue imprese dal punto in cui le aveva lasciate. Pare
abbia confidato di avere imparato dagli animali, i quali
dormono poco e spesso.

L'idolo di Marchand è naturalmente Drouot, l'Uomo
Etico per eccellenza. «Drouot c'est la vertu!», ama ripetere l'I. Dice Marchand che una sera – assai rara – di confidenze, il generale ha raccontato un episodio della sua giovinezza studiosa, i corsi di matematica in cui ebbe come
esaminatore il famoso signor Laplace. Gli studenti erano
tutti eleganti, disinvolti; lui, mingherlino, imbarazzato,
vestito modestamente, che si teneva in disparte. Fu chiamato tra gli ultimi e rispose in modo cosí esauriente che
l'illustre Laplace, stupito, provò a saggiarne le competen-
ze con domande sempre piú difficili, e alla fine lo proclamò
il primo del corso. Drouot racconta queste cose non per
vanagloria, ma per godere del ricordo della felicità dei genitori fornai.


*Sabato 15.*


Ho accompagnato a Poggio il generale Drouot, che s'è
improvvisamente affezionato al sogno di comperarsi un'a-
bitazione in paese; il che può essere messo in relazione con
l'adorazione che porta ad Enrichetta Vantini. A metà salita siamo finiti in un gregge vigilato da un bastardino che
correva come un indemoniato.

– Non trovate che mi assomiglia? – ha scherzato il generale. E alle mie proteste ha spiegato che si riconosce perfettamente in quel lavoro utile e dignitoso, e non intendeva affatto autoflagellarsi. Ha detto:

– Ci sarebbe da riempire libri interi con storie d'animali. Lo credereste? Ci sono molti cani che si accompagnano di loro volontà agli eserciti, senza avere un padrone. Ne ho visto alcuni comportarsi con una intelligenza, una dignità, che spesso non hanno i soldati. In Germania ce n'era uno, vecchio, sporco, brutto, che tutti chiamavano «Corpo di guardia». Aveva preso un colpo di baionetta a Marengo, una schioppettata ad Austerlitz, ma seguiva i reggimenti che lo trattavano bene. Se prendeva un calcio, cambiava battaglione. Era l'unico che si poteva permettere tanto, nell'Armée!

Qui il generale ride, come rare volte gli accade. Mi fa bene sentirlo ridere. Vorrei abbracciarlo. Sorridono anche gli uomini della scorta, per dovere.

– … Allora questo cane stava con i Dragoni. Nel più fitto della mischia, si teneva vicino alla bandiera. Se il reggimento era in marcia, correva avanti in esplorazione, e più di una volta salvò le truppe dalle imboscate. Ma se incontrava un soldato di un reggimento che lui aveva abbandonato, filava via a orecchie basse. Non era il solo cane capace di sentimenti umani. Lo stesso Imperatore mi ha raccontato in confidenza a Mosca – il tempo non passava mai, vi assicuro – che durante la prima campagna d'Italia gli è capitato di percorrere sotto la luna un campo di battaglia ancora cosparso di caduti. Ed ecco che da sotto il mantello di un soldato morto esce un cane, va incontro al drappello che sopraggiunge e si mette a guaire da straziare il cuore, come a chiedere soccorso. L'Imperatore se n'è commosso. Ha detto che aveva ordinato a ciglio asciutto il sacrificio di migliaia di vite umane, che lo strazio dei campi di battaglia lo faceva soffrire, ma forse non come i guaiti di un cane in quella notte di morte. Forse perché il cane esprimeva nel modo piú diretto un dolore universale.

– È giusto cosí, – ho detto. Non ho avuto cuore di aggiungere a Drouot che anche questo – riservare la loro commozione principalmente agli animali – pare sia un tratto dei grandi condottieri.

Abbiamo fermato i cavalli alla chiesa di San Defendente, a Poggio, e siamo saliti a vedere la casa che mi sembra convenire ai gusti sobri del generale. È di proprietà di alcuni cugini di mia madre, disposti a cederla a un cosí illustre personaggio. A un prezzo alquanto superiore al valore corrente, s'intende. Ognuno sa che i Francesi sono l'occasione irripetibile. Il generale non se n'è turbato.

È una casa semplice, a un piano, che guarda a nord-ovest, verso Marciana, affacciata sui boschi di castagni, sull'inguine forte e ombroso che fanno le giogaie del monte; di lí anche in estate sale una frescura, una pace, un silenzio appena gorgogliante per uno scorrere di acque invisibili. Di qui persino l'austera Marciana, che i Pogginchi odiano – per rivalità – ha una sua grazia severa. Dalle finestre a meridione si vede il mare, il profilo dolce delle insenature che si rincorrono con leggerezza. Ho additato l'Enfola cinerina nella lontananza:

– E pensare, signor generale, che Enfola viene da Infero. Magari qualche studioso un giorno scoprirà che quella è la porta dell'Ade, che ha accolto Enea...

Il generale si è sporto dalla finestra a guardare meglio, quasi a controllare. Fissava quel punto lontano con un'attenzione strategica.

L'ho guidato in quelle poche stanze, nel salotto che ha un imponente camino in marmo. Alle pareti corrono decorazioni a fiori leggeri, primaverili, che sembrano disegnati dalla stessa mano del Revelli.

C'era un buon profumo di legno vecchio, di fiori secchi. Il generale l'ha inalato con voluttà:

– Sarà il porto del riposo, della lettura, – ha detto. Si è subito corretto:

– Potrebbe essere, idealmente. Perché il servizio, il dovere, viene prima di tutto…

– Per noi, per me, sarebbe un grande onore, una grande gioia, sapervi qui, signor generale.

– I vostri buoni sentimenti mi sono di molto conforto.

Si è avvicinato al camino, ha percorso con la mano i rilievi in marmo, ne ha apprezzato la fattura.

– Qui c'è legna in abbondanza, – ho aggiunto, – e anche acqua, cosa rara all'Elba.

Ho portato il generale nella piazzetta del pesce, due rampe di gradini piú su. S'è incantato a guardare il giovane tiglio che vi è stato piantato da poco:

– È la prima pianta che ho amato, – ha detto piano, – nel giardino di mio nonno fornaio, nel Limosino. Il profumo dell'estate, ma che dico, il profumo della vita, era il profumo di quel tiglio.

E poi, in un tono ancora piú basso, che gli uomini non sentissero:

– Ho imparato a non affezionarmi a niente. A niente, Monsieur Acquabona. Non me ne lamento. La vita è questo: scegliere, e restare fedeli alle nostre scelte.

Sono salito a Marciana, per salutare l'abate Lorenzi. La vecchiaia l'ha prosciugato a tal punto che sotto la zimarra nera (non gli ho mai visto altro abito) quel che di lui rimane è come un fascio di vecchie carte ingiallite.

– Come sta il tuo uomo? – ha scherzato. – Da Lucifero in poi, non si è mai vista una caduta piú rovinosa.

Gli ho detto che essendo partito dal basso, non si è fatto molto male. È ammaccato, sí, ma vegeto; voglioso di tornare sulle scene del mondo.

– Dio ne scampi! – ha sospirato l'abate. – Non ha dunque imparato niente?

Ho obiettato che nemmeno gli Alleati sembrano aver imparato molto dalle loro vittorie.

– Insomma la battaglia continua con altri mezzi, – ha

detto. – Vedi dunque che la saggezza non si impara dai libri, di cui Egli ostenta di essere cosí ghiotto… – In quella è stato attraversato dall'ombra di un sospetto: – Non avrà mica contagiato anche te?

– In un certo senso sí… Non ci crederete, ma quando è arrivato avevo di lui un'opinione molto piú precisa. Lo vedevo meglio di lontano. Adesso che è qui, mi sfugge. Ogni giorno fatico a ricordare che ha ordinato la morte di milioni di uomini. Certo non sembra l'uomo dei quadri, delle stampe, delle medaglie, delle statue, dell'incoronazione, delle Tuileries. Non sembra un Imperatore. È un possidente corso che sa amministrare i suoi beni come nessun altro…

– Un cugino del Vicario Arrighi, appunto… – ha ammiccato Lorenzi.

– … In ogni suo gesto, anche il piú innocente, sento il calcolo, la valutazione dell'effetto che farà. Se accarezza un bambino, se abbraccia un granatiere, è perché qualcuno lo veda, e racconti. Sul Monte delle Poppe trova un vecchio ottuagenario che corre verso di Lui per baciargli la mano. Si scopre che è un soldato che ha combattuto in Ungheria contro i Turchi e poi all'assedio di Belgrado. Allora Lui scende di cavallo e lo abbraccia, dicendo che poteva essergli due volte padre, e lo ricopre di monete d'oro. L'altro giorno, a Poggio, mentre Lui passava, quella fanciulla biondina cosí bellina, con i boccoli…

– La Carina… – ha annuito Lorenzi.

– Ecco, la Carina gli ha offerto dei fiori, e Lui, non sapendo come ricambiare, cava di tasca una copia in ottavo del suo Codice civile e gliela dona. Adesso a Poggio vanno a venerare il Codice come se fossero le reliquie di san Cerbone, e la Carina si è messa a fare la preziosa con i suoi pretendenti. Non so nemmeno se riesce ad essere naturale quando dorme. Difatti dorme pochissimo. Non si ferma da vent'anni. Ma che cosa vuole?

– Vuole la vita come nessuno l'ha mai voluta, – ha detto placidamente lui, congiungendo le mani sul ventre. In quella il volpino che stava accucciato ai suoi piedi ha drizzato di scatto le orecchie. Abbiamo riso tutti e due.

Nello spazio della porta s'è affacciata la sua vecchia fantesca, la Brigida, con una ramazza in mano, e la cuffia di traverso sulla testa, che pareva un ussaro appena sceso di cavallo. Aveva sentito tutto:

– 'Un gli date retta, signorino, – (continua a chiamarmi cosí da quando venivo a lezione trent'anni fa). – L'Imperatore è una brava persona, e fa del bene. Ne fa tanto. L'altro giorno ha incontrato un pastorello, quell'orfano, Giuseppe, e gli ha fatto domande intanto che lui se ne stava tutto vergognoso a testa bassa, e alla fine lo ha... come si dice?

– Affiliato...

– Ecco, insomma, l'ha figliato, l'ha fatto rimpannucciare, gli ha fatto la dote, adesso studierà...

– Per forza, – ha detto l'abate, – con tre fratelli morti in guerra... Questa è l'isola degli orfani! Non c'è che da scegliere! Andate, Brigida, andate, che vi siete infranciosata anche troppo!

– Che franciosata, – ha detto lei piccata. – È che nessuno oggi ha piú cuore...

– Sí, ce l'hanno solo i Francesi, Brigida, lo sappiamo tutti, – s'è spazientito Lorenzi. Il volpino si è messo ad abbaiare contro la donna.

Avevo dieci anni, e un giorno l'abate aveva già levato la bacchetta su di me, che mi rifiutavo di capire le declinazioni. D'istinto mi sono avventato a cercare rifugio nel petto di Brigida che passava. Compresso com'era nel carapace del corpetto, mi era sempre apparso come un bastione invalicabile; ed ecco che al mio lungo, colpevole indugio si rivelava come una soffice promessa di smemoratezza: la scoperta di una Luna di burro.

Brigida sapeva di rosmarino, di verdure bollite, di fumo, di capra. Da quel giorno per me il latino ha avuto quell'odore. Per quello che ho creduto di capire in seguito, è un giusto odore per quella civiltà di ruvidi pastori che avrebbe dominato il mondo.

C'è un pensiero che mi è diventato improvvisamente chiaro e ho dimenticato di sottoporre a Lorenzi. E cioè che il linguaggio, la scrittura, sono al condizionale. Sonde buttate nel silenzio, nel nulla, nella disperante alterità degli altri. Ogni affermazione ha il valore di un'ipotesi di lavoro che richiede una verifica. Ma una verifica autentica non si può mai dare, o molto raramente, o molto approssimativamente. Siamo dei sordi che parlano lingue diverse, e quando credono di intendere, ripetono a se stessi quanto già sapevano.

Tuttavia l'unica risorsa che mi rimane è cercare di forzare il linguaggio sino a fargli rivelare quel che ancora non so.

*Giovedí 16.*

N. ha avuto una crisi di vomito. Marchand è preoccupato. Il dottore se ne è quasi rallegrato, perché cosí può dispiegare i tesori della sua scienza. Le conversazioni mattutine con N. sono diventate piú lunghe del solito.

Rissa per donne in una taverna di via dell'Amore tra militari e civili. Un ufficiale dei mamelucchi ha sguainato la sciabola e ha ferito un civile. L'hanno condannato a tre mesi di isolamento a Pianosa. Malumori in città perché i Francesi non sanno tenere le mani a posto, e toccano e pizzicano e frugano.

*Venerdí 17.*

Mi arriva da Genova una freschissima novità libraria: la traduzione italiana di una *Istoria secreta del gabinetto di Napoleone Bonaparte e della corte di Saint-Cloud* di Lewis Goldsmith, «notaro, ex Interprete presso la Corte di Giustizia e presso il Consiglio delle Prede di Parigi». Questo Goldsmith si vanta di aver passato otto anni nella capitale di Francia e di avervi frequentato le persone piú «rimarchevoli». Tesi dell'opera è che l'Inghilterra non può far pace con N. perché egli è la sentina d'ogni vizio, un individuo moralmente orribile con cui è impossibile la convivenza. Lo chiama crudele, tirannico, petulante, lussurioso, debosciato, avaro, e adduce a riprova una quantità di aneddoti. Conclusione: non resta che la via dello scontro mortale.

Sino a qualche mese fa, avrei letto con vera adesione quest'opera ponderosa come il documento che offriva le prove ultime di quello che già sapevo o intuivo. Oggi provo invece un sentimento di fastidio, e sono persino portato a negare episodi notissimi, su cui il giudizio comune si è già espresso.

Sono cambiato io? Sono forse rimasto impaniato – come tanti – negli artifici con cui N. ha sedotto milioni di uomini? Mi ha forse contagiato l'emotività che agita le deboli menti di tanti? O semplicemente il Goldsmith non sa fare il suo mestiere, per l'ingenuità di attribuire a N. i tratti del Male Assoluto, che non si ritrova mai allo stato puro? Nella nera notte del quadro del notaro non è piú possibile distinguere una sfumatura. Ne deduco che stare dalla parte giusta non basta. Ammesso che esistano parti giuste.

Ferrante ha interpretato il mio fastidio come una sorta di avvicinamento alla causa bonapartista, e se ne compiace.

*Martedí 18.*

La sera, quando N. non ha piú voglia di giocare a scacchi con Bertrand o con Madame Mère, si apparta al bigliardo con Cambronne e altri ufficiali d'alto grado. I camerieri assicurano che, essendo obbligati a lasciar vincere il padrone, fanno tutti degli sbagli inammissibili. L'unico veramente contrariato di dover perdere a tutti i costi è Cambronne.

– Vi ho battuto anche stasera, – dice il Nostro, soddisfatto. Cambronne non deve fingere dispiacere, tanto è scuro in volto; si limita a chiedere una rivincita.

Del provinciale sono rimasti a N. alcuni tratti inconfondibili. Se sente affermare cose esagerate, improbabili e tuttavia inquietanti, si fa il segno della croce; e cosí pure per sottolineare che lui in certe cose non c'entra. Quando si siede per conversare, depone per terra il famoso cappello. È accaduto che un ufficiale d'ordinanza, credendo di fargli cosa grata, l'abbia raccolto e deposto su un mobile. Lui senza dir niente lo ha ripreso e sbattuto per terra con irritazione.

Ho scoperto che, appena levato, N. chiama il giovane Marchand e gli detta le sue memorie militari sulla prima campagna d'Italia: torna dunque alle origini delle sue fortune.

Provo invidia per lo scrivano. Scrutando il suo viso, riesco a capire se quel giorno N. ha lavorato alle memorie. Il volto di Marchand assume infatti una luce speciale d'orgoglio, di intima gioia, al pari di certi innamorati esaltati dal loro sentimento.

Temo che in me la passione dello storico o del cronista sia piú forte di quella del Giudice o del Vendicatore. Le storie personali – anche le piú insignificanti – hanno un fascino irresistibile. Sarà forse perché, avendo rinunciato

a una vita mia, sono costretto ad annidarmi parassitaria-
mente in quella degli altri?

Lo ammetto: quest'uomo mi diverte.


*Mercoledí 19.*

La vigilanza intorno a N. si è fatta piú serrata. A ogni
passo c'è qualcuno che ti ferma, ti squadra, fa domande.
Ne ho parlato con Peyrusse, il quale ha giustificato il suo
padrone. Ha detto che fa benissimo a prendere precauzioni, lui è di quelli che fanno tesoro degli ammonimenti
della Storia. Basti pensare a quel che è successo in Egitto
al generale Kléber, che pure sapeva di vivere in un am-
biente ostile, carico di fanatismo...

Su Kléber qualcosa sapevo, ma quel che mi aveva colpito allora non era l'assassinio – rischio prevedibile in un
paese occupato –, o la facilità con cui il giovane Solimano,
fingendosi un mendicante come tanti, era penetrato nel
giardino di un palazzo in cui il generale si intratteneva con
il suo architetto, l'aveva accoltellato a morte, e ferito l'architetto, senza che accorresse una sola guardia. Mi colpi-
va la ferocia della vendetta che ne avevano tratto i Francesi. Solimano era stato condannato ad avere la mano destra bruciata, ed essere impalato vivo, pena che contrasta
con quei principî di civiltà che le armi francesi dicevano
di voler portare ovunque. Peyrusse ha sorriso:

– Ma si trattava di una pena normale nelle consuetudini locali, e il generale Menou, che presiedeva il tribunale
e si era fatto musulmano, tanto che aveva preso il nome di
Abdullah, voleva dar prova del suo rispetto delle tradi-
zioni. Come d'altra parte ha fatto lo stesso Imperatore,
che aveva scrupolo di non offendere la suscettibilità degli
indigeni.

– Uno scrupolo lodevole, – ho detto, ironico. Peyrusse
non si è scomposto:

– ... Lo stesso Solimano ha trovato normale la cosa. Ah!
vedeste! Non un lamento, non un gemito mentre la sua
mano ardeva sul braciere. Ha protestato soltanto perché
un pezzo di carbone incandescente gli era finito sul braccio, e nella sentenza si parlava solo della mano. Il boia lo
guardava sogghignando e allora lui lo ha chiamato «cane
cristiano», e ha insistito sino a quando i suoi diritti sono
stati rispettati. Poi lo hanno impalato.

– Impalato come? – ho chiesto con il cuore che mi andava già in tumulto, come se una semplice domanda potesse arrestare il decorso di eventi passati.

– Eh, *bien, voyons*, prima il boia ha dovuto allargare il
varco naturale di quel tanto che consentisse... – mi spia-
va per vedere l'effetto che facevano le sue parole – ... e
vi assicuro che era molto..., molto..., io stesso non credevo, mi sono dovuto far forza per non gridare, gridargli
di smetterla, in nome del cielo, il boia tirava il... il... con
tale impegno che gli gonfiavano le vene in testa, come
quando nasce il vitello, capite? era grosso come un macellaio, e sudava, e il sangue fiottava dalla ferita come una
polla, non avete l'idea del sangue che può contenere un
essere umano... E lui, Solimano, guardava un punto fisso dinnanzi a sé, con un rapimento terribile, ma quasi
amoroso, quasi avesse concentrato lo sguardo *sur le con*
della urí che lo attendeva nel suo paradiso. Mi si sono sec-
cate le fauci e anche la voce mi è seccata in gola, e ho pensato: è il deserto, è il vento del deserto, come è possibile
la vita qui?

Ride nervosamente, Peyrusse, e la rossa pelle di triglia
diventa ancora piú rosata e squamosa, quando racconta
queste cose. Come se vi trovasse conferma di una sua vecchia idea, della caoticità del mondo, della confusione che
sovrintende allo spettacolo della vita con gran dispiega-
mento di toni macabri e grotteschi. A tutti quegli accadimenti ha potuto e dovuto assistere da un palco riservato.
Forse per questo si è fatto contabile e cassiere: per trova-

re l'ordine e la tranquillità nelle colonne dei conti, che alla fine della giornata devono tornare al centesimo. Dice che lui non segue l'Imperatore, segue la sua cassa: anzi, dico io, la Cassa platonica. Dev'essere vero: perché questa cassa-feticcio, grave come un monumento in pietra agli antichi dèi, presuppone un sistema ben codificato di regole, di misure, di prescrizioni esatte, che lo difende dall'angoscia. Agli agguati del caso Peyrusse oppone quel solido geometrico che è la sua cassa: il baluardo che lo difende dagli Egizi di Murad Bey, dagli Arabi di Giazzar, dagli Austriaci di Francesco, dai Russi di Alessandro, dagli Inglesi di Wellington, dai Prussiani di Blücher: dagli uomini comuni, che non hanno bisogno di avere un generale per essere avidi e crudeli. La cassa è la sua vera madre: l'utero primigenio in cui trovare riposo.

Lo guardavo impietrito. Peyrusse aveva assistito ad un impalamento, e continuava a vivere.

– Vedete, – ha spiegato lui, come se mi leggesse nel cervello, – è che ci sono dei luoghi anche per l'orrore, l'orrore è come una pianta che cresce bene in certi climi favorevoli. Ci si può abituare all'orrore come ci si abitua all'esotico... Potrei anche sostenere che il vero orrore è il Cairo, un immondezzaio di trecentomila persone, ricoperto da un lenzuolo di mosche e zanzare, una piaga in suppurazione, con uomini accecati dal tracoma che stanno accovacciati come scimmie nei loro fetidi stracci, e bambini giallastri, e mute di cani rabbiosi, e cadaveri bruciati per le strade... Ma Giaffa è stato peggio: duemilaquattrocento prigionieri turchi da uccidere a freddo, in tre giorni, perché non potevamo sfamarli, dopo che si erano arresi con la promessa di avere salva la vita, e a un certo punto sono finite le pallottole, e c'erano anche dei bambini aggrappati ai loro padri, hanno dovuto finire il lavoro con le baionette, con l'arma dei prodi, come la chiama l'Imperatore. C'erano dei soldati che provavano persino piacere in quello che facevano. Cosa avrei fatto io al posto lo-

ro? Avrei ucciso, è chiaro. Prima con ripugnanza, poi con
naturalezza, quasi. Benedico il fatto di essere soltanto un
ufficiale pagatore. Eppure, se lo volete sapere, mi sono
vergognato di essere francese.

Se è per quello, io che non ero a Giaffa mi vergogno
tutti i giorni di essere uomo.


*Giovedí 20.*

I giochi alle carte languivano, e N. ha sfidato i presenti in una sorta di gioco della memoria. Si trattava di ricordare eventi, persone, fatti remoti, che non abbiamo necessità di fissare nel ricordo. Ricordava per esempio la contessa Bertrand il nome di tutti i suoi servitori in Illiria,
compresi gli staffieri? La contessa ha rovesciato la bella
gola in un breve gorgheggio e, accettando la sfida, ha tirato a indovinare qualche nome, ma si è presto arresa, ridendo. Allora Egli ha detto che ricordava benissimo i nomi di tutte le mezze brigate che avevano partecipato alla
campagna d'Egitto, e li ha snocciolati come se le avesse
appena passate in rassegna. La contessa ha sgranato gli occhi, e ha guardato il consorte generale con finta meraviglia (lui ha alzato le spalle con noncuranza).

– Madame, io sono l'amante che si ricorda delle sue antiche innamorate, – le ha detto N. con una galanteria
ostentata.

La felicità coniugale del suo generale gli provoca una
sorta di invidia maligna: si diverte a provocarlo con sospetti, ironie, allusioni a trame d'alcova oscure e un po'
grottesche. Lascia intendere che non c'è donna fedele che
possa dirsi al riparo dalle tentazioni. Ma intanto aveva già
ripreso l'abituale serietà del tono sentenzioso, ad uso dei
futuri storici:

– Una testa senza memoria è una fortezza senza guarnigione. La mia memoria è forte, anzi invincibile, perché

partecipa degli affetti del cuore, e conserva un ricordo fedelissimo di ciò che gli è stato caro.

Continuava a fissare la contessa. Il generale si è innervosito.

Quando si gioca alle carte, l'Imperatore vuole vincere, e se la sorte non gli è amica, bara spudoratamente. Tutti lo sanno, e Lui sa benissimo che gli altri sanno, ma gode proprio di quello. Il denaro vinto – cifre modeste, peraltro – viene regalato ad Alí o al giovane Marchand. L'unica che si ribella è Madame Mère.

– Napolione, – dice irritata con quella sua voce di gatto, – voglio indietro il mio denaro!

– Eh! Madame! Siete molto piú ricca di me! – la canzona il figlio, e si tiene il denaro.

Ho sognato che N. indirizzava le sue galanterie alla Baronessa, nel salone dei Mulini; che lei le gradiva, baciandolo davanti a tutti, offrendosi, sfidandolo a possederla pubblicamente.

L'angoscia – il presentimento? – mi accompagnano tutto il giorno.

È arrivato da Parigi un opuscoletto satirico di otto pagine in cui si irride il nuovo ordinamento che N. ha dato all'isola. Vi si dice che il Sovrano ha diviso l'isola in sei prefetture e dodici sottoprefetture, creato ministeri, nominato un senato, un grande ammiraglio, un grande elemosiniere, un gran maresciallo, un gran ciambellano, un grande scudiere, un gran cacciatore, un gran cerimoniere, un grande intendente generale della Corona, e una nuova Legion d'Onore (con il solo vincolo che le prime distinzioni non potranno superare i 6000 membri). Infine Napoleone ha creato un'alta corte e un esercito di seimila uomini: per una popolazione di dodicimila abitanti.

In città circola un'altra caricatura inglese: vi si vede l'Imperatore che, in mancanza di soldati, arruola dei ton-

ni per il suo piccolo esercito elbano. Quattro o cinque tonni, tondi e goffi, se ne stanno all'impiedi sulla coda, pronti per essere passati in rassegna, con bicorno e fucile.

I giornali borbonici paragonano N. al «re di Haiti che
regna sulle scimmie e sui negri», lo descrivono in atto di cibarsi della carne dei suoi sudditi, lo definiscono «un povero essere malato e imputridito», «il parvenu di Ajaccio».
Gira anche una vignetta in cui è rappresentato come un vecchio Robinson freddoloso, gibbuto, con un berretto di pelo in testa e un'aquila rachitica posata sulla spalla come un
pappagallo; sullo sfondo un sole sfacciato che tramonta.

Giornali e vignette non hanno circolazione clandesti-
na. All'inizio temevamo le ire dell'I. Un negoziante di Livorno ha mandato a Vincenzo Foresi delle caricature na-
scoste nelle balle della mercanzia: per prudenza o forse per
provocazione, sapendolo devoto al Grande. Foresi, turbato, le ha distrutte, e sospeso ogni rapporto con il livor-
nese. N. ha saputo il fatto, ma non se ne è commosso.
Adesso dalla Francia gli mandano direttamente giornali e
vignette, lui sfoglia, leggiucchia; talvolta ci ride sopra, ne
scherza con sua madre:

– Accorrete di grazia, signora! Eccovi il selvaggio, l'uomo tigre, il divoratore del genere umano! Contemplate il
mostro uscito dalle vostre viscere.

Madame non ride. Le sue labbra si increspano in una
smorfia di schifo.

Ho avuto l'ordine di schedare i materiali e archiviarli.

Strano a dirsi, le caricature non mi fanno piacere, quasi mi offendono. Sono mediocri, banali. Ci vuol altro che
qualche disegno umoristico, per l'Orco. Ci vuole l'orrore.

*Lunedí 24.*

È arrivata la Baronessa. Si è fatta sbarcare nel cuore
della notte a San Giovanni, e di lí una carrozza l'ha portata in città. Questo è corso a dirmi Defendente, con la

faccia chiusa e dura di quando annuncia un'invasione di
cavallette, un incendio per siccità.

– Quale carrozza? – ho chiesto.

Con la mano ha fatto un cenno verso i Mulini. Poi, perché non ci fossero dubbi, ha puntato l'indice contro il cielo, come a dire che c'era di mezzo il Supremo, l'Altissimo.
L'Imperatore.

Ha viaggiato con uno sciabecco che trasportava grani
da Civitavecchia. A Longone dicono che è venuta a portare un messaggio di Murat: una proposta d'alleanza, una
richiesta di perdono, notizie segrete o tutt'e tre le cose.
Messaggio o no, poteva forse ignorare l'apparizione della
cometa napoleonica nei cieli dell'Elba?

Stanotte l'ho sognata che galoppava a fianco di Murat
e caricava a sciabola sguainata.

Quale coppia mirabile avrebbe formato con quel fagia-
no di monte: riccioluto, lustro e impennacchiato come un
domatore di circo.

Alí mi ha detto che a Parigi lo chiamavano Re Franco-
ni, famoso ammaestratore di cavalli, veneziano.

Per il resto del giorno silenzio, attesa.

C'è una sola via che le carrozze percorrono per scendere dalla Villa dei Mulini e uscire di città. A un angolo
di quella mi sono appostato tutta la notte, avvolto nel tabarro, scansando le ronde e i conoscenti, gli ufficiali, i granatieri che rientravano, gli osti che chiudevano bottega.
Lentamente, le parole e i gridi si sono spenti.

L'oscurità era pungente di odori – pesce, olio, verdura
marcia, l'acido degli escrementi. Le poche luci pubbliche
tremavano di stanchezza.

Verso le due è uscita la luna, Piazza d'Armi si è imbian-
cata come di calce. In lontananza ragliavano degli asini.

Poco prima dell'alba ho sentito arrivare i primi carriaggi

dei contadini. Poi dall'alto è piovuto sempre piú forte il rotolio della carrozza. Mi sono tappato le orecchie per non sentirlo. Quando la carrozza mi è sfrecciata davanti, per un lunghissimo attimo ho colto a volo nel vano del finestrino la sua mano in atto di aggiustare la tesa del cappello. Non altro.

La carrozza ha svoltato bruscamente verso la Porta di Terra sprizzando scintille sul selciato.

Il pomeriggio mi sono deciso a prendere il cavallo e l'ho raggiunta a Longone. Era in giardino, sotto un leccio, e leggeva un libro. Mi ha guardato smontare e legare le briglie come si guarda un figlio compiere gesti insensati senza che si possa far nulla per evitarli. Quando le sono arrivato accanto ha alzato il viso e chiuso gli occhi. Sembrava pronta ad accettare i comportamenti piú assurdi, ma quella calma rassegnata diceva: non capisco come voi non possiate capire. Ha detto:

– Ve lo dico tenerissimamente: questa notte...

L'ho fermata:

– Non ho titoli per impedirvi di elargire a chi volete la vostra carità, ma vi prego di risparmiarmi la vostra tenerezza. La carità a un brigante, a un uomo che ha disfatto milioni di suoi simili. Per niente, per finire qui!

Mi sentivo ridicolo. L'ho afferrata per le spalle, la scuotevo. Gridavo:

– Forse perché adesso è un vinto? Perché vi fa pena? Perché precipita anche lui verso il Nulla? Perché eccita la vostra disgustosa pietà?

Le ho strappato il libro dalle mani, glielo agitavo sul volto:

– A cosa vi servono i libri? Che cosa avete imparato dai libri? A fare la carità a un cinghiale, a un ladro di viti, a un caporale assassino? Avete almeno rimproverato anche a lui la troppa pietà che ha per se stesso? Glielo avete chiesto? A me sí e a lui no?

Continuava a tenere il mento sollevato e gli occhi chiusi. Ha detto con voce ferma:

– Nemmeno voi avete imparato molto dai libri, Martino. È stato come accogliere in grembo uno dei milioni di soldati che Lui ha ucciso. Ho fatto la carità a un ignoto. A un uomo.

L'ho schiaffeggiata con tutta la forza che avevo.

Sono accorsi dei servi con zappe e rastrelli. Allora ho sollevato una seggiola in ferro del giardino e l'ho scagliata contro di loro. Sono arretrati mugolando. Hanno guardato la padrona. La sua immobilità li ha fermati.

Salendo a cavallo ho rubato un'ultima immagine di lei. Teneva le mani abbandonate in grembo e il viso levato, come in attesa di altre percosse. Ma non c'era in lei la voluttà del martirio, come in tanti equivoci ritratti di sante. C'era una sorta di pietà per il genere umano, e forse anche per me.

*Domenica 30.*

Ho mandato a Drouot un biglietto in cui gli annunciavo una febbre che mi teneva a letto. Il giorno dopo ho ricevuto la visita di Monsieur Pourgon. Sono stato auscultato e palpato coscienziosamente. Ha prescritto purghe, tisane, e sei grani di china «per debellare la febbre».

Sono tornato alla biblioteca solo oggi. Tutta la palazzina e gli stessi libri mi hanno dato un brivido d'estraneità; solo in giardino sono riuscito a respirare. Per fortuna N. era a Campo, e il signor Rathéry è guarito. Cerco di assentarmi dalla biblioteca e dai Mulini con ogni scusa; sono riuscito a farmi mandare a Livorno per trattare con Bartolucci, che non manda i libri richiesti, e invece ne manda di scadenti per sua iniziativa.

*Lunedí 31.*

Da Napoli è finalmente arrivata Paolina, a bordo dell'*Inconstant*, e con la scorta di una fregata napoletana per proteggerla dai barbareschi. È arrivata con un seguito di dame e servette, carrozza e cavalli, un numero incalcolabile di bauli. N. e Madame Mère l'hanno accolta sul molo della darsena, i *grognards* hanno presentato le armi, i tamburi rullato e i cannoni dello Stella sparato salve principesche. L'orchestrina della Guardia ha suonato la *Marsigliese*. Invitata a salire sul calesse dell'imperial fratello, la principessa ha graziosamente rifiutato, preferendo la carrozza che ha portato con sé. E poiché le operazioni di sbarco sono state piuttosto lunghe, ha ingannato l'attesa distribuendo bonbon ai bambini. N. si è spazientito.

Ai Mulini si è installata negli appartamenti del primo piano preparati per Maria Luisa. Si è ritirata nelle sue stanze per smaltire le fatiche del viaggio, e ne è uscita dopo tre giorni; sua madre fa meno storie. Gli impiegati della *Maison* imperiale dicono che contribuirà a migliorare l'umore dell'Augusto, e a placarne le irritazioni, assai frequenti di questi tempi. I *grognards* la trattano come una di famiglia, la chiamano «notre princesse», «Paule», «Paulette»; fanno a gara per servirla.

Ha trascorso l'estate alla corte dei Murat; per curare la salute, ufficialmente; per seguire qualche amante, per qualche intrigo diplomatico, penso io, anche se mi riesce difficile immaginarla nelle vesti dell'ambasciatore.

Novembre


*Sabato 5.*

A Livorno. Ho finito per litigare con Bertolucci, come se i libri mediocri che aveva mandato fossero una questione di vita o di morte. Uso a conoscermi per uomo mite, non si capacitava. Ha detto a parte a un suo commesso che dovevo avere i vermi nel cervello.

Ho odiato la città, il porto, le taverne. Le vie sono larghe e diritte, ma il mare intorno è triste, paludoso. Sono quasi venuto alle mani con una megera pubblica che mi tirava per il tabarro.

Pioggia e nebbia; due notti d'incubo in una locanda infestata dalle cimici. A Livorno, come a Pisa, non c'è nemmeno l'opera. Avrei avuto bisogno delle facili emozioni del melodramma per poterci almeno piangere sopra.

«Credi a me, figliolo, di felici al mondo non sono che il vero credente e il vero studioso».

Cosí una volta l'abate Lorenzi, e non so perché le sue parole mi tornano in mente adesso. Ma qual è la mia parte in commedia?

Fastidio e rabbia: per me stesso.


*Martedí 8.*

Torno con disgusto ai Mulini. Se N. avesse goduto la Baronessa alle Tuileries, a Napoli, a Genova, su una nave, in qualsiasi altro angolo del continente che i miei occhi non hanno mai visto, la sofferenza sarebbe minore. Per nostra fortuna l'immaginazione ha dei limiti, e annaspa, quando deve mettere in scena le sue tristi rappresentazioni in uno scenario che non le è familiare. Ma qui, nella camera da letto contigua alla biblioteca in cui lavoro, nella mia città: nulla è risparmiato alle mie notti. Qui posso ricostruire mille volte la stessa scena arricchendola ogni volta di nuovi dettagli, e a ogni dettaglio che si aggiunge la sofferenza diventa delirio.

I luoghi cari mi appaiono insozzati, come accade a una casa violata dai ladri. La violazione lascia sugli oggetti la traccia repellente dell'altro. Mi pare che nulla di bello avverrà mai che possa risarcire l'affronto.

L'intera città adesso mi sembra sporca come può esserlo una donna pubblica dopo gli atti del suo commercio. Mi riesce penoso vedermi tra le sue mura, cammino lo sguardo a terra, ma ad ogni escremento d'asino o di cane, a ogni rivolo di piscio, o ciuffo di verdure imputridite mi si rivoltano le viscere. Le ordinanze imperiali sulla nettezza delle strade non ci hanno mutati. Solo il freddo dell'inverno rende meno disgustoso il letamaio cui ci siamo adattati.

*Giovedí 10.*

N. entra all'improvviso in biblioteca. Ero accanto alla finestra e stavo cercando nelle *Massime generali* di Chamfort qualcosa con cui alimentare il mio umor nero. Si fa consegnare il volume con l'aria del precettore intransigente. Lo sfoglia, gli cade l'occhio su un aforisma, legge ad alta voce, con impostazione teatrale: – «Si dice che in politica i saggi non fanno conquiste. Si può dire la stessa cosa della galanteria». Senti senti! «I favori delle donne vengono messi all'asta, ma a vincere non sono mai il sentimento o il merito».

Chiude il libro: – Sono cose come queste che volete sentirvi dire? Non sapete che Monsieur Chamfort è un cinico che spreca inutilmente il suo spirito corrosivo?

Sospiro. Lui insiste:

– Visto che sembrate stimarlo, vi faccio dono d'un suo pensiero che contiene una verità su cui riflettere. Dice: «Togliete l'amor proprio all'amore, resta ben poco».

Avvampo, come mi avesse denudato con un gesto fulmineo dei suoi.

La mia sorpresa lo soddisfa. Cava un pezzetto di liquerizia da una delle sue scatolette e se lo mette in bocca. Succhia con ostentato piacere. Mi guarda:

– Che avete? Sembrate un annegato.

Non attende la risposta. Chiede un'annata del «Moniteur». Fa cenno che vuol essere lasciato solo.

Mi ripugna guardarlo in faccia, e non voglio che lui osservi la mia. Mi muovo in modo da stare alle sue spalle. Spio la sua nuca, come per scoprirvi le tracce lasciate dalle mani della Baronessa. Vorrei abbatterlo con un solo colpo di taglio, come un coniglio, e poi scuoiarlo con le mie mani, sventrarlo, gettare le interiora ai cani. Spedire la verga imperiale a Napoli.

*Venerdí 11.*

Ho visto la principessa in giardino, avvolta nei suoi pepli di fanciulla stravagante, perché l'aria è ancora mite. Ha già una certa età, diciamo trentacinque anni; occhi a mandorla, a volte vivaci e irridenti come scoiattoli, a volte teneri e malinconici, per qualche improvviso turbamento. Il naso è lungo e sottile, la bocca piccola, stretta, come aggiunta tardivamente; piuttosto robusto il collo, orecchie troppo larghe, mani piccole. Guarda uomini e cose con la cupidigia dei bambini, ma si distrae facilmente. Nell'insieme, mi ha fatto l'impressione di una scimmietta; ma ammetto di essere prevenuto.

Piú seducenti di lei mi paiono le dame di compagnia
che ha portato con sé. La maestosa signora Colombani,
corsa, con il suo aspetto di Pallade Atena, chioma rossa e
pelle d'alabastro, una chiostra di denti inesorabile come
una tagliola, sembra il calco in gesso di se stessa. La signora Bellino, una spagnola spiritata dai capelli corvini,
moglie di un ufficiale polacco, il barone Skupieski, che le
è piú devoto di un cane, mette tutta la sua voluttà di piacere nelle danze di fandango con cui ammalia gli astanti:
sembra che per lei la vita sia una parentesi stucchevole tra
un'esibizione e l'altra. N. non l'apprezza, immagino perché spagnola; in compenso Ferrante ne è rimasto folgorato, e fa di tutto per non mancare alle serate dei Mulini.
Per sua sfortuna, la signora non ha occhi che per l'I. Infine c'è la giovane contessa di Molo, di una mollezza equi-
voca, farinosa: cerca di ostentare con N. una speciale intimità. Ha lasciato intendere a Marchand di conoscere bene
le Tuileries, rilasciando accurate descrizioni degli appartamenti.

Il dottor Fourreau, al solito galante e prevedibile, le chiama «le tre grazie»: non sa a chi dare la palma in cuor suo.


*Lunedí 14.*

È vero quel che sperava la corte: con Paolina l'umore
dell'Imperatore si è rasserenato, anche se di quando in
quando si diverte a farle piccoli dispetti, a criticare le sue
*mises.*

– Ah, signora, vi siete vestita da vittima, – le ha detto
l'altra sera quando è comparsa con l'abito bianco delle dame che andavano alla ghigliottina sotto il Terrore. N. non
ama nemmeno il nero del *domino*, e l'ha cacciata da un ballo davanti a tutti. È singolare che il Guerriero s'impicci di
toelette femminili. Adesso tutti sanno che predilige i colori pastello e in particolare il rosa.

Paolina non si offende. Sospira, sorride. Si è già but-
tata a organizzare feste campestri, balli mascherati, con-
certini. Il fratello ha prontamente regolato ogni dettaglio:
duecento invitati, invito per le nove, rinfreschi senza ge-
lati vista la difficoltà di avere ghiaccio qui, buffet a mezzanotte, spesa di non piú di mille franchi a ballo.

*Martedí 15.*

La domenica Paolina accusa emicranie, spossatezza: è
l'unica a disertare le sacre cerimonie che si tengono al piano terreno. Al caffè del Buon Gusto un caporale ha fatto
l'imitazione di Monsieur Pourgon che la visita accurata-
mente, cacciandole la testa tra le gambe, e si rialza pro-
clamando trionfalmente che la principessa soffre di «stato costante di eccitazione dell'organo uterino».
Di certo la principessa Borghese si comporta come certe fanciulle inquiete che hanno bisogno di un saldo mani-
co maritale. Ride per nulla, fra trilli e gorgheggi. Però v'è
chi la difende: è l'unica della famiglia venuta fin qui ad al-
leviare le pene del fratello, non come gli altri ingrati. Dicono che è generosa, niente affatto sciocca. Semplicemente
ama la vita.
Per un istante ho desiderato di essere capace di sedur-
la; cioè di vendicarmi su di lei. Idee di sevizie grottesche,
oltraggiose. Sono troppo vecchio, non posso competere
con i Priapi che convengono alle feste dei Mulini. Canova ha avuto il coraggio di rappresentarla come una Vene-
re adolescente che esce guardinga dal bagno. Si è molto
parlato delle possibili emozioni dello scultore di fronte alle nudità della principessa. Pare che lei stessa abbia riso
dell'impassibilità di lui, che l'abbia chiamato vecchio cappone.

*Giovedí 17.*

Paolina si muove accompagnata da un corteggio di cantanti e di attori che non si stanca di lodare e incoraggiare. Vuole recitare lei stessa: si è assegnata il ruolo principale per *Les Folies amoureuses* e per *Les Fausses infidelités*: due titoli che la raffigurano compiutamente.

I capricci di Paolina hanno la perentoria naturalezza di quelli infantili; tuttavia, se non comportano esborsi di denaro, l'imperiale fratello non solo li tollera, ma ne pare divertito. Paolina è capace di danzare senza stancarsi tutta una notte, ma se deve salire al primo piano della palazzina dei Mulini – trenta gradini, non di piú – sembra che le gambe non la reggano. Si lascia cadere su un grosso cuscino rosso, tra languidi miagolii e proteste di stanchezze, e si fa trascinar su da Alí e da qualche valletto. Non è affar semplice, perché la scala è piuttosto stretta, e lei non è magra come i suoi *chemisier* vorrebbero far intendere. Posso dirlo perché tra i portatori un pomeriggio sono stato arruolato anch'io, e a un certo punto – per un inciampo collettivo – l'ho dovuta afferrare come fosse un agnello. La carne è soda; il seno piccolo ma ancora ben rilevato.

Paolina prodiga e avara, dicono i servitori. Ci sono giorni che non passa ai domestici nemmeno una tazza di caffè, che nasconde le zuccheriere, che fa mettere sotto chiave i dolci. Paolina canora. In una famiglia di stonati, ha una voce piacevole, discretamente impostata. Ha preso lezioni dal Blangini. Una sera ha gorgheggiato delle arie di Rosina nel *Barbiere di Siviglia* del Paisiello, suscitando ovazioni.

Paolina fa rappresentare commedie alla moda. A me gli attori sembrano mediocri, ma tutti li trovano incantevoli. Madame Mère naturalmente non si fa vedere. Senza muoversi da casa Vantini, sente addensarsi le nuvole all'orizzonte, annusa la bufera.

Paolina ha un vero talento nell'imitare le persone. Una sera che il cerchio era ristretto, e i generali se ne erano già andati, ha fatto l'imitazione del contegnoso Drouot, dei gesti pudichi con cui si sottrae agli inviti, ai piaceri, alle feste; e dell'accigliato Bertrand che gira gli occhi a cercare la moglie. Ha imitato anche il dottore, Monsieur Pourgon, in atto di maneggiare i suoi strumenti.

I camerieri dicono che alle Tuileries l'hanno sorpresa che faceva le smorfie dietro l'Imperatrice.

*Venerdí 18.*

Con lei, le serate ai Mulini hanno subito preso una vivacità frenetica, un poco leziosa, che incanta gli alti ufficiali. Non le dame del *cercle*, mortificate dallo charme della principessa, che ha calamitato tutte le attenzioni maschili. Madame Bertrand, che già frequentava poco la villa, s'è assentata del tutto, e il marito ne ha approfittato per diradare le proprie apparizioni. Drouot è rimasto inalterabilmente sereno e compito. I maligni dicono che non sia insensibile al fascino di Paolina; in realtà non ha occhi che per la sua Enrichetta, ma non me ne stupirei: accade che il rigore sia attratto dalla frivolezza.

«Angelo consolatore»: il dottore, che ha il genio della banalità, ha avuto una definizione anche per Paolina.

Eppure quella donna frivola distrae anche me, rende meno tetre le mie giornate. Mi fa persino piacere che sia qui, e mi scappa detto con Ferrante, che sogghigna:

– Vedo che a furia di frequentarlo, ti stai mettendo sullo stesso piano dell'Imperatore. Sarà che frequentate le stesse compagnie.

Per scendere in città, Paolina preferisce la portantina alla carrozza. La nostra famiglia ha messo a disposizione della Casa imperiale quella che nostro padre – molti anni

fa – aveva acquistato per nostra madre: non per esibizione d'agiatezza, ma perché lei camminava con difficoltà, a
causa di strani dolori alle gambe che i medici non sapevano spiegare. I vecchi servi di casa s'erano dovuti sotto-
mettere a quel nuovo giogo, fatto delle grosse corregge di
cuoio che si passavano sulle spalle. Per loro fortuna mia
madre pesava poco.

Le prime volte li accompagnavo per qualche tratto, perché non sapevo bene chi dei tre fosse piú bisognoso di soccorso. Il momento piú pericoloso era la discesa iniziale verso il porto. Bartolomeo, davanti, frenava ringhiando con
i suoi grossi polpacci di mulo che non riconosce il sentiero; Felice, dietro, non riusciva a trovare il passo e gonfia-
va le spalle e supplicava di far piano, e soffiava preghiere
e bestemmie dai buchi dei denti, appellandosi a san Cerbone per il quale aveva una speciale devozione. Il trabic-
colo prendeva un'aria sussultoria, oscillante. Osservando
quei tre vecchi ruzzolare verso il basso, a sobbalzi, a scos-
soni, mi dicevo che in fondo era quella un'allegoria della
vita sufficientemente fedele: una portantina per sentieri
malfidi, risucchiata da una forza oscura, forse non malevola, ma opaca. Chiunque ne sarebbe rimasto sgomento.
Non mia madre.

Mia madre, dentro, salutava, rideva. Non le importa-
va di quel nuovo status di un'agiatezza che sconfinava con
la nobiltà. Tornava bambina, ai suoi primi viaggi a dorso
d'asino per la campagna, tra le ginestre, i lentischi e i ciuffi di timo selvaggio; alla prima ascesa al Volterraio, al Santuario del Monserrato, al pellegrinaggio alla Madonna del
Monte, che c'erano voluti tre giorni. Quando arrivava al
porto, le sembrava d'esser giunta a Napoli, che dico, ad
Algeri, a Cipro. Si guardava intorno come se scoprisse in
quell'istante le meraviglie di un mondo portentoso, gli in-
cantesimi dell'Oriente: con quella loro aria a mezzo tra la
piú evanescente delle magie e il piú turpe dei commerci.

Ferrante ha abbandonato la pistola sul tavolo dello studio, di traverso. Non gli capita mai, ignoro quale fretta l'abbia chiamato altrove.

Mi fermo a considerarla, a scrutarne gli intarsi, i meccanismi, come se fosse la prima arma che vedo in vita mia. La trovo bella, vagamente oscena, scomposta com'è: una meretrice di lusso in attesa di cliente. Non oso toccarla, ma la desidero.


*Sabato 19.*

Serata di noia. N. quasi aggredisce Campbell. Gli chiede che età può avere il mondo, e come finirà, se per acqua o per fuoco. Campbell lo guarda sbalordito. N. si guarda intorno ironico: – Non ci sono scienziati, qui?

Allora il colonnello azzarda: – Per fuoco, Sire. Almeno cosí ritiene la nostra Royal Society.

Si discute se i pianeti siano abitati. Tutti concordano che ci dev'essere abbondanza di vita, in un cosí grande universo. N. approva.

– La Terra non gli basta, – commenta Pons. Ma lo dice in senso ammirativo.


Drouot ha mandato i soldati a Capoliveri perché i paesani si erano rifiutati di pagare le tasse. Sono teste dure, hanno accolto a bastonate gli esattori e quelli sono scappati prima che succedesse il peggio. Allora il generale ha spedito centoventi uomini del Battaglione Cacciatori, ognuno con tre pacchetti di cartucce, piú dieci cavalleggeri, piú venti gendarmi e gli uomini di Jermanowski che verranno da Longone. Ordine di arrestare i cinque capi della rivolta e far pagare i notabili per primi, fino all'ultimo soldo.

Alla vista degli armigeri quelli di Capoliveri hanno ceduto. I Francesi hanno bastonato gli uomini rimasti nelle case, fracassato botti, razziato polli.

La notizia ha creato malumore in città, dove pure quelli di Capoliveri non sono amati. Dicono che i Francesi non cambiano, sono rimasti i beccai del '99.

La natura mi ha dotato di un orecchio finissimo, che ha fatto l'ammirazione di parenti e concittadini. Sin da bambino sono stato sottoposto a prove che ho superato destando sorpresa e ilarità. Questo mi ha creato attorno come un'aura di rispetto, ma ha anche contribuito ad isolarmi. Temevano che volessi intrufolarmi nei loro affari, nei loro segreti; non hanno mai saputo che le loro vite mediocri mi disgustano, e riterrei mortificante dovermi occupare di loro.

Adesso questo dono negletto mi torna utile. Con l'acutezza dell'udito m'ingegno a penetrare nell'intimità del Grande con un preciso intendimento. Cerco di abbassare il mio nemico, di svilirlo alla piú bassa materialità, di insudiciarlo con i suoi stessi escrementi; e insieme a lui la Baronessa. Provo la voluttà delle spie, che vivono non visti gli aspetti piú imbarazzanti delle vite altrui.

Da qualche giorno mi sono messo a contabilizzare i suoi movimenti verso le latrine, siano esse quelle dei Mulini o quelle naturali, *en plein air*. Ausculto le flatulenze del suo intestino, i ridicoli crepitii del suo sfintere, che come ogni sfintere ha voce di buffone. Quando mi pare di coglierli, sogghigno di piacere. Eccolo, mi dico, il Signore dell'Universo: un povero cacastecchi come tanti. Come tutti.

I rituali della profanazione hanno il potere di appagare il cuore di chi odia molto piú dei sentimenti elevati. Godo quando lo vedo inoltrarsi in un bosco per i suoi bisogni. Ho imparato a riconoscere la lentezza delle sue evacuazioni. Ho esultato nell'apprendere da Alí delle sue crisi di emorroidi. Soffri, porco, gli dico, almeno questo non ti sia risparmiato.

A tanto conduce il livore impotente, ad abbassarti oltre il piú infimo livello dei tuoi nemici. Da quando ho fatto questa scoperta, provo disprezzo per me medesimo; e tuttavia non so rinunciare ai miei infami appostamenti.

Un pomeriggio che salivamo verso Marciana è sceso da cavallo per urinare (in questo è regolare come un orologio: le undici, le tre, le sei, le otto, le nove...) Sarà rimasto cinque minuti contro un castagno, scuoteva il mànfano con gesti stizziti ma già rassegnati. Malgrado la distanza potevo vedere in controluce le poche gocce che scendevano con riluttanza, quasi le potevo contare. Alla fine ha appoggiato la testa contro la corteccia, in un gesto d'infinita stanchezza, prossimo alla resa, all'abbandono. Ho scoperto con sgomento che erano i miei stessi gesti, lo stesso accorato stupore per il corpo che non ti serve piú.

Basta una minzione difficile, e l'Orco diventa un fratello di pena, di vecchiezza.


*Domenica 20.*

La notte è già scesa, le candele sono alla fine. I ceppi nei camini non danno calore. Arriva sino a me lo scoppio d'indignazione di N. alla presenza del generale Bertrand, nello studiolo. Inveisce contro il suocero Asburgo, che non solo trattiene prigionieri sua moglie e suo figlio, contro ogni legge umana e divina, ma intercetta persino le loro lettere. Grida:

– Quattro volte ho rimesso sul trono questo infingardo! A Leben nel '97, a Luneville nel 1801, a Presburgo nel 1806, a Vienna nel 1809. La ricompensa è questa! La piú meschina delle vendette! Peggio di un ricatto! Ma la colpa è stata mia, che ho voluto cercare l'alleanza con i vecchi troni decrepiti! Avrei dovuto spazzarli, cancellarli! E cosí adesso sarà l'Europa, sarà il mondo a pagare il prezzo della loro pochezza!

La voce di N. è arrochita dal catarro, ma il timbro è

cambiato: non la voce asseverativa delle circostanze ufficiali, ma quella strozzata della rabbia.

Silenzio di Bertrand di fronte alla nuova afflizione che
rende piú triste l'inverno elbano. A Madame Bertrand non
dirà nulla, ne sono sicuro. Per illudersi di non essere al-
l'Elba Madame non esce piú di casa. Si è fatta mandare i
suoi mobili, e preferisce quelli alla compagnia di chiunque.

*Lunedí 21.*

Ho cercato l'Orco persino in Pascal. Laddove egli scrive che il male si trova in abbondanza, mentre il bene invece è quasi unico. Esiste tuttavia un certo genere di male cosí speciale che finisce per essere raro quanto il bene,
e a suo modo richiede una straordinaria grandezza d'animo. Mi pare di capire che per Pascal la vera malvagità
dev'essere grande, quindi rara; e che, per essere umana,
dev'essere grande: con il che si possono giustificare i mag-
giori delitti, purché pensati con ampiezza di visione. Non
è la giustificazione che ogni tiranno attende?

Ci sono altre cose interessanti in Pascal. Come quando
osserva che «la nostra natura sta nel movimento; il riposo
completo significa morte». Corollario: «Quando un soldato si lamenta delle fatiche che deve sopportare, o un la-
voratore ecc., metteteli a non far niente».

Ancora: l'assenza di passioni, lo stato di quiete ci fanno avvertire piú acutamente il nostro nulla; tale consapevolezza genera tristezza, affanno e disperazione. Questo
è verissimo. L'Elba per N. è tutt'altro che l'isola del riposo, come egli va ripetendo agli Inglesi: è l'isola del tormento. Figlio del suo tempo, N. ha sacrificato come nessun altro all'illusione del movimento. Tanto moto, tanta
gioia: questo lo dice anche quel bello spirito del reveren-
do Sterne. Il gran correre, aggrappandosi alla superficie
delle cose, è certamente un fuggire da qualche cosa. Da

che cosa? Ecco l'enigma del quale N. non confesserà mai la soluzione. Ma lo stesso gran correre che ci distrae, e ci impedisce di pensare alla nostra condizione, ci fa arrivare inavvertitamente alla morte.

Ancora Pascal: «La forza è la regina del mondo, non già l'opinione. – Ma l'opinione fa uso della forza. – È la forza che costituisce l'opinione».


*Martedí 22.*

Ogni notte lo strazio diventa disgusto di me: è quello che provano gli sconfitti, i quali vorrebbero punirsi d'aver perduto: l'amata, la battaglia, i loro beni. È un rovello che incrina il sonno, ed esplode liberamente, come un incendio sotto la frusta del vento. Ma l'altra notte, un pensiero: piú che amore di lei, è amore dello scrivere su di lei. Il piacere della scrittura piú forte del piacere-dispiacere di lei? La scrittura come medicamento. La scrittura come unica felicità possibile. Il dubbio mi dà sollievo.

Altri pensieri dall'ombra. Penso che la vera nostalgia, quella che davvero uccide, è una forza demonica che squassa non il mondo dei ricordi, rassicuranti perché inalterabili, ma il futuro che non ti sarà dato: i viaggi che non farai, gli incontri che non avrai, le cose che non vedrai con gli occhi dell'amata, e non t'interessa vedere con i tuoi. È allora che la nostalgia del futuro impossibile diventa pianto di coniglio, raglio d'asino alla luna.


*Mercoledí 23.*

Abboccamenti di Ferrante con il conte milanese Antonio Litta, ufficiale del Genio topografico, fratello del piú illustre Pompeo. Ha capelli biondo cenere, volto rotondo, cordiale; baffetti vibranti. Tratta Ferrante, ch'era in corrispondenza con lui, con fraternità esagerata, come se avessero condiviso chissà quali emozioni e pericoli. Dei patrioti italiani pare il piú acceso; ma a me sembra di quelli che scambiano per realtà i propri innamoramenti: difatti parla di N. come una gran dama alla cui seduzione non si può resistere. Il guaio è che non nasconde i suoi entusiasmi ad alcuno, e che si abbandona a confidenze con persone di dubbia discrezione.

A sentire Litta, in Italia il malcontento è generale: il Milanese, il Piemonte, gli stati di Genova, Modena, Venezia, parte della Toscana e tutta la Romagna, «eccezion fatta per qualche prete e gli uomini sessagenari», sono pronti ad accorrere sotto le bandiere di Sua Maestà. Esiste un piano che prevede uno sbarco delle truppe elbane a Viareggio, dove troverebbero ad attenderli Lucchesi e Genovesi; e intanto i Napoletani di Gioacchino muoverebbero da sud a chiudere la tenaglia. Tutto questo con il beneplacito degli Inglesi. Hanno anche preparato uno schema di costituzione:

N. Imperatore dei Romani e Re d'Italia, con una lista civile di venti milioni di lire. Due Camere: i senatori eletti dall'Imperatore, i deputati dal popolo; Camere triennali, che si radunano a turno a Roma, Napoli e Milano. Stato circoscritto alla penisola, Elba inclusa; proibito ogni ampliamento. L'Imperatore risiede a Roma. Libertà di culto e di stampa; giudici inamovibili.

Non riesco a credere che N. si accontenterebbe del Regno d'Italia, per di piú sotto tutela inglese.

Litta s'è fatto ricevere piú volte ai Mulini, ma ha trovato freddezza. N. gli ha spiegato che gli Italiani non hanno un esercito abbastanza numeroso, né armi che bastino, né una vera piazzaforte in grado di opporsi agli Austriaci. Non possono far nulla senza la Francia. Se amano la loro patria, stiano tranquilli, e lascino fare alla Francia. Litta è ripartito quasi in lacrime; Ferrante l'ha confortato sino all'ultimo, l'ha addirittura scortato sulla nave che doveva portarlo a Genova. Si sono abbracciati come se dovessero andare incontro a un plotone d'esecuzione. – Quel che Dio vorrà!– s'è congedato il conte.

È troppo abile, N., per fidarsi di questi cospiratori dilettanti. Quando si è diffusa la notizia di una congiura scoperta proprio a Milano, ha vantato la propria prudenza con Càmbel, lo ha sfidato:

– Non troverete niente contro di me. Nulla che possa compromettermi.


*Giovedí 24.*


Ho scoperto che Paolina e Madame Mère si dilettano di indovine e chiromanti. Le due o tre megere che abbiamo in città – le ho sempre scansate con fastidio – adesso entrano nella casa di via Ferradini con piglio spavaldo. Alle serate del *cercle* c'è spesso qualcuno o qualcuna che propone di leggere le carte. La cartomanzia ha il potere di mettere d'accordo le dame. È l'unico momento in cui diventano assorte, pensose: sorelle che si preparano a fronteggiare un destino comune.

Corre voce che lo stesso N. si diletti di leggere le mani, e abbia profetizzato a un suo generale che un rivale gli avrebbe portato via l'amante e non sarebbe morto nel suo letto. Profezie abbastanza dozzinali, che rientrano anche troppo facilmente nel novero delle possibilità. Chi non ha perso un'amante? Chi, di questi tempi, si può permettere il lusso di morire nel proprio letto? Ma da quando le madame hanno saputo di queste inclinazioni di N., ho l'impressione che lo guardino con una considerazione speciale.

Parliamo di superstizioni con Alí, il quale, pur essendo giudizioso, è abbastanza incline a lasciarsene incantare. Ha ammesso che l'I. teme la rottura degli specchi, il che appare probabile, a giudicare dalla cautela con cui il suo

fido servitore maneggia gli oggetti della toeletta. E poi non
c'è grande giocatore che non sia superstizioso.

Alí aggiunge che N. considera fatale per lui la lettera
«M». Ci mettiamo a fare conti. Sei Marescialli: Masséna,
Marmont, Macdonald, Mortier, Moncey, Murat. Tre ministri, Maret, Mollien, Montalivet. Un ciambellano, Montesquieu. Un traditore, Moreau. Un nemico giurato, Metternich. Le sue vittorie si chiamano Marengo, Montenot-
te, Millesimo, Mondoví, Montmirail, Montereau. Milano
la prima capitale da lui occupata, poi Madrid, Mosca l'ultima. Adesso vive ai Mulini, ha una villa a San Martino,
la Madonna del Monte è vicino a Marciana. Maria Luisa
la cara moglie, Maria Walewska la cara amante. Marchand
il primo cameriere, Meneval il fido barone alle calcagna di
Maria Luisa. È arrivato all'Elba nel mese di Maggio.

Io, modestamente, mi chiamo Martino.

– «M» come morte, – concludo un po' teatralmente.

Alí mi guarda interdetto. È convinto che fin quando
ci sarà lui a vigilarlo, al suo Padrone non accadrà nulla di
male.


*Sabato 26.*

Pons ha detto a Ferrante d'aver visto con i suoi occhi
l'Imperatore baciare sua sorella sulla bocca, e d'avergli manifestato il suo stupore per tale comportamento.

N. gli avrebbe spiegato che si tratta di un costume corso. In Corsica i padri baciano a quel modo le figlie, senza
che nessuno se ne scandalizzi.

Che quell'Essere freddamente lubrico baci a quel modo sua sorella, e magari ci passi le notti, non mi sorprende. Che Pons arrivi a chiedergli spiegazioni, e che Lui glie-
le fornisca, mi sembra una delle sue tante insopportabili
millanterie.

Quel che è certo, a sentire camerieri e valletti, è che

Paulette gli sospinge nel letto le sue dame di compagnia;
e in effetti a me è parso d'aver colto l'altra sera uno sguardo d'intesa tra lui e la contessina di Molo. Le persone che
hanno avuto la ventura di dividere le stesse lenzuola, quando in società siedono una accanto all'altra hanno un modo specialissimo di tradirsi anche se ostentano indifferen-
za: proprio per un di piú di rigidezza, d'impaccio, per la
voglia di dimostrare la propria estraneità. Ma figurarsi poi
se N. si preoccupa della reputazione delle proprie occa-
sionali compagne di letto.

Come se non bastasse, Diamantina racconta con rac-
capriccio che sono almeno due le oneste fanciulle che N.
ha sedotto e poi fatto sposare ai suoi ufficiali.

Queste dicerie mi esasperano. Mi sembra che l'isola
non abbia testa che per l'imperiale *futuere*.


*Domenica 27.*

Uno sciabecco ha portato da Livorno una sedicente contessa francese che si chiama de Rohan-Mignac, stando al
passaporto. In capo a due giorni hanno cominciato a chia-
marla contessa di Gnic-e-Gnac.

È arrivata con un bambino di una dozzina d'anni, e una
carrozza dorata. Ha preso un appartamento che dà sulla
Piazza d'Armi, ha assunto un cocchiere, servi e cameriere, e comperato cavalli dal Maire. Piú vicina ai quaranta
che ai trenta, già segnata in viso: una peonia in via d'ap-
passimento. Sostiene d'essere stata dama d'onore di Giuseppina, e vanta certe promesse dell'Imperatore nei con-
fronti del bambino: che è grassoccio, farinoso, imbron-
ciato, con un gran ricciolo a cannolo che gli gira in fronte.
Quando cammina sfrega le cosce, il velluto dei pantalon-
cini produce un fruscio che ha qualcosa d'osceno.

La casa della contessa è diventata il ritrovo preferito
degli ufficiali francesi; sono comparsi anche Bertrand e

Drouot, cioè un Bertrand incuriosito che si tirava dietro
il riluttante Drouot. Tra gli assidui c'è anche il dottor
Fourreau. A sera le risate squillanti di lei, tutte di gola,
arrivano fino in piazza; le candele proiettano sugli alti sof-
fitti le ombre imponenti dei militari. In città malignano,
la dicono civetta, avventuriera, tenutaria di bordelli.

La contessa s'è fatta premura di rendere visita a Madame Mère e a Paolina, e ha chiesto udienza allo stesso
Imperatore, il quale l'ha accordata. I servi dei Mulini sostengono che per qualche notte N. l'ha onorata dei suoi
servizi; io stesso l'ho vista affacciarsi in giardino in una
mattina di vento, tenendo il cappello con due mani paf-
fute e cariche di anelli. Aveva con sé il bambino che si è
messo a cacciare lucertole.

Una sera di queste, invitata a cena, s'è portata dietro
il bambino – non invitato – che ha tuffato senza ritegno
le mani nei piatti dei dolci. Pare che N. si sia molto irritato e abbia dato ordine di non ammetterla piú a corte.

Pons disapprova queste leggerezze imperiali. Ha commentato:

– In mancanza di tordi, si mangiano merli.

E mi guardava, come a dire: il pover'uomo si accontenta di ben poco. Era chiaro che nel poco includeva anche la
Baronessa, che il signor Pons non ha mai apprezzato.


*Lunedí 28.*


Chiacchiere raccolte al caffè del Buon Gusto: N. diventerà presto Re d'Italia, con l'appoggio del Murat e dello Zar delle Russie; vuole andare negli Stati Uniti o in India, dove il suo genio potrebbe dare frutti eccellenti; lui
non ci vuole affatto andare ma ce lo manderanno; sta ar-
chitettando qualcosa di grandioso; ogni notte sta levato a
scrivere; si abbandona a spese pazze e il deficit del 1814
sarà almeno di due milioni di franchi. È tale la sua paura

d'esser vittima del pugnale di un sicario che una notte, risvegliatosi d'improvviso e scorto un mamelucco che accudiva una lampada, l'ha scambiato per un attentatore e l'ha freddato con un colpo di pistola.

Racconto la storia ad Alí, fingendo stupore:

– Siete ancora vivo, per grazia di Dio! L'avete scampata bella!

Lo scherzo lo diverte. Sgrana gli occhi. Dice:

– Son io, non Sua Maestà, che porto sotto il gilet la corazza d'acciaio! Ciò mi rende invincibile!

Adesso stranamente l'Uomo si degna di dedicarmi qualche minuto del suo tempo, ostenta condiscendenza. Mentre sistemo i nuovi arrivi, mi elargisce le sue riflessioni sulla letteratura. In altri tempi ne sarei stato lusingato, adesso tutto quello che dice mi fa ribrezzo. Mi sembrano i tipici ragionamenti dei potenti, che vorrebbero spremere l'utile anche dalle belle lettere.

N. ha della letteratura un'idea media, descrittiva e pragmatica: non il mondo com'è, ma come dovrebbe essere, ben regolato, ben amministrato: da lui, s'intende. Per questo rimprovera a Rousseau l'eccitazione, l'agitazione: energie sprecate perché improduttive. Del teatro pensa che debba avere un'azione pedagogica. Il teatro come arringa guerriera, che stimola pensieri energici e nobili azioni. Ma può il pensiero energico nascere da una posa che si rifà stucchevolmente alla romanità? Non ho mai detestato tanto il suo caro Corneille.

*Martedí 29.*

Ho incontrato Vittoria, la quale ha voluto farmi sapere che sta leggendo a Madame Mère *Valérie* di Madame de Krüdener, romanzo di comprovata moralità e di grande successo in tutta Europa.

– Sí, molte anime sensibili ne hanno pianto, – ho detto io, ironico.

La malizia di Vittoria è piuttosto scoperta. Essa ritiene che io assomigli allo sfortunato protagonista, il nordico Gustave.

Mi spia per capire fino a che punto soffro realmente, convinta com'è che le mie afflizioni siano legate ai comportamenti della Baronessa e che, come Gustave, morirò di consunzione in un eremo del Monte Capanne. Gliel'ho lasciato credere volentieri.

Poi mi sono informato sulla salute di Madame Mère.

– È inquieta, – ha detto Vittoria, – sente che nell'aria ci sono dei cambiamenti. «Purché la duri!», continua a ripetere. Vorrebbe che il figlio se ne restasse tranquillo qui, ma chi può sapere quel che ha in testa Sua Maestà!

– Purché la duri! – ho ripetuto io macchinalmente.

– ... Si distrae facilmente. Le sofferenze del protagonista del romanzo la irritano. C'è ben altro da fare al mondo, ha detto. È diventata ancora piú avara. Risparmia su tutto, anche sulle candele e sulla legna, ma fa molte elemosine.

– Avrà paura di morire, – ho detto.

– Oh, lei! Ci seppellirà tutti, che ti credi!, è secca come un ulivo, anche se passa la giornata a lamentarsi dell'umidità. Sta sempre avvolta nello stesso scialle di casimiro, dice che gli altri li vuol vendere. Paolina fa visite brevi, gira per casa come un folletto senza fermarsi un istante perché non ha voglia di parlare, poi le bacia la mano, le aggiusta lo scialle o il poggiapiedi, e scappa via.

Ho detto a Vittoria che quanto alla legna ci saremmo permessi di provvedere noi Acquabona, se madama non si offendeva.

– Sarà ben contenta, – ha detto Vittoria, e se ne è andata tutta allegra.

Vittoria ha raccontato che, secondo Madame Mère, nella famiglia Bonaparte tutti hanno la mania di scrivere, e lei non si sa spiegare da dove venga quella sorta di vizio. Lo stesso «Napolione» in gioventú ha scritto racconti, e un'intera storia della Corsica, probabilmente andata perduta. Scrivono anche Luigi e Giuseppe, ma quel che è peggio fanno pubblicare le loro opere in edizioni raffinate e molto costose, che Madame Mère disapprova. Ha scritto un romanzo anche Elisa, la Bacciocca, forse per la noia del soggiorno a Piombino – quand'era a corto di amanti, aggiungo io. Persino Paolina è stata tentata dal romanzo, e il fratello non apprezza. Dice che è perfetta per la parte dell'eroina, ma come scrittrice proprio non riesce a immaginarla. Luciano, archeologo e collezionista, è il piú ambizioso, ma anche il piú dotato. Ha appena pubblicato un poema epico in ventiquattro canti su Carlo Magno, e un'ode contro i detrattori di Omero (ho sentito anche parlare di un suo romanzo giovanile). Madame Mère disapprova anche lui, gli rimprovera la perdita di tempo e la mancanza di buon gusto. È dunque Luciano cosí ingenuo da non sapere che le lodi che raccoglierà saranno soltanto quelle degli adulatori e dei clienti?

L'unico che non scrive è Girolamo Re di Westfalia. In compenso lo dicono prodigo, sfarzoso e libertino. (Esiste un rapporto tra la scrittura e l'avarizia? Fra scrittura e libertinaggio? Approfondire).

Un sospetto: il giovane Buonaparte è diventato Napoleone quando ha smesso di scrivere.

Mi sembra di odiarlo di meno. Forse anche i sentimenti seguono i ritmi delle stagioni; forse anche la gelosia va in letargo, in inverno. Non è piú rabbia, furore, orgoglio ferito. È una pena mortificante; assomiglia al fastidio sordo delle emorroidi. Ecco la fine che fanno i petrarchisti.

La mattina del 27 è morto il piccolo dei Bertrand, Alexandre, in età di tre mesi. Si parla di un farmaco som-

ministrato per errore dal farmacista Gatti, ma la fragilità
dei bambini non ha bisogno dei farmacisti.

Gli ululati della madre sono echeggiati a lungo alla Biscotteria, come se i muri fossero di carta. La città s'è im-
pietrita. Si sono adunate donne, guardavano in su, a quelle finestre abbuiate, stringendosi negli scialli. Passavano
anche soldati e ufficiali, s'informavano, quasi fuggivano.
Nell'urlo di Madame Bertrand c'era come una protesta,
c'erano parole insensate per troppo senso, come se lei cercasse di spiegare qualcosa, o come se accusasse qualcuno,
il consorte generale, l'Imperatore, lo stesso Iddio, tutti i
maschi, colpevoli del Male e del Disordine del mondo.

Perché al sacrificio riparatore devono essere chiamati
gli innocenti, ivi inclusi gli animali, i bovi, gli agnelli? Per
fermarci alla nostra religione: è concepibile un Dio che per
testimoniarci il suo amore si senta in dovere di sacrificare
il figlio? È un'idea feroce che può venire soltanto a dei pastori.

Sono salito ai Mulini con gambe di piombo, e mi ci sono rinchiuso, sperando – come poi è avvenuto – di non essere chiamato per servizio. L'Imperatore è subito sceso dal
generale. Non mi è difficile immaginare che cosa avrà detto alla povera donna: – Anch'io ho viscere di madre, Madame –. Poi avrà gratificato il generale di una forte stretta virile.

Nel pomeriggio sono accorse anche Madame Mère e
Paolina. La visita è stata assai breve. Pare che Madame non
voglia vedere nessuno, nemmeno il consorte generale. Si sa
che lei qui non ci voleva venire: in fondo al suo cuore darà
la colpa all'isola, la odierà con tutte le sue forze.

L'Imperatore è rimasto d'umore fosco per qualche giorno; anche Drouot parla meno del solito, sta ritirato tutto
il giorno a leggere.

A me pare che l'ombra del piccolo morto sia cosí lunga
da gettare infausti segnali sul nostro futuro. Sento il desiderio – la necessità – di un viaggio per mare: affrontare lo

schiaffo del vento, sentire con la pancia il rimbombo delle ondate nella chiglia. Lottare con qualcosa che non sia umano. Forse le battaglie sono questo: una scorciatoia. Decidere il proprio destino in un colpo di dadi. L'attimo in cui i dadi stanno ancora rotolando dev'essere il piacere che fa girare il mondo.

Un'affermazione del Talleyrand è giunta sin qui: N. all'Elba rappresenta per l'Italia lo stesso pericolo che il Vesuvio è per Napoli.

Dicembre

*Sabato 3.*

Era in giardino con il colonnello Campbell, Bertrand e Drouot. Di nuovo ha gridato, per la seconda volta in pochi giorni:
– Sono un soldato! Che mi si assassini! Offrirò il petto! Ma non voglio essere deportato! Ditelo ai vostri padroni, i quali non sanno nemmeno rispettare i trattati liberamente sottoscritti! Non mi lascerò portare via! Dovranno venirmi a prendere! Mi troveranno con le armi in pugno! Sono vent'anni che combatto! So come difendermi, colonnello! Riferite!

Campbell ha detto qualcosa che non ho afferrato esattamente, ma il tono era paterno, come se parlasse a un visionario, a un isterico. Avrà parlato della lealtà degli Inglesi, perché l'altro gli ha ribattuto vivacemente:
– Credete che non sappia che Lord Castlereagh è uno dei piú fervidi proseliti di questa idea, e che si sta facendo premura di convincere Metternich? Credete che non conosca Monsieur de Talleyrand? Non ho nemmeno bisogno di informatori! Sta scritto sui giornali! Di queste cose si parla apertamente anche nei caffè!

Campbell se ne è andato quasi offeso. Riordinando il tavolo, ho trovato una copia della gazzetta inglese. Riportava voci raccolte a Vienna, negli ambienti del Congresso, in cui si diceva che, costituendo la vicinanza di Napoleone un pericolo per la sicurezza dell'Europa, si ventilava l'ipotesi di deportarlo in America, o alle Azzorre. È stato anche fatto il nome di una remota isola dell'emisfero australe, uno scalo inglese sulla rotta di Città del Capo. Si chiama Sant'Elena.

Torno a casa in stato di eccitazione per la sua paura. Ma non voglio che gli Inglesi me lo portino via. Devo averlo qui, sotto mano. È mio. (È mio: si è mai sentita un'affermazione piú ridicola?) Scopro che la necessità dell'odio non è meno forte della necessità dell'amore. L'unico anestetico che mi ritrovo per mano è la fantasticheria di una vendetta. Ma quale?

L'unico castigo adeguato sarebbe tenerlo qui per il tempo che gli rimane, a consumarsi nel ricordo delle glorie passate, a marcire come una medusa tirata a riva, a seccare come un escremento di capra.


*Lunedí 5.*

Si moltiplicano voci di complotti, di attentati. In città tutti indicano il mandante nel generale Bruslart, governatore di Corsica, un vecchio sciuano con storie di rancori con N.

Ci sono stati sbarchi di clandestini sulle coste di Capoliveri; al largo hanno avvistato bastimenti francesi da guerra; l'*Ape* esce in ricognizione permanente, e ogni giorno manda dispacci via terra. I sindaci sono stati allertati a raddoppiare la vigilanza, specie nei luoghi piú appartati, come Pomonte e Sant'Andrea, dove è facile sbarcare incogniti. Uomini fidati vanno ogni giorno fino alla Capraia. N. ha mobilitato anche Pellegro Senno, affittuario delle tonnare: i suoi uomini sono stati invitati a riferire dei movimenti e dei contatti con le navi dei Borboni.

Vedette e telegrafi ottici sono stati piazzati sul Monte Capanne, sul Perone e sull'Orello. Ogni sera N. vuole avere l'elenco esatto dei bastimenti arrivati a Portoferraio e negli altri approdi dell'isola; e se stranieri, il nome dei passeggeri e le notizie che portano. Barche di pescatori ven-

gono mandate ad accostare i navigli sospetti: offrono grano, legumi e sale a basso prezzo, ma in realtà cercano di
capire le intenzioni dei naviganti.

È furbo, l'uomo.


*Giovedí 8.*


N. a Drouot, nello studiolo: – Generale, ritenete che
saremo in grado di muoverci di qui per Carnevale?

Lungo silenzio del generale, poi una risposta da mate-
matico: – Il calcolo è legato a una lunga serie di variabili.

Bertrand ha ricevuto ordine di diradare le visite. Le
udienze non vengono negate, ma differite di giorno in giorno con vari pretesti, finché i visitatori si stancano. Niente piú curiosi, e patrioti italiani con sogni di riscatto. Unica eccezione, i militari, gli ufficiali d'ogni grado – benissimo accolti – e gli Inglesi: l'ultimo dei quali, due giorni
fa, un Lord Ebrington, che assicurano essere un illustre
uomo politico. Soltanto a loro N. riserva la sua amabilità,
«la grazia del suo sorriso», come ha detto uno degli ospiti. A tutti chiede dei Borboni, di come si comportano, di
cosa pensano i bravi Francesi. Naturalmente protesta di
non poter fare nulla per il suo paese: s'è ritirato dal mondo, le sue sono unicamente preoccupazioni paterne.

Ferrante sostiene che non sono soltanto visite di curiosità o cortesia. Quel che gli Inglesi vengono a discutere è un disegno politico, un progetto. Gli Inglesi sanno bene che i Borboni sono dei magnocchi; di Prussiani e Russi non si fidano. A Vienna gli alleati litigano peggio dei
nemici veri. In questo tricchetràcche, a cosa gli può servire N., agli Inglesi?

Gli obietto che N. non si lascia giocare da nessuno, che
è troppo ingombrante. Rimetterlo in gioco sarebbe un azzardo.

*Sabato 10.*

Per timore dei sicari, Alí ha vegliato per qualche notte
in giardino, affacciato sulla scogliera, con tutte le sue sci-
mitarre addosso e le pistole cariche. Una notte ho chiesto
il permesso di tenergli compagnia.

Non ho mai amato la mia isola come in quelle ore scan-
dite dai rumori della risacca. Con il vento leggero mi sembrava di inalare le molte vite che mi piacerebbe vivere,
adesso che la mia si avvia alla sua conclusione.

Per ingannare le ore e la tensione, parliamo a lungo.
Anche pettegolezzi, sciocchezze. Alí, che lo aveva saputo
da Constant, dice che N. era assai prodigo di regali con i
suoceri imperiali e la loro famiglia. Si comportava come il
genero borghese consapevole d'aver maritato una donna
di condizione sociale assai superiore: libri e stampe all'A-
sburgo, violette all'Imperatrice, mobili, abiti, armi e gioielli alle arciduchesse e ai loro fratelli.

Quanto alle *parures* donate a Maria Luisa, superano le
possibilità di Alí di fornirne una descrizione anche som-
maria. Si limita ad alzare gli occhi al cielo, a sospirare; fa
dei gesti circolari con la mano. Però conosce i numeri: otto file di perle, ottocentosedici perle, cinquecentomila
franchi. Cioè molto di piú del reddito che l'Elba produce
ogni anno. Un'isola intera, dodicimila persone al collo di
una dama. O vale molto lei, o valiamo poco noi.

All'alba Alí, esausto ma felice d'aver preservato i sonni del suo padrone, mi ha abbracciato senza una parola.


*Lunedí 12.*

Ancora silenzi, da Vienna. Non una lettera. Da certe
contrazioni delle sue rughe, mi pare che Bertrand se ne
crucci come se l'abbandonato fosse lui. Immagino invece
che Drouot viva quei silenzi come uno strumento di asce-

si. Drouot appartiene alla categoria piuttosto numerosa delle persone che espiano colpe che non hanno commesso.

Pare che quando incontra Paolina in portantina le parli di matematica e d'artiglieria. Adesso che è inverno, la freddolosa principessa non scosta nemmeno le tendine, per parlargli. A vederli di lontano, sembra che Drouot reciti l'elenco dei suoi peccati (ma quali?) a un confessionale ambulante.

Pare che la notte il generale cerchi conforto nella Bibbia, che a me sembra un libro bellicoso, pieno di strepito e furore, piú che un libro di pace. Forse frequenta la Bibbia perché vi si parla spesso delle prove cui il Signore sottopone i suoi devoti. Quante sono le prove che Drouot ritiene di dover ancora superare?

Mi sono accorto che anche N. cerca lumi nella Bibbia. Riponendo nell'armadio a vetri lo splendido esemplare miniato che si è portato dietro, vi ho trovato alcune tracce a matita, in margine, a evidenziare certe frasi: «Mettetevi sotto il mio giogo, e imparate da me, che sono umile e mite di cuore». «Osso non romperete di lui: vedranno chi essi trafissero». «Se Iddio è con noi, chi la potrà contro di noi?»

N. pensa Iddio come un Imperatore piú abile o fortunato di altri. Nel segreto della sua anima, il giorno mai che la Terra fosse tutta in suo potere, vorrebbe trattare con Lui. Magari fargli guerra, vincerlo e prenderne il posto, e governare con maggiore avvedutezza, favorendo le industrie e i commerci, e la moralità delle famiglie.

*Martedí 13.*

Paolina si lamenta del vento forte di maestro che mugghia nelle strade di Portoferraio, e suona la sua buccina, come ogni inverno. Dice di avere troppi debiti, di essere povera. Vuol vendere l'argenteria a Livorno.

Ripete spesso: – È spaventoso.

Cioè l'Elba, cioè noi.

La situazione finanziaria è in via di peggioramento. Peyrusse ne ha fatto cenno con Ferrante, discorrendo di forniture. Come previsto, i famosi milioni previsti dal Trattato non sono mai arrivati. Gli Alleati vogliono strangolare l'Imperatore, il quale senza quei fondi non è in grado di mantenere i millecinquecento uomini che ha previsto per la sua difesa. Il calcolo delle entrate dell'isola è presto fatto: le miniere producono un reddito di 300 000 franchi, la tonnara 30 000, le saline 19 000, la contribuzione fondiaria 20 000, il Registro 18 000. Totale 387 000. Fortuna per l'Imperatore l'aver salvato, proprio grazie a Peyrusse, una parte del tesoro personale, i famosi sacchetti dei marenghi nascosti nelle carrozze sotto uno strato di letame. Ma per il 1815 non basterà nemmeno quello. Gli Alleati, che lo sanno per certo, hanno calcolato che a quel punto l'Imperatore sarà costretto a forzare il gioco. Lo attendono al varco. Persino Peyrusse comincia a preoccuparsi.

Riordinando delle carte amministrative destinate al signor Tesoriere, ho appreso che N. si è rifiutato di pagare alla sorella 162 franchi e 16 centesimi per telerie da appartamenti; e 240 per biada ai cavalli. Su un appunto c'era un'annotazione di suo pugno: «Spesa non prevista budget. Pagherà principessa».


*Giovedí 15.*

Altro allarme. L'Imperatore avrebbe saputo da tre fonti diverse e attendibili che un venditore di libri a Lipsia, ebreo, guercio, ha ricevuto una somma considerevole per assassinarlo. Sarebbe sbarcato a Rio, proveniente da Napoli o da Civitavecchia, con la scusa di offrire a Sua Maestà un'intera biblioteca di gran pregio.

La notizia è subito diventata pubblica. A Rio aspettano tutti l'ebreo guercio, ogni vela che s'annuncia è un rimescolio, un'agitazione. Il vecchio comandante dei gendarmi, il colonnello Tavelle, vorrebbe dormire sulla spiaggia malgrado l'età e la stagione inclemente. Catturare l'infame è diventata la grande occasione della sua vita.

Credo di sapere perché N. vuole che tutti ne parlino: per scoraggiare l'aggressore, e perché si sappia nel mondo come gli Alleati vincitori lo trattano, in spregio ai patti, alla decenza. Sembra che gli facciano gran comodo queste notizie di attentati, che gli offrano pretesti per andarsene.

Intanto Tavelle vede guerci dappertutto, li tratta male, li fa allontanare dal paese. Ha strapazzato anche Gualandi, il *citoyen* Maire di Rio Montagna, ciambellano per giunta, per il solo fatto d'essere guercio. Gualandi se ne è lamentato con N., anche Pons ha preso le sue difese, accusando Tavelle di eccesso di zelo.

A riprova dei miei sospetti, di lí a qualche giorno N. ha detto a Pons che l'ebreo non sarebbe piú sbarcato. Come poteva saperlo? Ha detto che questi cospiratori da strapazzo non sono nemici suoi, sono nemici della Francia (mette sempre avanti la Francia, il bene della Francia, la felicità della Francia). Ha poi fatto allusioni a piani ben piú gravi, perversi. Ha concluso con amarezza: «I piú grandi assassini del mondo sono quelli che vogliono sgozzare un nemico disarmato».

L'Uomo mi sconcerta. Ha portato la guerra in tutta Europa, ha mandato a morte milioni di uomini, e adesso che lo ripagano della stessa moneta fa la vergine offesa.


*Domenica 18.*


Adesso per prudenza le cene ufficiali non si tengono piú nel salone. N. fa apparecchiare per gli intimi nello studiolo, o in biblioteca. Fa lasciare le porte aperte, e cosí può conversare ad alta voce con gli ospiti che non può vedere. Talvolta, dimenticando le precauzioni, si alza con la bocca piena e il bicchiere in mano, e va a finire un discorso in salone. Appena entra tutti si alzano in piedi. Lui grida: «Seduti!», si sistema alle loro spalle, ostenta modi da compagnone. Madame Mère disapprova in silenzio: non per gli strappi all'etichetta, ma per paura di attentati.

Per economizzare, N. ha rinunciato al suo *chambertin* e si accontenta dei nostri vinelli. Tanto beve pochissimo, anche se fa molto freddo, e gli gocciola il naso.

Dopo la Messa domenicale, ai Mulini, N. si intrattiene con Foresi, Vantini, Pons e Ferrante:

– I Borboni, poveri diavoli, sono dei gran signori che si contentano di avere un po' di terre e di castelli, ma se il popolo francese se ne disamora, e trova che non ci sono aiuti sufficienti per l'industria, il commercio, le attività manifatturiere, li caccia nel giro di sei mesi. La mia sorte è nelle loro mani... Se Luigi si limita a sedersi sul trono senza considerare il recente passato, se rimane ligio al vecchio ordine, se ritorna a sistemi ormai tramontati, alle viete consuetudini feudali... Allora, signori, voi mi intendete... Non potrei ignorare le invocazioni del popolo francese, al quale ho sacrificato la mia vita.

Alle sue spalle, il dottor Lapi annuisce gravemente. I viaggiatori che arrivano dalla Francia dicono tutti le stesse cose: che i Borboni non fanno nulla di quello che N. sta consigliando loro di fare. Lui lo sa benissimo. Ad ogni nuovo messaggero che entra nello studiolo si frega le mani con vero godimento. Ieri ho beneficiato di questa contentezza. È piombato in biblioteca, mi ha fatto il ganascino:

– Ah, ecco il mio biografo! – È gioviale, ha voglia di scherzare. – Mi rubate il mestiere, sapete! Piacerebbe anche a me avere il tempo per scrivere di storia invece di occuparmi delle strade, del legname e dell'estrazione del ferro! Come procedono le vostre ricerche? – Avrà saputo dell'insistenza con cui cerco di cavare notizie dai testimoni delle passate glorie. Gli viene un sospetto:

– Non sarete per caso una spia dei Borboni?

– Le spie agiscono nell'ombra mentre io mi documento alla luce del sole, Maestà. Le spie si occupano del presente e del futuro, io del passato.

La risposta gli piace. Cava una tabacchiera dal panciotto, si concede una presa:

– E bravo Acquabona.

Quando si assenta nei suoi pensieri, gli occhi hanno il colore grigio di un lago invernale. Quando qualcosa lo accende, il volto s'incendia. È come vedere sprizzare la fiamma da una pietra. Anche questo mi sconcerta.


*Martedí 20.*


Arrivano altri giornali, altre caricature. A Parigi l'aria sta cambiando in fretta. Niente piú beffe, irrisioni. In un disegno si vede il palazzo delle Tuileries da cui esce un branco di tacchini gonfi e pettoruti, sgangherati dalla paura, mentre dalle finestre sta entrando uno stormo di aquile magre e cattive. Viaggiatori in arrivo riferiscono di un *calembour* che ha gran successo, e allude alla pinguedine del Re: ci hanno un *cochon* per diciotto *luigi*, e non vale nemmeno un *napoleone*!

L'Imperatore è tornato a stropicciarsi le mani, specie quando è da solo, e passeggia sulla terrazza a mare. Corrono voci di congiure per rovesciare il Re; si torna a parlare di Fouché, di generali, di sollevamenti dell'esercito. Forse N. ha paura che qualcun altro gli porti via il trono, approfittando della confusione, del malessere generale. Quel che so è che N. si ritira per lunghe ore a discutere con Bertrand e Drouot.

Tutte le notti partono e arrivano corrieri: dalle spiagge di Magazzini, di Longone, di Lacona. Dalla frequenza con cui Lapi si apparta con l'Imperatore direi che è il dottore che gestisce il traffico; molte sono le facce sconosciute che

si affacciano ai Mulini, senza nemmeno passare dalla saletta degli ufficiali. Di certo Lapi s'è rifatto il guardaroba
a Livorno, ha nuovi servi, nuovi cavalli, un nuovo cuoco di
Grosseto. La sorveglianza nei porti è raddoppiata.

Naturalmente la fantasia ingigantisce questi viaggi segreti: a sentire i contadini e i pescatori, dappertutto ci sono barchini in movimento. Dappertutto raccontano di cavalieri intabarrati, sbarchi, conciliaboli. La notte fa fiorire l'immaginazione. Mai come in queste notti i cani
dell'isola hanno lungamente ululato.

Gli emissari non portano messaggi scritti.

Ho passato le ultime notti di questo 1814 a mettere ordine nei miei appunti sulle vite parallele di Alessandro e
Napoleone, ostinato nell'idea che tutto è già stato scritto
da qualche parte.

Olimpiade, madre di Alessandro, viene dagli aspri monti dell'Epiro. È dura e spietata, non vuole lasciare il potere; assomiglia a Madame Mère. Identico nei due figli è l'attaccamento alle madri.

I due hanno in comune la modesta statura e la bian-
chezza della pelle (di A. si registrano delle macchie por-
porine sul petto e sulle gote). La pelle di A. emana dolci
fragranze (Plutarco le attribuisce al clima secco, che eli-
mina l'umidità superflua dei corpi).

A., come N., cammina e parla velocemente.

Si legge nella *Vita di Alessandro*: «... Soleva affermare
che nulla gli dava la sensazione di essere mortale quanto il
sonno e il coito, poiché sia la stanchezza che il piacere de-
rivano dalla stessa debolezza, propria della natura umana».

Dell'Imperatore si sa che dorme pochissimo; quanto ai
piaceri carnali, mi sembrano incompatibili con la quantità
di azioni di cui Egli è solito riempire le proprie giornate.
L'accoppiamento dev'essere per lui una pratica da sbrigare con massima celerità, al pari di tante altre necessità am-

242 MEMORIE 1814-1815

ministrative e logistiche: uno svuotamento funzionale, l'esatto rovescio del frettoloso ingozzarsi quotidiano.

Rapporto tempestoso di A. con il padre, che poi discende dal mistero del suo concepimento, avvolto nei fumi del mito, con apparizioni di serpenti, prodigi vari e quell'atmosfera tra il morboso e l'indecifrabile che è la spia della presenza delle losche divinità greche. Qualche autore sostiene che il vero padre di A. era un sacerdote egizio che si spacciava per un dio. Forse l'accanimento di A. nel rivendicare origini divine nasce proprio da qui. Nulla sappiamo dei rapporti del giovane Buonaparte con il padre. Cattivi, probabilmente, cioè duri. Buoni per forgiare un carattere, quando il carattere c'è.

Identico nei due l'amore per il libro, per le biblioteche ambulanti. Ammirazione di A. per l'*Iliade*, «sussidio per giungere alla virtú militare» (la teneva sotto il guanciale, insieme al pugnale); per N. è un utile compendio di nozioni enciclopediche. Tra i sogni ispiratori di A. c'è lo stesso Omero, che gli indica il luogo piú propizio per fondare Alessandria. Per lui Omero è anche un «sapientissimo architetto». Di grandi opere architettoniche si compiace N.

Entrambi sensibili ai prodigi, alle profezie, ai segnali premonitori: gli indovini hanno un ruolo centrale nelle decisioni di A.; la superstizione di N. è una sorta di cieca fiducia nel suo fato, che sfida continuamente.

Pronto a trovare e sfruttare segni, a volgerli nel senso desiderato, A. utilizza a suo vantaggio persino gli errori linguistici: *o paidíon*, caro figlio, diventa *o pài Diòs*, figlio di Zeus. Plutarco saggiamente ritiene che A. utilizzasse a fini di governo questa credenza sulle sue origini semidivine: in questo simile a N., assai attento al modo con cui porgere la propria immagine.

N. non condivide la passione di A. per la medicina, retaggio degli ammaestramenti d'Aristotele. A. ama prescrivere agli amici malati cure e diete; N. ritiene che la medicina sappia e possa assai poco, e che il miglior medicamento è il fuoco dell'azione, l'energia vitale che occorre spremere dal proprio corpo, come da un giacimento dimenticato.

In battaglia, sono entrambi attentissimi alle caratteristiche del terreno di scontro. Sorprendono il nemico con la rapidità delle loro azioni. Riconoscibili nella decisione con cui tagliano il nodo gordiano.

Identica la cura dei loro soldati, che ognuno abbia la sua parte nella giusta misura. A. dopo grandi strapazzi o libagioni è capace di dormire tutta la giornata (ma nei brindisi si abbandona a millanterie, vanterie, eccessi verbali, oppure si lascia dominare dagli adulatori). N. deride le credenze sul sonno dei soldati prima delle grandi battaglie: non è fermezza d'animo, ma semplice stanchezza. Anch'egli smaltisce le grandi fatiche con sonni prolungati.

A. usa i beni dei vinti per arricchire i suoi (i cavalieri tessali) che si erano distinti per valore: la portentosa ricchezza dei Persiani è la molla che sostiene il loro ardore. Il trasporto dei tesori richiese diecimila paia di muli e cinquemila cammelli. Avviene la stessa cosa con i Francesi scalzi e denutriti della prima Armata d'Italia: il miraggio del bottino.

Ritornato dall'Egitto in Fenicia, A. organizza grandi concorsi tragici: il teatro come *instrumentum regni*, al pari di N., che vede nella tragedia un mezzo di elevazione morale dei suoi sudditi.

A. rinuncia ad attaccare di notte un esercito piú forte del suo, perché non vuole offrire a Dario delle scuse per la sconfitta, e quindi dei pretesti per una rivincita. (Dario si sottrae alla battaglia come i Russi di fronte a Napoleone).

«... Dario ora aveva innanzi ai propri occhi tutti gli orrori che una mischia presenta... I cavalli annaspavano, trattenuti e sommersi dalla massa dei cadaveri...» Dario è troppo *philosophe* per essere buon guerriero.

A. ha con le città vinte lo stesso paternalismo napoleonico: vinto Dario, scrive agli Elleni che tutte le tirannidi erano abolite e che le città riacquistavano l'autonomia politica. «Tale era A.: cortese verso ogni atto di valore e incline a serbare memoria delle azioni generose».

Come N. a Giaffa, anche A. massacra a freddo migliaia di prigionieri durante le sue marce in Persia, per spargere il terrore intorno alle sue gesta. A Tiro, duemila prigionieri, rei di una resistenza troppo accanita, vengono crocifissi.

A. sgridato dalla madre per i doni eccessivi ai suoi generali: «li fai tutti simili a re e procuri loro un seguito di sostenitori, mentre ne privi te stesso». Anche Madame Mère deprecca il lusso eccessivo.

A., come N., scopre che i suoi, ricoperti di ricchezze, si sono «effeminati» o vivono «circondati di sfarzo grossolano». «Vivere nelle mollezze è la cosa piú servile che ci sia, il faticare la cosa piú regale».

Per stimolare gli altri alla virtú, A. moltiplica le cacce, abbatte leoni, ma invano. Marce e spedizioni infastidiscono i suoi, che arrivano a insultarlo. Frequenti episodi di insubordinazione e fastidio nell'Armée, dall'Egitto alla Russia.

In entrambi la mania epistolografica: «È stupefacente come A. trovasse il tempo di scrivere tante lettere agli amici su questioni anche secondarie». A Mosca, N. trova il tempo e la testa per dettare le disposizioni che devono regolamentare l'attività dei teatri di Parigi.

Ai soldati bisogna dare degli esempi: A. rinuncia a bere la poca acqua che resta, perché se lui bevesse i suoi si perderebbero di coraggio. N. si espone al fuoco, ostenta costumi di grande sobrietà. Questo significa dire ai propri uomini: sono uno di voi, di me potete fidarvi.

Nelle terre dei Parti A. comincia a vestirsi alla foggia barbarica, «ben sapendo quanto giovi per cattivarsi l'animo degli uomini assumere i costumi della loro gente». In Egitto N. finge di abbracciare usi, costumi e religione degli arabi. A. rispetta gli usi dei popoli sottomessi, convinto che «meglio della violenza la mescolanza e la fusione avrebbero reso stabile e solida la conquista quando egli si sarebbe trovato lontano dal paese». Le nozze con Rossane obbediscono a questo criterio di opportunità: creare nuovi legami, fondere il diverso. Lungimiranza, modernità.

Identici propositi in N., maestro di paternalismo.

Comune la capacità di percorrere a cavallo lunghe distanze.

L'ossessione del colpo finale, della vittoria ultima spinge A. in Oriente e N. in Russia. Il loro potere riposa sulle armi: dunque doveva essere guerra, sempre. Per conquistare «tutta la terra abitata».

Il rancore e la vanità di Filota, uno dei generali di A. Anche N. patisce le invidie e i tradimenti dei suoi: Moreau, Bernadotte, Marmont, ecc.

Callistene ama recitare il ruolo di chi vive appartato. Il suo riserbo non piace ad A., il quale gli lancia un verso di Euripide: «Odio un sapiente che non sa essere utile».

All'atto di entrare in India, A. fa bruciare i carriaggi delle prede. Diventa irascibile, colpisce ogni minimo segno d'insubordinazione. Uccide a tradimento dei mercenari con i quali aveva concluso un armistizio. C'è un punto, nella vita degli uomini, in cui l'odio degli altri diventa odio di se stessi, autoannientamento.

Al pari di N., A. ama i cani, tanto da chiamare con il nome del diletto Perita una città da lui fondata in India.

A. prega Dio che nessun altro uomo dopo di lui passi oltre i confini cui era giunta la sua spedizione. I Macedoni spaventati dall'immensità del Gange. A. vuole vedere l'Oceano: sette mesi di navigazione fluviale su zattere. Dall'India torna solo la quinta parte dell'esercito. Assurdità di quei viaggi nel profondo. L'India come la Russia: un baratro.

Stasicrate propone ad A. di scolpire un'intera montagna. (Chiedere a Peyrusse se sa quanto è costata la colonna di Place Vendôme. Secondo lui a un certo punto si è persino pensato di portare a Parigi la Colonna Traiana).

A Susa A. fa sposare i suoi compagni, e organizza un banchetto nuziale di novemila invitati, in cui paga i loro debiti. Grandiosità delle feste con cui N. cerca di attirarsi i favori della vecchia nobiltà. Mania dei matrimoni combinati.

Gli ultimi tempi del regno di A. sono contraddistinti dall'eccesso e dall'arbitrio. Per scacciare il dolore, fa guerra ai Cossei e scanna tutti i maschi, dai fanciulli in su. L'A. che torna a Babilonia è un essere impaurito, che riempie la corte di sacerdoti, consegnandosi alla superstizione, un'acqua – dice stupendamente Plutarco – che inonda sempre le zone piú basse del nostro spirito.

Anche N. perde se stesso perché – almeno a partire dalla sciagurata guerra di Spagna – ha perso il senso della misura. Lo potrà mai ritrovare? E qui, per giunta, nella gabbia dell'isola? Ma perché cercare la misura in vite che sono tutte l'elogio della dismisura?


*Venerdí 23.*

Pomeriggio di pioggia ai Mulini. N. intrattiene i suoi fidi sulle esagerazioni degli storici antichi. L'esercito di Annibale non superava i quarantamila uomini, Dario e Serse non avevano certo milioni di uomini. La guerra tra Greci e Persiani è un seguito di azioni confuse. Lo sterminio di tanti Persiani è sbandierato soltanto dai Greci, che Egli definisce «popolo vanitoso ed iperbolico».

Mi sembra che N. legga la vita di Alessandro (che proprio non riesco ad amare: se sono questi gli allievi dei grandi filosofi...) con una sorta di invidia riduttiva. In gioventú lo ha ammirato: le sue vittorie gli sembravano nascere da un calcolo accurato, eseguito arditamente, diretto con intelligenza. Eccellente politico, grande legislatore. Adesso gli trova dei limiti sostanziali:

– Purtroppo, giunto al culmine della gloria perde la testa e il cuore gli si corrompe. Aveva iniziata la carriera con l'animo di Traiano; la chiuse con il cuore di Nerone e con i costumi di Eliogabalo.

Non risparmia critiche anche a Cesare: – Esce da una giovinezza oziosa – (mi accorgo di non avere mai pensato a Cesare come a un giovane, forse per via dei busti che lo ritraggono stempiato). Tuttavia si preoccupa generosamente della sua gloria postuma:

– Vorrei che un poeta di valore scrivesse una *Morte di Cesare* in un modo piú degno e grande di quanto abbia fatto Voltaire. Bisognerebbe far vedere come Cesare avrebbe potuto fare la felicità dell'umanità, se solo gli fosse stato lasciato il tempo di realizzare i suoi ampi progetti. Ne ho parlato anche al signor Goethe. Ma quell'uomo mi sembra amare la propria persona piú della sua stessa opera. No, non vedo intorno a noi un moderno Corneille.

La sua ammirazione va tutta ad Annibale. Lo definisce il piú sorprendente e ardito dei generali dell'antichità:

– A ventisei anni concepisce ciò che è appena concepibile, e sceso in Italia la percorre e governa per sedici anni, minacciando piú volte la stessa sopravvivenza della terribile Roma.

Io non perdo la piú favorevole delle occasioni per dimostrare di essere un perfetto cortigiano:

– Avevate la stessa età all'assedio di Tolone, Sire...

Non raccoglie. Sta già distillando una delle sue massime:

– Tutti quei generali si attennero ai principî essenziali dell'arte della guerra: esattezza di piani, meditato rapporto tra mezzi ed effetti, tra sforzi ed ostacoli. La guerra non cessò mai per loro di essere una vera scienza. Perché vera scienza dev'essere.

Chiedo il permesso di annotare quei pensieri. Egli acconsente con un impercettibile cenno del capo.

N. si deve essere convinto che l'assedio di Portoferraio è ormai imminente. Ha dato incarico a Drouot di redigere un'accurata mappa militare della città e dei suoi dintorni, con indicazione d'ogni minima asperità: al solito, non vuole lasciare nulla al caso. I tre forti esterni sono sta-

ti armati di due grossi cannoni e di un mortaio di 6 pollici e di un obice; ordinate provviste di biscotto, acquavite
e olio per 50 uomini e per un mese. I presidî dei forti dovranno esercitarsi in modo da esser pronti, nel giro di quindici giorni, di servire ai pezzi.

È stata rafforzata anche la vigilanza nei porti, e il Maire
di Rio dovrà tenere un registro di tutti i passeggeri che
sbarcano sulla spiaggia. Sono stati messi sotto torchio anche i barcaioli del porto; adesso, sia in entrata che in uscita, devono farsi riconoscere dalla Sanità.

Càmbel, in vena di facezie, ha osservato a Drouot che
non fosse stato per la pace di Amiens, in cui si dava a N.
il titolo di generale, il suo ultimo brevetto reale in regola
era quello di capitano. Tutti gli altri gradi se li era attribuiti da solo, o glieli aveva attribuiti un'assemblea di ribelli: la Convenzione, il Direttorio. Re Luigi avrebbe potuto farlo fucilare come ribelle. Ma non si può dire altrettanto di ogni nuovo Sovrano? È il brigante piú feroce,
astuto, spregiudicato a cogliere il trionfo. Cosí cominciano le dinastie.

Vittoria ha raccontato che Paolina ha un meraviglioso
nécéssaire da viaggio che comprende ben novantasei pezzi, divisi in tre grandi comparti: quaranta pezzi per rifo-
cillarsi, quarantasei per la toeletta e dieci per scrivere e cu-
cire. In piú ha una cassetta per i libri, ma pare che dal suo
arrivo non l'abbia ancora aperta.

La contessa di Gnic-e-Gnac è ripartita per Livorno con
la sua carrozza dorata e il bambino farinoso, in un'alba di
nebbia. A scortarla fino al porto c'era il dottore, Monsieur
Pourgon, e lui soltanto. Il dottore è abituato a cibarsi degli avanzi del padrone.

Al caffè del Buon Gusto ci hanno scherzato sopra per
qualche giorno, rimpallandosi onomatopee oscene, buone

sia per l'italiano che il francese. La fornaia di via dell'Amore
ha detto che Adele la sartina s'è messa a fare gnic-e-gnac
con un trombettiere. Ne rideva come di una invenzione spi-
ritosa.

Natale di tensione. Vento gelido per le vie, poche luminarie. Messa solenne in Duomo, naturalmente senza
Paolina. Madame Mère di pietra, la testa sul petto a bia-
scicare preghiere. Vittoria ha cercato di aggiustarle piú volte scialli e coperte per proteggerla, ogni volta lei la re-
spingeva con gesti secchi. I generali sembrano aver perso
la favella, a malapena si scambiano saluti. L'unico a suo
agio nel freddo è il colonnello Jermanowski, che gira senza pastrano.

Durante la funzione – peraltro piú breve del solito – N.
è apparso distratto: si voltava continuamente indietro, come se aspettasse qualcuno. Il Vicario Arrighi ha fatto una
predica piena di allusioni che nessuno aveva voglia di raccogliere. Ha parlato di palingenesi. Io credo che in realtà
stiamo tutti cercando di immaginare come sarà il prossimo Natale senza di Lui.

All'*Ite Missa est* ho pensato distintamente: devo uccidere quest'uomo.

È stato un pensiero freddo e semplice, come un sasso
che cade nel mare. Devo ucciderlo perché è l'unico modo
per impedire nuovi lutti, guerre, disastri. Devo ucciderlo
*sine ira et studio*, imparzialmente, assolvendo a una necessità dura ma giusta, per senso di responsabilità. Devo
asportare dal corpo dell'Europa il cancro maligno che la
corrode, come potrebbe fare un chirurgo.

Subito dopo ho pensato: ucciderlo io, l'uomo di carta,
l'imbelle per definizione, l'imbecille (*sine baculum*, appunto)? Ho immaginato i sogghigni di mio fratello, dei notabili elbani, degli ufficiali. E tuttavia, proprio mentre la
folla dei fedeli si apriva per lasciar passare N. e il suo seguito, mi sono sentito invadere da una eccitazione feroce.

Ho scoperto che è assai simile a quella che provavo quando mi accingevo ad assalire la Baronessa oltre il velo della zanzariera.

Non era il piacere di un atto di giustizia. Era proprio il piacere di uccidere: il godimento che procura il pensiero di poter disporre della vita altrui, come si dispone di un'amante che stiamo per trafiggere con un gladio neppur tanto simbolico. È questo il segreto inconfessabile degli uomini: il senso d'onnipotenza che dà l'uccidere, la calda vita che trova pascolo nel sangue della vittima, che si nutre dei suoi spasimi, che ne succhia le ultime contrazioni nervose. Ma se l'assassinio per spada o coltello è una copula, un gesto oscuramente amoroso, non desidero alcun genere di contatto carnale con la mia vittima. Devo usare uno strumento impersonale, che prescinde da ogni contatto: la pistola, che dà la morte di lontano, e non imbratta le mani.

Uscendo nella Piazza d'Armi con le pigre ondate dei fedeli avevo già fatto mio l'istinto del sicario che si nasconde nella folla. Ho valutato la mia conoscenza delle armi, e la reale possibilità di riuscire a farne un qualche uso. Sono entrambe nulle, ma una forza sconosciuta – un raptus – mi ha sospinto in avanti, quasi di malagrazia. L'ho sentita come qualcosa che avrebbe trasformato la sterile sapienza dei libri nei gesti della vita vera.

Abitavo da pochi minuti il mio freddo delirio, e già mi pareva naturale e fraterno. Ecco che cosa sta sotto la debole crosta delle convenzioni sociali e della morale che ci è stata inculcata: una natura ferina che attende soltanto l'occasione propizia per spiccare il balzo. N. l'ha trovata a Tolone. Io sto cercando la mia.

L'anno dopo il primo incontro con la Baronessa, passando per Longone mi sono imbattuto in un servo dei De Gregorio, tale Ortensio, con il quale avevo una certa dimestichezza perché era stato marinaio sul nostro sciabecco, e avevamo navigato insieme.

Ortensio mi ha annunciato che la Baronessa, a Napoli, aveva avuto una bambina.

Fortuna che il cavallo conosceva la strada del ritorno. Imbruniva, e lassú a sinistra i vetri di Capoliveri mandavano barbagli con l'ultimo sole. Le case arroccate prendevano il colore della rosa.

Mi sono fermato a un piccolo lavatoio per rinfrescarmi la faccia. Sono caduto in ginocchio, non riuscivo piú a respirare, né a rialzarmi. Ho invano cercato un po' di luce nel cielo improvvisamente nero. Il cavallo mi è venuto vicino, ha abbassato la testa, mi dava piccoli colpi rammemoranti sulla spalla. La felicità possibile che aveva preso forma nella bocca sdentata di Ortensio era già diventata disperazione.

Lei tornò in autunno, senza la bambina che, mi disse Ortensio, era stata data a balia. Una sera, durante un ricevimento in villa, a Longone, l'ho strappata a un consesso di dame che mi hanno guardato stupite, l'ho stretta in un angolo. Le ho chiesto notizie della bambina, che nome avesse.

Ha avvicinato il suo volto al mio con tale impeto che ho pensato volesse azzannarmi:

– È mia! – ha quasi gridato. – Avete capito bene? È mia!

Ortensio mi ha poi detto che la bambina si chiama Olivia. Pare assomigli molto alla madre.

Da quel giorno ho creduto di conoscere il dolore delle madri per i figli scomparsi in battaglia. Anch'io avevo trovato e subito perso una figlia (questo mi è stato immediatamente chiaro). È una lama rovente che sta confitta nella carne non diversamente dal palo del giovane Solimano, l'assassino di Kléber. Non dà requie, mai.

Adesso che torno con la memoria a quel giorno, sento crescere a dismisura il mio odio per N. Adesso, in questo momento, io che non ho mai percosso un animale mi sen-

tirei di strangolare con le mie mani la salsiccia corsa. Mi
prefiguro l'immondo piacere di vedergli strabuzzare gli occhi, e fuoruscire la lingua viola dallo sfintere della bocca.

Quando mi sorprendo in questi bassi pensieri mi redar-
guisco aspramente. Ecco il vendicatore dell'umanità offesa che si fa travolgere dai rancori personali come un qualsiasi amante tradito, quando invece deve uccidere soltanto per servire la felicità dei popoli e una superiore Giustizia,
quella stessa che gli Dei non si degnano di amministrare.
(Ma perché dovrebbero, poi?)

Il fatto è che questa urgenza astratta, questo dovere civile non mi appagano quanto il calore dell'odio privato che
mi arroventa le viscere. Il carnale, banale piacere della vendetta, che si ritrova abbondante in natura, come le male
erbe delle vigne.

Come ogni Natale, Diamantina ha passato due giorni a
preparare gli strufoli: li ha impastati, fritti nell'olio bol-
lente, intrisi di miele, pressati sino a farne dei bastoncini.

Ho lasciato i suoi strufoli nel piatto. Diamantina se ne
è quasi offesa. – Non sono buoni come gli altri anni? – ha
chiesto ansiosa.

Le ho spiegato che sono io a non essere piú quello degli
altri anni. Ha detto che di quello s'era accorta anche lei.

Passo ore a progettare possibili agguati: il dove, il come.

Dovrò agire da solo, contro tutti. Mi accorgo di non
avere amici, solo conoscenti; ma nessuno vorrebbe rinunciare al benessere che il nuovo regno porta all'isola. Si lamentano di N., maledicono le *corvées*, le nuove contribuzioni, la sua mania di aprire strade. Ma tutti sognano di
arricchirsi, con Lui. Adesso i Lorena non gli bastano piú.
Cominciano a sentire la loro isola come inadeguata ai loro ambiziosi disegni. Questo è un altro dei bei regali che
ci ha fatto.

*Martedí 27.*

Càmbel ha fatto sapere al suo governo che considera la missione terminata, e quindi chiede il rimpatrio. Per ottenere l'autorizzazione dei suoi superiori, ha chiesto a Bertrand una sorta di attestazione dei buoni servigi che ha reso. Gli è stata rilasciata una dichiarazione che suona pressappoco cosí: «Non posso che confermare al colonnello Campbell quanto la sua persona e la sua presenza siano gradite all'Imperatore».

N. in persona ha chiesto al colonnello di restare, in toni suadenti, e quasi commossi. Càmbel è caduto nella trappola, si è detto lusingato del gradimento imperiale. Si tratterrà ancora qualche mese. Immagino la soddisfazione del governo inglese: il prigioniero chiede al suo carceriere di restare presso di lui, di continuare a vigilarlo.

La mossa è geniale. Come farò a sorprendere un giocatore tanto astuto? La mia carriera di attentatore è già finita prima ancora di cominciare.

Capodanno di gelo. Niente feste pubbliche, fuochi artificiali, distribuzione di vino in piazza. N. vuole risparmiare.

Risparmia sulla legna anche Ferrante. Me ne sto nella mia stanza avvolto in coperte e berrette di lana.

Chissà perché l'iconografia cattolica, che pure è mediterranea, identifica l'Inferno con il fuoco. L'Inferno è questo, le notti di ghiaccio, le morsure del vento, la cenere fredda dei camini, il pallore malato di Diamantina, il naso paonazzo di Elide. L'Inferno è il silenzio delle ore prima dell'alba, quando puntuale riemerge l'immagine che mi ossessiona: la Baronessa cinge il collo con il nastro di velluto nero, con una mano raccoglie i capelli già sciolti e pensosamente, maestosamente si china sull'Imperatore.

Gennaio

*Sabato* 7.

La notte dell'Epifania ha nevicato come da anni non
accadeva. Ho riconosciuto la neve dalla qualità del silenzio che crea: un silenzio speciale che ha i colori del piombo. L'ho riconosciuta dalla qualità della sospensione che
crea: del tempo, delle attese.

I bambini sono sciamati per le vie invocando la neve a
braccia alzate, delusi che fosse caduta a tradimento durante il sonno; ma altra dal cielo non ne veniva, e anzi verso borea le nuvole si squarciavano in stracci d'un azzurro
malato. I bambini hanno raccolto la neve con devozione,
come fosse manna, perché qui non dura; non se la tiravano nemmeno addosso.

Drouot ha mandato un cacciatore della Guardia a Marciana con l'ordine di riempire per bene di neve la ghiac-
ciaia di Senno, che è rimasta lassú, a garantire ghiaccio e
sorbetti per i mesi a venire. Vorrebbe dire che Egli pensa
di passare l'estate qui; piú probabilmente significa il contrario.

N. ha voluto andare a Longone, e ha dato ordine che
fossi della partita. Continua a dire che bisogna preparare
la villa per l'Imperatrice, che bisogna pensare anche alla
biblioteca. Una recita delle sue.

Siamo partiti alle otto. Fuori del Ponticello, la coltre
era ancora intatta, soffice; i rari casali come sigillati dal
sonno, non un camino acceso. L'Imperatore ha scartato
dal viottolo, è entrato in un campo, ha girato in tondo, come se cercasse qualcosa. Sotto gli zoccoli del cavallo, la ne-

ve è diventata presto una polta di castagne marce. Ho pensato alla Russia, naturalmente; a come Lui può ricordare
la Russia, al sistema che usa per rendere inoffensivi i ricordi, per trattenere unicamente quelli che gli servono, lasciando gli altri insepolti lungo la strada delle sue disfatte.
Dove può avere smarrito l'elementare pietà? All'assedio di
Tolone? O addirittura prima, in collegio, o in Corsica, nelle faide con Paoli? O durante la prima campagna d'Italia?
Pesticciava la neve, avanti e indietro, con un volto chiuso
come un pugno; un broncio infantile gli allungava il mento affondato nei *revers* del pastrano.

Ho provato l'impulso di abbatterlo con un colpo non
immediatamente mortale, lasciarlo ferito su una coltre di
neve dura, ghiacciata, la neve cattiva del nord. Lasciarlo
a guardare le zampe dei cavalli che riprendono la marcia
verso la collina.

Ha spiegato il disastro di Russia in due parole, dando
la colpa all'inverno che s'era permesso di arrivare con quindici giorni d'anticipo, smentendo le tabelle delle rileva-
zioni meteorologiche degli ultimi trent'anni. Ma può un
giocatore imparare qualcosa dalle proprie sconfitte? Il solo ammaestramento che ne ricava è la necessità di aumentare la posta.

A Longone c'era già il sole. Continuo a rimuginare. Dove lo posso sorprendere, e come? Ai Mulini, è chiaro. Presso l'unica cosa che ci unisce: i libri. Di solito pensiamo ai
libri come ammaestramento, compagnia, consolazione: il
lettore, in fondo, è un solitario che ha bisogno di amici. A
me l'onore di trasformare i libri in un'occasione di Giustizia. È a questo che aveva pensato anche il libraio ebreo
atteso a Rio. Al libro, l'oggetto disarmato per eccellenza.

Metterò nel mio servizio tutto lo zelo e la discrezione
di cui sono capace. Sarò felpato e necessario. Studierò i gesti del signor Marchand e di Alí. Diventerò parte integrante
dell'arredo dei Mulini, finché l'Orco non mi «vedrà» piú.
In quel momento lo colpirò. Mi farò preparare una scato-

la in forma di libro, vi nasconderò la pistola di Ferrante, unirò il finto libro agli altri che devo sistemare in biblioteca, le novità in arrivo da Livorno. Poi coglierò l'attimo.

Quel colpo di pistola segnerà anche la fine della mia vita. Non esistono vie di fuga: questo devo saperlo. Non mi pesa il dover abbandonare la compagnia di altri esseri umani; mi dà pena l'idea di lasciare i poveri oggetti dell'uso quotidiano: le molle del camino, le mattonelle sbrecciate dei pavimenti, le brocche dell'acqua, i mozziconi delle candele, le ciotole, le forchette, le spazzole di mia madre che nessuno ha tolto dalla *poudreuse*, persino i grembiuli bisunti di Elide. L'abbandono, la confidenza che hanno le lenzuola sfatte mi stringono il cuore. Mi si secca la bocca al solo pensiero del pane con l'anice confezionato dalla Confraternita di san Defendente per i riti della Settimana Santa.

Vorrei parlare a Telemaco dei libri che gli lascio, degli oggetti napoleonici, del calamaio; dirgli i pensieri legati a quegli oggetti. Vorrei affidargli qualche modesto e inutile consiglio per soffrire di meno.

Il ragazzo, che mi vede alterato, per distrarmi mi parla dei suoi animali. Non può sapere quanto mi accori perdere il loro affetto ben più che umano: Zoraide la gatta soriana, Medoro il bastardino, Avicenna il pappagallo.

*Lunedí 9.*

Giobatta, il legatore, accoglie la mia richiesta con rispettosa perplessità. Non capisce perché, frequentando libri veri, ne voglia preparare uno finto. Gli faccio intendere che è un gioco. Il suo antro odora di cuoio e di colla, un dolce odore di stalla, rassicurante. Mi fermo a parlare, per cortesia lui mi chiede dei libri dell'Imperatore; però preferisce ricordare certe imprese giovanili con mio padre, di cui era grande amico: storie di mare, di bevute, di fur-

berie, di femmine voluttuose. Racconta a se stesso, prima
ancora che a me; ride tra sé, scuote la testa.

Sospira. Dice che fra tre giorni sarò servito.


Elide si è accorta che il consumo di candele è cresciuto; preoccupata, mi spia. Ne ha riferito a Ferrante, che ha
alzato le spalle. Da tempo ha messo in conto i miei sprechi, le mie insensatezze. A suo modo gli fanno piacere perché è come se gli Acquabona mantenessero uno di quegli
abati dotti e sfaccendati che non combinano nulla, ma danno lustro alla casa. Diamantina e Vittoria danno la colpa
della mia pazzia alla Baronessa. L'hanno sempre odiata.
L'hanno chiamata candullona, quenca, stripizzona, sgue-
rula, mataffia, che si dice di donna piccola e grassa, lei che
piccola e grassa non è.

Anche Elide si unisce al coro delle padrone. Ha detto
alle sue compagne di cucina: quella capàgnera: che è un ca-
nestro di larga accoglienza.

Ho sorpreso Ferrante che sospirava con Diamantina:

– *Si elles ne sont pas un peu putains, il ne les aime pas, le
bonhomme.*

L'ha detto in francese perché non vuole offendere le
caste orecchie della sorella. Non sanno che la mia ossessione di sorprenderlo e di finirlo è piú forte della gelosia.


Ci sono giorni in cui il pensiero di uccidere mi dà lo
stesso piacere che deve provare il cacciatore che esce di casa con i suoi cani (sono il cane di me stesso). Un piacere
anche fisico: per le gambe che ti reggono bene, per i muscoli, le articolazioni che rispondono agli ordini come animali da cortile. Ritrovo energie sepolte, dimenticate chissà dove. Questo mi dà allegria. I miei momenti di euforia
in famiglia vengono accolti con un fastidio assai maggiore
di quelli malinconici.

Che cosa provano gli assassini, i carnefici? Questo stesso fervore trattenuto, questa contentezza del ghiottone che sta per esaudire le proprie voglie? Mangio di ottimo appetito. Ho una fame da soldato.

Altri giorni il compito che mi sono assegnato mi atterrisce. Non è paura per me, ma il timore di non essere all'altezza, di non avere il tempo di perfezionare nella ripetizione i gesti necessari, come accade nel lavoro del calafato, del fabbro. Mi accontento di dichiararmi soddisfatto della decisione presa, e rimando i dettagli dell'attuazione: che poi non sono dettagli, sono la cosa in sé.

Torno a occuparmi del «prima»; mi rimetto a fare note a margine alla storia di ieri. Eppure il tempo delle interpretazioni è finito. Devo soltanto agire. Invece, tornato da Longone, mi sono sorpreso a cincischiare le riflessioni che seguono:

Il 29° bollettino della campagna di Russia, quello che descrive il freddo come una prova che solo i veri valorosi sanno superare, concludeva: «La salute di Sua Maestà non fu mai migliore». Da Mosca alla Beresina, trentatre giorni d'agonia per centinaia di migliaia di uomini. Di tutto questo non c'è una riga nei bollettini. Le comunicazioni ufficiali non sono interessanti per quello che dicono, ma per quello che nascondono o ignorano.

Mi chiedo se lo spazio fisico, il paesaggio, possono modificare il nostro sentimento del tempo. Mi figuro il tempo della Corsica come il tempo rupestre del predatore che brucia tutte le sue energie nel balzo sulla preda. Il tempo della frenesia e della vendetta. Di che cosa continua a vendicarsi, quell'Uomo?

Il tempo della Russia è il tempo lungo delle praterie immutabili, di boschi eguali a se stessi. È il tempo dei millenni e della geologia, della Bibbia e dell'Ecclesiaste. È il tempo di chi sa aspettare, e adatta i suoi ritmi di vita al respiro lungo delle stagioni. Come se lo può immaginare, l'inverno, un uomo delle isole? Come qualcosa di aspro, ma breve; di crudele, ma capriccioso. Non può immaginare il buio di una notte interminabile. Per questo i Russi, alla fine, hanno vinto: semplicemente aspettando. Perché conoscono il tempo speciale che nasce dagli spazi speciali in cui vivono.

Forse l'idea del tempo dipende anche dalla condizione sociale. Napoleone sapeva che il suo potere si fondava sull'aura del prodigioso, il quale a sua volta riposa sulla fulmineità dell'azione. Rispetto ai principi dell'Ancien Régime, Egli ha una diversa percezione del tempo, che è appunto quella del borghese, il quale sa che la bontà dei traffici è legata alla rapidità con la quale fabbrica e smercia i suoi prodotti. La merce che Napoleone spaccia sulle pubbliche piazze è l'eroismo, l'invincibilità. Il giorno che ha smesso di vincere, la sua ditta è andata in malora.

Ho scoperto che Alí ha fatto la campagna di Russia. Non ne parla volentieri. Ha provato a spiegarmi la struttura dei palazzi che compongono il Cremlino, ma non ho capito molto. Alí ha avuto la soddisfazione di dormire nelle stanze solitamente abitate dallo Zar. Il letto, nella confusione del saccheggio, se lo è fatto da solo. Abituato a dormire per terra, ha staccato la tenda di un padiglione, e l'ha piegata in quattro; con il portamantello si è fatto un cuscino, la mantella gli è servita di coperta.

Nel cuore della notte la camera si illumina a giorno. Alí si sveglia di soprassalto. Mosca brucia. Un mare di fuoco corre verso mezzogiorno e verso occidente, sospinto dal vento. Mosca era tutta di legno.

– Immaginate, – dice Alí, – una città grande come Parigi divorata dalle fiamme. Immaginate di stare su una delle torri di Notre-Dame e assistere a quello spettacolo orribile e meraviglioso. Il signor Constant, il primo cameriere, è andato a svegliare l'Imperatore. Sua Maestà non ha dato ordini. Siamo rimasti a guardare tutta la notte. Eravamo tranquilli: finché si stava vicini a Lui, non c'era nulla da temere. Il palazzo era isolato, le mura di cinta costruite in

mattoni. Però quando il fuoco ha distrutto anche il palazzo dell'Intendenza, e stava per raggiungere la torre delle
campane, i generali hanno convinto l'Imperatore a uscire
dalla città. È stato penoso, perché le strade erano ostruite
dalle case crollate, dalle travi infiammate. C'era ancora fuoco dappertutto, a ogni passo bisognava cambiare direzione, il fumo accecava gli uomini e i cavalli.

Quanti testimoni ci occorrono per capire qualcosa dei
grandi avvenimenti? Sono passati solo due anni, ma dal
giovane, intelligente e sensibile Alí non si cava molto:
brandelli di immagini: una bottiglia di champagne scova-
ta in una cantina, mucchi di fiaschi vuoti gettati intorno
ai fuochi dei bivacchi, soldati e cavalieri che si aggirano
nella città fumante, e ognuno sembra aver perso qualcosa:
il proprio battaglione, un finimento, un cavallo, le prede
appena estratte dalle case saccheggiate.

Trentanove giorni è rimasto N. a Mosca prima di decidere la ritirata. Alí lo ricorda benissimo, forse perché
nella noia dell'attesa non restava che contare i giorni. N.
ospitava a colazione il principe Eugenio, il gran maresciallo
Duroc, il principe di Neuchâtel. Si facevano dei giochi di
società, quelli che possono fare i soldati. Qual è la morte
migliore? N. non aveva dubbi: il campo di battaglia, una
granata, e via. Temeva di non essere cosí fortunato. Diceva: morirò nel mio letto, come un *sacré couillon*.

Dell'orrore della ritirata, Alí mi consegna soltanto il destino di due attrici parigine che erano a Mosca con una decina di compagni quando i Russi abbandonarono la città:
una vecchia, ma forte e risoluta come un granatiere; una
giovane e un po' civetta, ma fragile. Al fuoco dei bivacchi, la vecchia rampognava i soldati, che maledicevano il
loro destino e l'Imperatore. Credete che non soffra anche
Lui? – li sgridava – che non sia addolorato? Non lo vedete che cammina insieme a voi, che divide le vostre fatiche?
Coraggio, abbiate energia, siate forti di fronte alle avver-
sità, ricordatevi che siete dei militari, che siete dei Fran-

cesi. Cosa dovrei dire io che sono vecchia, che ho perso tutto? Quando si è giovani come voi bisogna affrontare le difficoltà a testa alta. Bisogna vivere di speranza.

Ancora adesso Alí si intenerisce sul destino dell'attrice giovane, che era riuscita a salvare dal grande incendio un po' del suo corredo, e cercava di viaggiare con gli equipaggi della *Maison*. Un giorno una granata ha colpito il calesse che di solito la ospitava, fracassandolo. Lei si è salvata, ma ha perso tutti i suoi averi, ha dovuto proseguire a piedi. Alí non l'ha piú rivista né a Smolensk né a Vilna. Da come ne parla, cercando di descriverne gli occhi o i capelli, o le dolci smorfiette, non è difficile capire che si era un po' innamorato di lei. Ma anche a me, che ho passato la vita a fantasticare di *liaisons* con donne a cui non mi sarei mai dichiarato, sembra di provare un tenero rimpianto per la figuretta che corre dietro alle carrozze imperiali, e incespica sui ghiacci, e si perde nelle notti boreali.

Quando guardiamo il mare, appoggiati al parapetto del giardino dei Mulini, sento che Alí e io stiamo facendo lo stesso sogno: siamo il soldato che la porta in salvo, per fare dell'amore con cui lei ci ripagherà una notte d'insostenibile intensità: come è sempre l'amore, quando è contiguo alla morte.

Alí dice che per tutto il tempo del soggiorno al Cremlino, N. tenne sul tavolo un piccolo e grazioso volume in diciottesimo in marocchino e bordi dorati: era la *Storia di Carlo XII* di Voltaire.

N. non legge soltanto per documentarsi, quindi per decidere a ragion veduta. È rimasto un uomo di superstizioni e di presagi, come tutti. Nei libri che legge – che consuma, che sfianca, perché immagino li attraversi come in una carica di cavalleria – N. cerca i segni che gli annunciano il futuro; ma, come spesso accade, certe premonizioni risultano tardive: la luce dell'intuizione scende su di noi quando il nostro destino è già segnato.

Mi sono precipitato a leggere Voltaire. Racconta che all'inizio il giovane Re svedese si distinse per una serie di campagne fulminee con cui sconfisse i Danesi, i Russi, i Polacchi, inseguendo Re Augusto fino in Sassonia; avrà pensato se stesso come una sorta di Alessandro sceso da settentrione. Poi anch'egli commise – cento anni prima – l'errore di N.: si addentrò in Russia senza incontrare altra resistenza che non fosse la vacuità degli spazi immensi; si esaltò; si illuse; fu sorpreso dall'inverno. Come quello di N., il suo esercito fu decimato dal freddo e dalla fame, infine accerchiato e distrutto a Poltava. Invano Carlo, spingendosi fino in Turchia, e poi tornando avventurosamente in patria, cercò con energia napoleonica di volgere nuovamente la fortuna dalla sua. Invano riconquistò quasi tutta la Norvegia: una palla l'uccise durante un assedio. Lasciò il paese stremato da lunghi anni di guerra, e costretto a rinunciare alle sue ambizioni di egemonia. È quello, piú o meno, che generali, nobili, borghesi e contadini rimproverano a N. Tuttavia nelle storie patrie Carlo è ricordato con ammirazione e rimpianto. Debbo dedurne che è lo sperpero smisurato di sé e degli altri a fare l'eroe?

Quanto a Voltaire, mi torna spesso alla mente l'osservazione un po' malevola di Madame de Staël: ogni tanto sembra una scimmia che ride delle miserie della specie umana, con cui non ha niente in comune. Potrei dirlo anche di me, con l'aggravante di essere minimo, e ignoto. Tuttavia questo non basta a farmelo sentire vicino.

Ferrante ha consegnato a Drouot una fornitura d'acquavite. Alla vigilia della battaglia di Austerlitz furono distribuite delle razioni triple. È l'acquavite, non l'artiglieria, che vince le battaglie. Quel furore smemorante che ti estrania, che ti spinge fuori di te, a farla finita in qualsiasi modo. Quando Ferrante vende la sua acquavite, mi sembra che venda palle da cannone: che venda la Morte.

Sono un bevitore mediocre, ma dalla notte di Natale ogni sera ingollo numerosi bicchierini dell'acquavite di Ferrante, come si trattasse di un medicinale. Lui ne è stupito. Mi ha chiesto che cosa sta succedendo. Gli ho fatto intendere che sono faccende di cuore, che mi sono invaghito di una signora francese. Mio fratello ha accolto la finta confessione con una sorta di gaiezza. Non so se per la modestia delle mie capacità amatorie, o perché ritiene l'innamoramento in sé una condizione buffa e patetica, quale sicuramente è.

I miei sonni non hanno tratto giovamento dall'acquavite. Sogno ogni notte l'organizzazione dell'attentato, ma in termini cosí confusi che mi sveglio con una sensazione di frustrazione e di angoscia.

Afferma La Bruyère: «La morte non arriva che una sola volta, eppure si fa sentire ad ogni momento della vita: è piú duro conoscerla che soffrirla». Se questo fosse vero, N., che l'ha conosciuta ogni giorno per vent'anni, si sarebbe trasformato nel piú strenuo difensore della vita. Invece l'ha usata e la userà a fini di profitto personale. Usa la morte come un contadino usa la zappa.

*Giovedí 12.*

Notte di tempesta, il vento ha sfondato vetri e strappato tegole. Poco dopo l'alba sento dei colpi di cannone ravvicinati, la cadenza che si usa per chiedere soccorso. Afferro il cannocchiale e attraverso il velo di una pioggia dura e le nuvole basse credo di scorgere l'*Inconstant*: non è riuscito a entrare in porto e ha ancorato davanti a Bagnaia, ma le onde lo scuotono, il vento lo disalbera. Poi le ancore non tengono piú, il brick s'impenna, per fortuna il mare lo spinge verso la spiaggia, s'incaglia, si piega su un fianco. Ferrante dice che da quell'idiota del comandante

Taillade non ci si poteva aspettare di meglio, non capisce perché N. non l'abbia ancora licenziato.

Sento passare drappelli di cavalleggeri che escono dalla Porta di Terra. Salgo ai Mulini, trovo Alí e Marchand costernati, convinti che la nave è perduta. N. cupo discute con Drouot, dà ordini. Anche lui è stato svegliato all'alba dal generale, ma per la violenza del vento, che ha rovesciato perfino le garitte sul piazzale, non è riuscito nemmeno ad arrivare al parapetto del giardino, battuto dalle onde.

I vetri dei Mulini tremano e tintinnano con un effetto di carillon.

La tempesta mi ha rallegrato. Mi aiuta a rimpicciolire l'uomo, a misurarne la fragilità, a rimetterlo al suo posto in una scala ideale di proporzioni. Lo sento a portata di mano, raggiungibile: come un maiale rinchiuso nella stalla prima che i coltelli si abbattano su di lui.


*Venerdí 13.*

La nave è salva, ha subíto forti danni ma è riparabile. Proveranno a tirarla in darsena, appena il mare lo consente. Taillade è stato rimosso dall'incarico. A bordo della nave c'era un cugino di Madame Mère, il signor Ramolino, che tornava da una missione a Napoli. Ha annunciato che andrà al Santuario di Monserrato per ringraziare la Madonna.

Altro *cercle de dames* ai Mulini. Si discute se sia possibile indovinare l'anima di una persona dal suo volto. È un argomento che mi appassiona, e che adesso assume ai miei occhi una concretezza perturbante: temo che N. legga le mie vere intenzioni nei tratti della mia faccia di cane fedele che diventa idrofobo. Temo di diventare il delatore di me stesso. Le parole nascondono, sfumano, ma i volti non possono mentire. I volti parlano il linguaggio della verità. Non conoscono astuzia, i volti. Dicono un sentimento fin nelle piú minute sfumature. Nessuno di noi ammetterebbe di essere giudicato dall'aspetto esteriore, ma è quello che fa ogni giorno con i suoi simili.

Mi accorgo che N., ottimo conoscitore d'uomini, dunque buon lettore di volti, non ama Lavater, Cagliostro, Mesmer e Gall:

– Tutti ciumadori, cerretani! – taglia corto. – Quel Mesmer! La tinozza miracolosa! L'albero magnetico! Ciò che è incredibile esercita sull'uomo uno strano fascino! Egli si compiace d'essere ingannato! Tutto nasce dalla debolezza nervosa del soggetto!

Ci ripensa, ammette che esistono certe facce cosí ripugnanti, che ce ne allontaniamo con disgusto. Commenta a bassa voce con Bertrand:

– Il generale Bernadotte, con quel suo profilo a becco d'uccello... Cosí inquieto... infido... In effetti...

Poiché la fisiognomica campa sulle similitudini con gli animali, con capri leoni civette, appena N. si allontana nella sala delle feste si rinnova il bel gioco di società. A chi assomiglia Monsieur le Maire? A un cammello, si lascia scappare la silenziosa Enrichetta. Allora le altre prendono coraggio. Il dottor Lapi è un riccio, il generale Cambronne una faina, il colonnello Jermanowski una poiana, Càmbel uno scoiattolo, il signor Peyrusse una triglia, il dottor Fourreau – qui tutte singultano – un geco. Vittoria mi identifica in fondo alla sala, dissimulato tra la servitú: e Martino Acquabona? Momento di silenzio, almanaccano; allora le precedo, tolgo loro il piacere della caricatura: al bastardino dell'Imperatore, dico. Ridono e ci rimangono male allo stesso tempo. E a chi assomiglia Ferrante? A un pesce spada! Nessuna osa fare il nome dell'Imperatore, anche se muoiono dalla voglia. Del resto Lui ha già provveduto da sé: cosí terrestre, ha avuto cura di scegliersi l'aquila.

La signora Lapi, la piú ardita di tutte perché non lei somiglia a una tacchina, ma una tacchina a lei, e dunque non ha niente da perdere, propone di inventare una favola di

animali con tutti i personaggi sopraddetti. Per mezz'ora
faticano ad architettare storie. Un riccio benestante, non
contento delle ricchezze che possiede, vuole diventare signore del bosco, e si allea con la faina... Lo scoiattolo, che
li sente confabulare, corre a dare l'allarme...

*Sabato 14.*

N. a Drouot, nello studiolo: – Ci sarà da battersi.
Silenzio del generale. È il suo modo dire che disapprova ma non si tirerà indietro. Neanche Cristo è stato servito cosí bene dai suoi.
Com'è difficile immaginare di qui, dagli ovattati silenzi invernali dell'isola, lo strepito delle battaglie che li attendono.
Altro sangue, altro dolore. Semi di una pianta velenosa che attende la fine dell'inverno per sbocciare.

*Domenica 15.*

Serata di gala per l'inaugurazione del Teatro dei Vigi-
lanti. N. ha fatto sistemare la vecchia chiesa sconsacrata
di San Francesco in via del Carmine, già adibita a deposi-
to di viveri e divise per i militari. Per raccogliere fondi,
vista la micragna dei suoi bilanci, ha venduto i palchi alle
piú distinte famiglie elbane, le quali hanno fatto a gara per
aggiudicarseli. Ci siamo anche noi, non distanti dal palco
imperiale, subito dopo i Foresi, i Vantini e i Lambardi.
Paolina è stata nominata organizzatrice degli spettacoli
dell'isola d'Elba. Il sipario è stato dipinto dal Revelli, che
è tornato sul motivo di Apollo guardiano di pecore che am-
maestra i pastori. Apollo è un giovane nudo, riccioluto e
muscoloso, seduto con poca eleganza su un drappo di velluto rosso che gli copre l'inguine; guarda lontano, fuori

scena. Dovrebbe avere i tratti dell'Imperatore, ma assomiglia al giovane Bernotti. I pastori siamo noi Elbani; o forse sono i suoi generali, gli ufficiali. Noi siamo le pecore, il bove stranito che fissa la platea.

Nella fossa dell'orchestra prendono posto venti musicisti della Guardia in giubba scarlatta, galloni dorati e brache bianche; la divisa del direttore, piú sgargiante di quella di un maresciallo di Francia, suscita mormorii d'ammirazione. Gli ospiti passano tra due file di sottotenenti della Guardia in colbacco nero, e ne ricevono complimenti di benvenuto. Pons viene salutato con la nuova qualifica di «conte di Rio», secondo la recentissima nomina imperiale. Il vecchio repubblicano è raggiante.

Madame Mère ha già preso posto nel palco imperiale, tappezzato di drappi bianchi a banda rossa, e cosparso di api dorate; cerea, lievemente sdegnosa, sembra la statua di se stessa, non fosse per il carminio squillante dei pomelli. Risuonano comandi, sbattimenti di tacchi, squilli di tromba. Arriva Sua Altezza Imperiale con la principessa Borghese avvolta in vaporose volute di tulle, prende posto; dietro di loro il Maire Traditi apprensivo, Càmbel annoiato. Nel palco vicino stanno Drouot, Cambronne e Bertrand, senza la contessa, che continua a negarsi ogni distrazione. Il teatro risuona di ovazioni, N. risponde con cenni del capo. Alla solita divisa verde di colonnello dei cacciatori della Guardia ha sostituito la divisa blu della Guardia Nazionale elbana. Anche questo non sfugge agli osservatori.

Per l'ouverture è stato scelto la fortunata aria del Grétry, *Où peut-on être mieux qu'au sein de sa famille?* N. vuol farci sapere ancora una volta che noi siamo la sua nuova, cara e definitiva famiglia. La sua impudenza mi indigna e mi diverte al tempo stesso.

Compaiono in scena gli attori della compagnia drammatica che viene da Livorno: danno un vaudeville, *La Coquette corrigée* in italiano e una *bouffonnerie*, *Arlequin en Perse*, in un francese assai toscanizzato. Divertimento al-

le stelle, risate. La principessa, piú *coquette* che mai, dà il
segnale degli applausi.

Dopo lo spettacolo drammatico c'è il ballo in maschera. N. e Madame Mère si ritirano, tutti corrono a indossare i costumi che si sono portati appresso: ci sono il pulcinella, la colombina, il selvaggio, il pascià. Ferrante s'è abbigliato da cinese, profittando di alcune pezze di seta che erano rimaste in casa; Diamantina da contadinella, una di quelle campagnole giulive e lustre come pomi che si ammirano soltanto nelle incisioni che esaltano le sane virtú campestri. Drouot si bea della visione della sua Enrichetta, la quale si è travestita da farfalla, ed è ancora piú leggera e diafana del solito, malgrado le ali di mediocre fattura che le ciondolano dalle scapole magre.

I personaggi in maschera adesso fanno corona a Paolina, che ha scelto di essere una fanciulla di Procida, ispirandosi al romanzo di Forbin: corpetto verde e gonna rossa, camicetta bianca con le maniche a sbuffo, i polsi tintinnanti di braccialetti multicolori. Paolina apre le danze, passa come un'ape da un ufficiale all'altro; da ultimo invita Cambronne, piuttosto legnoso nei movimenti. Tra i piú giovani la tensione per afferrarla ed esserne afferrati è quasi dolorosa; la tarantella diventa un zuffa, come se l'orchestra distribuisse non delle note, ma sacchi di farina a degli assediati; alla fine tutti applaudono, chiedono il bis. Ferrante non abbandona un istante la sensuale danzatrice di fandango. Dal loro palco, Drouot, Bertrand e Campbell battono straccamente le mani alla fine di ogni ballo; non vedono l'ora di ritirarsi. All'una me ne vado anch'io, seguito dagli sguardi di rimprovero di mio fratello. Mi chiede se non riesco a divertirmi nemmeno stasera.

Siamo entrati nel Carnevale. Detesto quell'allegria forzata di *danse macabre*; adesso poi che il Pescatore sta predisponendo le reti della sua tonnara per l'ennesima mattanza, le feste mi sembrano un'oscenità; e piú ancora la storditaggine dei festaioli. Ballo in maschera ai Mulini, al Forte Stella, al Falcone dove i polacchi si esibiscono nelle loro danze nazionali; ballo dai Vantini, dai Foresi, dai Senno.

Al ballo dei Foresi Enrichetta Vantini fugge via in lacrime. Il matrimonio con il generale Drouot, già annunciato per aprile, è andato a monte; il promesso sposo ha avuto un lungo e penoso colloquio con Vincenzo Vantini. Chi sa qualcosa è il novello conte di Rio, ormai ospite fisso ai Mulini, dove ha soppiantato i ciambellani. Pons parla dell'opposizione alle nozze della madre del generale, che non gradirebbe una sposa straniera, sia pure virtuosa come Enrichetta; essendo molto anziana, teme di perdere le attenzioni di un figlio devoto. Io credo invece che Drouot, conscio di quello che lo attende, non se la senta di coinvolgere la giovane sposa nell'avventura di nuove campagne militari e non abbia cuore di abbandonarla all'Elba; o che avverta l'amore per Enrichetta come qualcosa che può distoglierlo dalla dedizione che ha giurato al suo Sovrano. Forse Drouot si punisce perché vive il suo amore senile come una colpa, e amando Enrichetta al solo pensiero delle future battaglie di sente travolgere da qualcosa che assomiglia alla disperazione. Costretto a scegliere, ha scelto N.

Costernazione dei Vantini, soddisfazione maligna degli altri. Diamantina coglie al volo l'occasione per sfogare il suo istinto di samaritana. Passa interi pomeriggi da Enrichetta, ma torna piú sconvolta di quando è partita, come se l'abbandonata fosse lei.

*Martedí 17.*

Con molto tatto, Peyrusse ha fatto sapere a Ferrante che l'I. non disdegnerebbe sovvenzioni e prestiti per una futura impresa cui va pensando (non ha detto quale). La generosità con cui Egli ripaga i suoi fedeli è nota. Pare che Foresi abbia già dato la sua adesione.

Ferrante ha confermato la sua devozione e ha promesso che avrebbe fatto del suo meglio, compatibilmente con gli impegni finanziari della famiglia.

Gli ho detto che era immorale finanziare altri massacri. Mi ha accusato di scarsa preveggenza:

– Te non sarai mai un imprenditore, – ha detto.

– Non bisogna essere degli imprenditori per sapere che ovunque Lui voglia andare, non è soltanto un rischio, è un'insensatezza, un'empietà. Lo sanno anche Bertrand e Drouot. Ci scommetto che perfino Madame Mère...

– Ma che mi stai a raccontare? Al momento opportuno loro marceranno, che ti credi? E mi spieghi te allora perché Pons è già della partita? Già pronto a zompa'!

– Dicevi che era un magnocco, il Pons. Adesso è diventato un maestro di lungimiranza.

Non raccoglie. Argomenta:

– ... Se Lui non fa la prima mossa, la faranno gli altri. Assedieranno Portoferraio. Ci distruggeranno. Si vendicheranno su di noi. Quanto potrà resistere? Due, tre mesi. Per l'estate sarà tutto finito, e noi saremo morti, o rovinati.

– Tu hai già deciso, Ferrante. Io non ti ostacolerò, ma non ti approvo. Va' per la tua strada, che io vado per la mia.

Ha alzato le spalle:

– Ma dove vuoi andare, tu? Scriverai sui fatti dell'Elba qualche pagina di riflessioni morali, e sarà tutto.


*Sabato 28.*

Bertrand ha chiesto a Sua Maestà di approvare una spesa di 62 franchi e 30 centesimi per la messa in opera di otto tende nel salone della principessa. La richiesta è stata respinta, perché la spesa non era prevista dal bilancio: «così sarà per tutte quelle di questo genere, non approvate prima di farle».

Febbraio

*Lunedí 6.*

Da qualche giorno una grande carta di Francia sta distesa sul tavolo dello studiolo, punteggiata di spilli che, a quanto ho potuto sbirciare, segnano una specie di sentiero che va dalla costa di Provenza – diciamo Antibes – verso settentrione, tenendosi piuttosto accosto alle Alpi.

N. sta rinchiuso per ore con i suoi generali. Quando escono, Cambronne non riesce a contenere l'agitazione; Bertrand e Drouot hanno un'aria grave. Da una frase che ha scambiato con Bertrand, credo che il dilemma di Drouot sia questo: lui, il fedele per antonomasia, è convinto che anche i soldati del Borbone siano fedeli al loro Re. Sino in fondo. Dunque sarà guerra civile, e la prospettiva gli fa orrore. (Ma una guerra, quale che sia, non è sempre una guerra civile? Qui la cecità dei militari dà nel metafisico).

N. continua a regolare le faccende piú minute come dovesse star qui cento anni. Cerca di vendere tutto il sale in Toscana per ricavare qualche soldo in piú; si occupa di certe tavole di legno richieste da una compagnia d'attori per un loro spettacolo; stabilisce che ai cani da caccia va dato il pane di crusca, non quello che mangiano i militari. Dice che lo fa per decenza, non per economia. Intanto ha fatto cercare due o tre cani da ferma per il cinghiale, e altrettanti per la lepre.

Passa ore a limare il budget del 1815. Ha dato ordini per gli appartamenti da affittare a Marciana per trascorrervi l'estate. Progetta nuove strade.

Arrivano messaggeri in continuazione, volti mai visti.

Uno di essi era una giovane signora travestita da marinaio. Aveva occhi scintillanti e un'ombra di peluria sul labbro. N. l'ha trattata con molta familiarità.

*Sabato 11.*

N. non esce piú dai Mulini. Ha fatto mettere in giro la voce che teme attentati. Mi immagino le spie che corrono a informare i loro governi che N. ha paura.

*Domenica 12.*

Ho aperto l'anta di uno degli armadi della biblioteca imperiale, ho percorso ancora una volta i dorsi dei volumi di cui saprei dire l'esatta collocazione ad occhi chiusi. In un lampo ho capito che non c'è miglior «memento mori» di una biblioteca. Non riuscirò mai a leggere i 2378 volumi dell'Imperatore, anche se Egli restasse tra noi sino alla vecchiaia. La memoria che ho di quelli già letti si appanna ogni giorno, e come Sisifo ogni giorno sono obbligato a ricominciare la stessa fatica. La memoria è una vecchia grulla: capace di trascurare il senso complessivo di un'opera, e di fissarsi su dettagli infimi, magari escrementizi (se penso al *Gargantua*, ad esempio, mi balza subito in mente la digressione che conclude il capitolo tredicesimo: «Affermo e sostengo che non v'è miglior nettaculo di un papero ben piumato...»). La condanna a ripercorrere le stesse strade può dare diletto, perché – mutando noi continuamente la nostra pelle mentale, come i serpenti – ogni rilettura è in realtà una lettura nuova, e non saprei dire se v'è piú gioia nella frenesia del primo incontro, o nel riscoprire tesori che avevamo sotto gli occhi, e la prima volta non abbiamo saputo vedere.

Questi libri, amati come se fossero miei, mi dicono che

presto essi continueranno la loro silenziosa esistenza senza di me, piú forti dell'umana labilità. Ma sarà poi vero? Quanti di essi sfuggiranno alla selezione che ne fa il gusto dei posteri e che noi attribuiamo genericamente al Tempo? Senofonte, Cesare, Tacito, Plinio, persino Ammiano Marcellino sono al riparo da queste offese, avendo superato la prova empirica dei secoli. Ma gli scienziati, gli storici, i letterati, i vocabolaristi? Il *Nouveau traité de géografie* del Busching, le *Leçons élémentaires de cosmografie* del Graberg, il *Système des Plantes* del Mouton-Fontenille? Ma i romanzi per signore che Madame Mère e Paolina si fanno leggere da Vittoria, le *Mémoires du Comte de Comminge* di Madame du Tencin o la *Mademoiselle de Clermont* di Madame de Genlis, che adesso leggono tutti, anche gli uomini d'Armi, anche l'Imperatore? Che ne sarà fra cinquant'anni? Il sapere umano è un brancolare nelle tenebre, ogni nuova opera contraddice quella precedente e vuole farcelo sapere con sussiego ridicolo, ma propone verità altrettanto provvisorie. La vanità degli autori non è inferiore a quella dei generali; entrambi costruiscono sulla medesima sabbia che fugge dalle clessidre.

Gli stessi libri che sono presumibilmente destinati a sopravviverci acquistano con gli anni un diverso sapore. Posso ancora ricordare l'emozione delle letture giovanili, quando ogni libro non era soltanto la scoperta di terre incognite, ma offriva la promessa di un cambiamento imminente, ne garantiva gli strumenti, accendeva una febbre di demiurgo. Avrei giurato che tutto quel sapere era stato accumulato per propiziare l'imminente felicità del genere umano e la mia personale, come direbbe N. Gli uomini dei Lumi ci promettevano che avrebbe regnato l'Ordine dove prima era lo strepito e il furore dell'età ferina. Non sono in grado di stabilire se proprio da quelle promesse siano discesi gli orrori della Rivoluzione francese, cosí come ogni genitore che abbia la pretesa di regolare troppo minutamente il futuro dei figli in realtà finisce per disporli

alle sregolatezze. So soltanto che ogni libro amato diceva
a me ragazzo: il mondo è un catalogo d'infinite possibilità,
e questi libri sublimi lo cambieranno, lo feconderanno e
daranno frutto, come il calore del sole fa germinare la vita dalla terra. Oggi in quello stesso libro trovo la conferma dell'immutabilità degli uomini, del puntuale ripetersi
dei loro errori. Esso mi dice: stai finendo di consumare la
tua candela, niente è davvero modificabile, nulla esiste se
non il piacere di un istante, quello della lettura, appena
piú durevole di quello che proviamo tra le braccia della
donna amata.

Devo ammettere per onestà che non è vero nemmeno
questo. Le letture dell'età adulta o avanzata hanno lo stesso sapore delle piú luminose giornate d'ottobre, quando
tutto, nell'aria appena pungente, si dispiega in pace e trasparente chiarità; e l'anima leggera delle cose si innalza vi-
sibilmente da esse, come liberata da ogni scoria. Non diverso è l'amore nei vecchi. Brucia con una intensità che è
sconosciuta ai giovani, perché consapevole e disperata: non
di sé o del proprio oggetto, ma del tempo breve che resta:
della sua peribilità.

Da giovane sei preso dalla smania dell'accumulazione,
non c'è grande biblioteca che riesca a soddisfare le tue brame. Insegui ogni possibile preda, nulla mai ti può bastare,
nel sogno di impossibili completezze. Da vecchio, quando
arriva il tempo di bilanci, procedi in un senso radicalmente
contrario: nulla si rivela all'altezza delle scelte che ti sei
imposto. Delle centinaia di libri che hai creduto di amare
te ne restano venti, a dir tanto: quelli sí cari e indispensabili, fino alla fine. Tutti gli altri si rivelano per quel che
sono: pallidi amori effimeri; qualche volta persino sba-
gliati. Come tali, bruciano nel ricordo. Vorresti eliminare
le tracce di passioni disonorevoli.

Un giorno non lontano dovrò fare anch'io questo lavoro, queste fucilazioni di massa, come N. a Giaffa con i prigionieri turchi.

Guardo i bei volumi in marocchino rosso, con le aquile a penne dispiegate, le «N» coronate d'alloro, e mi sento il custode d'una cappella funebre, anche se lodevole per misura e buon gusto. Chi saranno i futuri frequentatori di questa cappella, chi prenderà in mano i libri dell'Imperatore e, piú modestamente, i miei personali? Che cosa penseranno di queste opere e dei loro effimeri lettori del 1815? Chiunque essi siano, come trasmettere loro l'emozione di quei lontani incontri? E perché poi dovrebbero interessarsi alle nostre emozioni? Tuttavia mi sento invadere da uno struggimento insostenibile alla sola idea che mia figlia, un giorno, possa avere il desiderio di ricercare il profilo di suo padre nei libri della sua biblioteca. Il solo vagheggiare questa remota ipotesi mi conferisce un'illusione d'immortalità.

*Mercoledí delle Ceneri.*

Il Carnevale è stato sepolto in pompa magna con un corteo d'inusitata magnificenza, che è partito da Forte Stella, ha salutato l'Imperatore ai Mulini e poi è sceso lentamente nella piazza della Gran Guardia. Lo ha aperto il comandante della Guardia, l'inflessibile colonnello Mallet, quello che ti manda in punizione per ogni minima infrazione al Regolamento. Era vestito da pascià con i casimiri della principessa, e cavalcava con aria afflitta nientemeno che il superbo normanno bianco Intendent detto «Cocò», il destriero della leggenda napoleonica.

Dietro di lui l'altissimo, ossuto colonnello Schultz dei cavalieri polacchi travestito da Don Chisciotte, con barbetta caprina e bacinella in testa, in sella al ronzino piú scheletrico dell'isola; lo accompagnava un furiere rubizzo nei panni di Sancho: faceva smorfie e mandava baci da un asinello. Seguivano i musici della Guardia vestiti da Pierrot, con trombe, chitarre e tamburi, tutti intenti a strap-

pare dai loro strumenti miagolii, grattate, lamenti da straziare i timpani.

Poi venti carri in cartone montati sulle prolunghe del-
l'artiglieria, carichi di odalische velate che lanciavano fiori, ed erano dei *grognards* baffuti che squittivano al modo
isterico delle donne, e facevano le ritrose e fingevano di
respingere gli assalti della truppa. C'era un solo carro di
donne vere, in coda, travestite da zingare, velate anch'esse, ma stravolte per le pitture, vocianti come diavolesse.
Ho riconosciuto tra di loro le dame di Paolina, la Colombani, la Bellino, Vittoria con il suo busto marmoreo, e
l'Angiolina di via dell'Amore che si divertiva piú di tutti.
Lanciavano fiori, rametti di mimose.

A chiudere il corteo Bertrand, Drouot e Cambronne in
grand'uniforme, che strascicavano stivali e sciabole, afflitti in volto; e poi una folla d'ufficiali, ciambellani e fun-
zionari che fingevano di piangere.

Li seguo, li vedo arrivare in piazza, e mi sento soffo-
care dall'angoscia. Credono d'ingannare i loro guardiani,
e stanno rappresentando il loro stesso funerale, le esequie
del loro Imperatore, di quindici anni di storia, della Storia. Morituri convinti d'essere padroni del proprio destino, giullari devastati da smorfie d'agonia.

Le spie toscane non devono fare molta fatica, per sapere quello che vogliono: basta frequentare le donne pubbliche. Loro sono a giorno d'ogni minima cosa; inclino a
credere che le loro tariffe siano maggiorate per le notizie
utili che raccolgono e dispensano, peraltro senza fatica.

Trovo in piazza della Gran Guardia la vecchia Mariet-
ta, che continua a esercitare impavida il suo mestiere. Mi
dà del tu, perché ci ha svezzato tutti:

– Parti anche te?

– Per dove?

– Per la Francia, diobono. Pell'aprile, al piú tardi, il tuo
Napoleone è tornato sul su' bel trono.

– E te come lo sai?

– Ce lo sappiamo in cento tranne te, favalessa! O ti credi che ai militari gli hanno strappato la lingua?

– Magari parto anch'io. Ti farebbe dispiacere?

– Eh! Da quel dí che ti s'è seccato il pinzàcchero!


*Venerdí 16.*

Campbell ha comunicato a N. che parte per Livorno, e
di là passerà a Firenze, dove deve incontrare l'incaricato
d'affari austriaco.

N. lo ha pregato di essere di ritorno per il 28, perché
la principessa Borghese darà un ballo e tiene molto alla
presenza del colonnello.

Campbell, lusingato, ha dichiarato di accettare con piacere l'invito. Promette che sarà di ritorno il 28.

Adesso N. sa di avere dodici giorni per fuggire.


Oggi stesso hanno tirato in secca l'*Inconstant*. Ci sono da
riparare i guasti del mezzo naufragio della notte di Bagnaia,
calafatare le fasce, ripassare il rame. N. ha dato ordine che
sia pitturato di nero, come un brick inglese. Dovrà essere
pronto per il 24, e rifornito di biscotto, legumi, riso, for-
maggio, acqua, vino, acquavite, legna da ardere per 120 uomini e per tre mesi; carne salata per quindici giorni. N. ha
chiesto di dotare il brick di quante piú scialuppe è possibile.

Per economia, ha offerto il vino delle sue cantine; riso,
biscotto e olio saranno prelevati dai magazzini militari. N.
sorveglia personalmente i lavori, sprona gli uomini a suon
di monete d'oro. Le sue speranze sono appese alle vecchie
tavole di quella carretta.

Il fervore dei preparativi mi appassiona e mi paralizza.
Mi sembra di dover fermare con le mani una carica di cavalleria. Sento la loro minacciosa energia ribollire sotto le
divise. Al crescere di quella, il mio sangue svapora.

*Venerdí 17.*

Distribuzione di cartucce ai soldati. Gli uomini del Battaglione Corso si esercitano al tiro, fanno manovre alla Linguella sotto l'occhio dello stesso N., che li arringa e distribuisce altre monete. I cavalli dei polacchi sono stati fatti rientrare da Pianosa.

I soldati hanno ricevuto un'uniforme nuova e due paia di calze.

Incontro Drouot: – Ah, caro Acquabona, non devo pensare alla casa di Poggio! – Poi, a bassissima voce: – Sto facendo quanto è umanamente possibile...

Credo alluda al tentativo di distogliere l'I. dai suoi disegni. Dico: – Non c'è nulla che possa fermare quell'uomo.

Il bello è che ne sono convinto.


*Sabato 18.*

Con una feluca da Lerici è arrivato da qualche giorno un personaggio che ha avuto almeno tre incontri riservati con N. È un uomo ancor giovane ma precocemente vizzo, volpino; si dà arie di statista. Pare sia un uditore del Consiglio di Stato, un sottoprefetto o qualcosa del genere; Cambronne si è lasciato scappare un nome che assomiglia a Fleury. Quel che è certo è che i lunghi colloqui hanno avuto il potere di rallegrare l'umore di N. fino all'euforia. Colgo parole come «segnale convenuto», «patrioti», «Grenoble».


*Domenica 19.*

Giornata precocemente mite. Al *cercle*, N. non riesce a star fermo. Madame Mère non lo perde di vista un istante; parla nell'orecchio di Paolina, scuote la testa. Paolina le fa una carezza svelta, riparte verso i suoi ufficiali, nervosi anche loro. Vedo Drouot tormentarsi l'angolo delle labbra con i denti; poi parla da solo. Si accorge che lo sto fissando, alza le spalle in un gesto d'intesa e compatimento: per sé, per tutti. Il supposto Fleury conversa con il dottor Lapi con quella speciale affettazione mondana che mi dà tanto fastidio nei Francesi.

Alle dieci i soliti invitati hanno cominciato a prendere congedo. Avevo mal di testa per il troppo fumo che stagnava nel salone, e sono uscito in giardino per rinfrescarmi.

Guardavo il mare, e non l'ho sentito arrivare. Si è affacciato al parapetto come per controllare che lí sotto, sugli scogli, non vi fossero nemici in agguato.

Poi mi ha notato.

– Ah, siete ancora qui, Acquabona... Di vedetta... Non vi ho dunque stancato abbastanza?

– Per niente, Sire –. Ho un bel dirmi che il mio ostentato servilismo è un trucco per stargli vicino, per conquistare la sua confidenza. Conosco bene la mia remissività incapace di vero odio. In realtà anelavo anch'io una sua parola, bramavo la sua confidenza. Ne sono stato subito ripagato:

– Se un giorno la Francia dovesse chiamarmi, mi seguireste voi?

– Temo, Sire, che malgrado l'affezione che vi porto vi sarei di scarsa utilità. Per fortuna i valorosi non vi mancano.

– Io apprezzo i vostri servigi e la vostra discrezione, ma non comprendo come un uomo possa rinunciare ad ogni legittima ambizione. Non vorreste stare sempre rinchiuso in biblioteca!

Avrei voluto dire all'Imperatore che non siamo noi a decidere, ma semmai veniamo scelti dal carattere, dal caso, da un'infinità di eventi imprevedibili. Invece ho detto:

– La biblioteca è un buon punto di osservazione. Come la coffa di una nave. Perché le rotte degli uomini sono sempre le stesse...

– Qui vi sbagliate, *jeune homme*, – (mi irrita quando mi
chiama *jeune homme*, perché abbiamo la stessa età. Detesto quel suo paternalismo che crede di poter dare ad ogni
uomo e ad ogni cosa un ordine nuovo e definitivo per semplice virtú di parola). – Le rotte le stabiliamo noi. Avete
davanti a voi la vivente smentita delle vostre affermazio-
ni. Per quindici anni ho modificato incessantemente il mondo, e piú l'avrei fatto se il destino, il caso e l'ingratitudine
degli uomini non mi fossero stati avversi. Forse la fortuna
mi concederà di modificarlo ancora. Credete dunque che
dureranno molto al loro posto, i vostri inetti Borboni?

– No, Sire. Le Restaurazioni sono un evento misere-
vole, assai piú triste della Rivoluzione piú crudele. Cercavo soltanto di dire che non sono capace di modellare l'ar-
gilla del mondo: non ho mani da vasaio. Mi appassiona studiare le leggi generali che governano l'agire degli uomini.

Ha dato un breve grugnito. Ho tentato di scherzare:

– Sono afflitto da un morbo maligno, Sire.

L'Uomo deve aver intuito, perché il suo dire ha preso
un leggero tono umoristico:

– Dite. Non vi manderò Monsieur Pourgon, come lo chiamate voi pettegoli, perché potrebbe uccidervi del tutto.

– ... Il mio morbo, che pure non ha interesse per alcuno, è che vedo tutto con gli occhi dei posteri, come se
guardassi da un punto situato a duecento anni di distanza. E da quel punto di osservazione... – volevo aggiungere: tutto è piccolo e vano: le fatiche del Vasaio, la stessa gloria. Mi sono fermato, spaventato dalla mia stessa insolenza.

– Fatevi coraggio, signor Acquabona. Ancora un passo
e potrete concludere che il nostro diverso sentire pervie-
ne a conclusioni assai simili. Sapete che cosa si vedrà gran-
deggiare all'orizzonte, tra i vostri duecento anni? L'Orco
di Corsica, il caporale ambizioso, il mostro assetato di sangue umano. È Lui che gli uomini continueranno ad amare, è Lui che sogneranno. Lo sapete, questo, *jeune homme*?

Nei loro cuori resterà il Vasaio arrogante che ha voluto plasmare l'Europa.

Un lungo silenzio. Ha ripreso su un tono piú basso:

– Naturalmente anche voi penserete che l'Elba non basti alle mie immoderate ambizioni.

– Volevo sommessamente osservare, Sire, che l'Eroe e lo Scriba non sono due modelli inconciliabili. Possono convivere. Difatti voi non mi avete ancora cacciato, Sire, e per quel poco che conosco di voi non mi caccerete.

– Tenetemi informato dei vostri studi sulle costanti –. Di nuovo mi trattava come un architetto che non deve deludere la committenza. Ho cercato di spiegare:

– Mi limito a stabilire delle relazioni, a osservare delle somiglianze. Studio la vita degli uomini come se fosse quella degli animali, e quella degli animali come se fossero organizzati in società umane.

– Perbacco! Voi mi lusingate, signor biografo! – ha esclamato sarcastico.

Ha alzato il cappello al cielo nerissimo e alle sue stelle pulsanti. Da sotto il bicorno usciva una voce grave.

– *Bon Dieu! Que les hommes de lettres sont bêtes!* Chi è capace di tradurre un poema non è capace di guidare quindici uomini... Se avessi avuto intorno tutta gente come voi, Acquabona, sarei un ufficiale di Artiglieria alle soglie della pensione, e con il sogno di essere Napoleone. Spero almeno riponiate la vostra ambizione in una qualche degna attività scientifica. Non sapete forse che non esiste una buona storia d'Italia? Perché non la scrivete? Perché non fate qualcosa per la vostra isola?

– La mia vera isola è il signor di Montaigne, Sire. È lui che curo. O per meglio dire, è lui che cura me.

– Il signor di Montaigne! È facile ritirarsi in un castello a scrivere, quando c'è da rifare il mondo! E le isole, poi! Un'isola da sola non conta niente! Ma perché chiedere a un bibliotecario piú di quello che può dare?

Ha battuto il piede, irritato con se stesso.

Il mare aveva ansiti rauchi sotto i baluardi. Il fanale dello Stella mandava una luce malata. Prima ancora che la Maestà imperiale riprendesse a parlare, sapevo che la sua voce avrebbe assunto un'intonazione amichevole: quella stessa che usava quando, dopo aver strapazzato i sottoposti, alla fine si decideva a rabbonirli, perché in fondo erano dei servitori fedeli. Perché anche Lui, soprattutto Lui, aveva bisogno dell'amore dei suoi sudditi, dei suoi beneficati. Per questo ne aveva beneficati tanti. Era convinto di beneficarli anche quando li mandava a morire per la Francia, per la Gloria.

Ha detto con un tono condiscendente che a me riusciva ancora piú urticante di quello amministrativo:

– Non abbiatevene a male, mio buon amico. Di tanti volenterosi ignoti figli del popolo ho fatto dei generali, dei marescialli, dei grandi di Francia. Li ho ricoperti di onori e di ricchezze, ad alcuni ho addirittura donato dei regni, ed essi mi hanno ricompensato con l'ingratitudine e il tradimento. Probabilmente i bibliotecari sono piú fedeli di loro. Per questo appunto mi occupo di voi. Non state scrivendo di me anche voi? – adesso era addirittura amichevole. – Le nostre conversazioni saranno la vera ricompensa per i vostri servigi. Sembra che il mondo non faccia altro che scrivere di me: diplomatici, generali, ufficiali, ciambellani, segretari, medici, tesorieri, valletti, camerieri. Scommetto che scriveranno anche l'efficiente Constant, l'ingrato Roustam, l'ottimo Méneval, anche l'inappuntabile Marchand, anche il fedelissimo Alí! Tutta gente che crede di conoscermi benissimo e su di me prometterà al lettore le verità ultime, i particolari commoventi, le rivelazioni portentose, i misfatti obbrobriosi, le infamie piú stravaganti! Credete forse, *jeune homme*, ch'io non sappia che i Borboni o gli Inglesi o tutti e due hanno messo in giro la voce che sono l'amante di mia sorella? V'è chi si commuove perché sono un uomo anch'io, che diamine, tutto generosità e capacità di lavoro! V'è chi mi esecra come despota capriccioso, come divoratore delle risorse d'Europa! Come la risibile reincarnazione d'Alessandro con i suoi sogni di governo universale! Ci sono sedicenti filosofi come quel Benjamin Constant i quali si vanno riempiendo la bocca della parola libertà, e non sanno che la fortuna dell'uomo non sta nella libertà, ma nell'accettazione di un dovere. Nessuno di questi signori filosofi è in grado di dirci che cosa dobbiamo fare della libertà. Ebbene, ve lo dico io: l'unica libertà possibile è quella di pensare in grande. Invece si continuano a leggere su di me le cose piú assurde, piú ridicole, piú infamanti. Le avete voi lette, signor Acquabona?

– Ne ho lette alcune, Sire.

– Sono spurghi di fogna! Avrete l'impudenza di negarlo? E intendete tenere bordone a questi libellisti?

– Penso che quegli scritti non dicano nulla di voi e molto di coloro che li scrivono. Ma questo accade in generale ai bravi storici e persino ai cronisti onesti. Leggiamo forse le storie di Voltaire per sapere quale fu veramente il regno di Luigi XIV, o per conoscere meglio l'autore? Gli storici ci parlano d'essi stessi, qualunque cosa scrivano.

Una volta aveva detto che, se non avesse dovuto salvare la Francia dal baratro, gli sarebbe piaciuto fare lo storico: lo storico vero, quello che lavora sui documenti. Credevo avrebbe avuto uno scoppio di furore; invece ha dato un grugnito come di assenso. Prima di rientrare ha rinserrato il cappotto che gli pendeva largo ai fianchi, con un brivido:

– Io non ho lavorato per gli storici. Esiste una verità dei fatti, non scritta, diffusa nel comune sentire del popolo. È a quel sentimento che mi appello. È quel sentimento che mi darà giustizia. Che cosa è mai la parola Imperatore? È una parola come un'altra. Se non avessi altri titoli per presentarmi alla posterità... *Mes institutions, mes bienfaits, mes victoires*, ecco i miei veri titoli di gloria.

Si è congedato di scatto:

– Vi do la buonanotte, signor Acquabona.

Nel passo rapido che ha preso per rientrare, le falde del soprabito svolazzavano con la pesantezza un po' sinistra che può avere il piumaggio di un animale mitologico: di un'Arpia.

Non ho dormito, stanotte. Mi tormenta un pensiero: è troppo tardi per ammazzarlo. Il monumento che s'è costruito è lí, immenso, indistruttibile. Il gesto di un folle, o di un savio, non potrà scalfirlo: anzi, lo renderà piú visibile. Ma non è a Lui che bisogna pensare: è agli altri, a quelli che sacrificherà ancora, ai *grognards* che fanno i loro esercizi in Piazza d'Armi e aspettano le nuove battaglie come altri aspettano l'amante. Pensare agli altri Francesi, agli Inglesi, ai Tedeschi, ai Polacchi. Agli uomini.

*Lunedí 20.*

Come per proseguire in qualche modo il dialogo notturno, mi sono dedicato al gioco di lasciare dei libri ben aperti sul ripiano della finestra della biblioteca, contando sul fatto che Egli è solito controllare anche le letture dei suoi dipendenti. Difatti ho trovato il libro spostato rispetto alla posizione in cui lo avevo lasciato. Erano le *Lettere a Lucilio* di Seneca, alla pagina in cui si legge:
«La stessa azione che, commessa contro le leggi, viene punita con la pena di morte, diventa meritevole se chi la commette indossa una divisa. L'uomo, la piú mite delle creature, non si vergogna di rallegrarsi del sangue altrui, di fare la guerra e di farla fare ai suoi figli, laddove le bestie e le fiere sanno convivere in pace».

Naturalmente non mi illudo di cambiare un uomo con una pagina di Seneca. Piú semplicemente, mi diverto a recitare la parte dell'erudito che si è rinchiuso nel loculo angusto dei suoi libri, ed è incapace di tradurli in un gesto vitale. Da quando mi impegno nelle mie dissimulazioni, mi pare di conoscere il piacere un po' perverso che ogni attore mette nel suo lavoro.

*Martedí 21.*

La risposta non si è fatta attendere.

Sul tavolo della biblioteca ho trovato aperta alla seconda pagina una copia de l'*Anti-Sénèque ou Discours sur le bonheur*, di Julien Offroy de la Mettrie, Potsdam 1750, in cui si poteva leggere:

«Vivere tranquilli, senza ambizione e senza desiderio; usare delle ricchezze, ma non goderne; conservarle senza preoccupazione, perderle senza rincrescimento, governandole anziché esserne schiavi; non venir turbati né commossi da passione alcuna, o piuttosto non avere passioni; essere contenti nella miseria quanto nell'opulenza, nel dolore come nel piacere; avere un animo forte e sano anche in un corpo debole e malato; non aver timori né spaventi; spogliarsi d'ogni preoccupazione, sdegnare il piacere e la voluttà, acconsentire al piacere come alla ricchezza, senza ricercarli; disprezzare anche la vita; e finalmente arrivare alla virtú tramite la conoscenza della verità, ecco ciò che costituisce il Sommo Bene di Seneca e in generale degli Stoici, e la felicità che ne consegue.

Quanto saremo anti-Stoici! Questi filosofi sono severi, tristi, duri, e noi saremo dolci, allegri e compiacenti. Tutti anima, fanno astrazione del loro corpo; tutti corpo, noi faremo astrazione della nostra anima. Essi si mostrano inaccessibili al piacere e al dolore: noi ci gloriamo di sentire l'uno e l'altro. Sforzandosi di sublimarsi, essi si innalzano al di sopra di tutti gli eventi e non si credono veramente uomini se non nella misura in cui cessano di esserlo [...] noi ci crederemo tanto piú felici quanto piú saremo uomini».

Nell'informarmi del ripudio di una filosofia che non era mai stata la sua, l'Imperatore mi comunicava che il Purgatorio stoico che egli aveva dovuto fingere di accettare per la gioia e l'inganno dei suoi nemici stava per trovare conclusione, e che Egli si preparava a tornare là dove la felicità dei cittadini del mondo lo reclamava. In quel regno felice per me, pallido seguace del filosofo, non ci sarebbe stato posto.

*Mercoledí 22.*

I generali e gli alti ufficiali entrano ed escono in continuazione dallo studiolo, gli ufficiali d'ordinanza sono sempre a cavallo; Pons ormai vive ai Mulini. Il signor Rathéry non ha mai lavorato tanto come in questi giorni; lo aiuto a tenere in ordine la corrispondenza.

– Speriamo che finisca presto, – sospira. Si lamenta dell'umidità, dei dolori alle ossa.

N. ha pregato Bertrand di aggiudicare i lavori per la strada a mare sotto Longone e tre ponti verso Capoliveri; ha ordinato lavori anche alla Madonna del Monte, vuole spostare le cucine.

L'Uomo torna a puntare la felicità possibile come un bracco. Sente vibrare nuovamente sotto le sue mani la macchina che s'è rimessa in moto. Può finalmente pensare un futuro che non siano le finiture di San Martino o le ordinanze sull'igiene.

Non conversa piú, impartisce ordini secchi.

Voci che circolano in città: Madame Mère sta per recarsi a Parma scortata dalla Guardia; N. prepara una spedizione contro i pirati barbareschi; si appresta a fuggire in America; sta partendo per Napoli; vuole sbarcare in Toscana, dove già lo aspettano i Napoletani di Murat; diventerà Re d'Italia.

Di sicuro ci sono solo le provviste che continuano ad affluire da Longone, le casse di cartucce che di notte vengono imbarcate sull'*Inconstant*, e trentasei pezzi d'artiglieria e varie casse di fucili pronte per essere imbarcate sullo *Stella*.

N. ha fatto dire di essere indisposto.

In mattinata è entrata in rada la *Partridge*, la fregata su cui di solito viaggia Càmbel. Sgomento ai Mulini. Che gli Inglesi abbiano saputo? Ma il colonnello non c'era: è rimasto a Livorno, per il ballo della contessa Filippi. È la sua assenza piú lunga. Della signora si diceva che era una spia degli Inglesi; a me sembra invece che lavori per N. trattenendo Càmbel con i suoi balli.

Dalla *Partridge* sbarca la solita comitiva di nobili in visita. Sollevato dall'assenza del colonnello, N. li riceve, si mostra amabilissimo, li colma di doni.

Giornata interminabile, nervosa. Al pomeriggio, quando gli ospiti se ne vanno, N. bestemmia, li chiama «coglioni».

Non c'è altro tempo per nessuno, tanto meno per me. Sarà domani, o mai.

*Giovedí 23.*

Ecco la nuda verità dei fatti, quella che nessuna immaginazione e nessuna scrittura può sovvertire.

Stranamente ho avuto una notte tranquilla, senza sogni. Mi sono sbarbato e vestito con cura. Alle sette sono uscito di casa, lottando a cuore stretto con l'idea che non vi avrei piú fatto ritorno. Ho abbracciato Ferrante, Diamantina, Elide. Loro si sono stupiti di quegli addii:

– Parti? – ha chiesto mia sorella.

– No. Sí. Vedremo.

Sono salito ai Mulini con una valigetta di libri, e tra quelli il finto volume sulla metallurgia che in realtà era una scatola. Avevo addosso l'eccitazione del viaggio che comincia.

Ho goduto l'aria fredda. La stessa aria pungente e nebbiosa di Austerlitz, il paese delle sorprese, mi sono detto.

Ho salutato la guardia assonnata, sbadigliando per complicità. Senza che mi fosse richiesto, ho aperto la valigetta per i controlli.

– Libri, – ho detto con l'aria di scusarmi.

– Vino! Vino! – ha reclamato per scherzo un caporale.

– Basta libri!

– Basta libri, – ho detto io. – Prometto.

N. era uscito in ispezione alle sette. Mi sono ripetuto che doveva essere una giornata come le altre. Schedature di volumi arrivati dal cardinal Fesch, piccole faccende pratiche da sbrigare con i camerieri, Alí, Marchand. Recitare la parte del dipendente sereno mi ha aiutato a vincere il tremito interno. Sono stato allegro come non mi era mai capitato; ho cercato di farli ridere con giochi di parole; ho alluso ai cuori infranti che la partenza avrebbe prodotto. Poi ho dovuto contenermi perché mi è sembrato che la mia euforia li mettesse in sospetto.

Tutto è accaduto esattamente come nelle mie fantasie. Verso le quattro l'Imperatore è entrato rumorosamente nello studiolo, si è seduto al tavolo, s'è messo a consultare nervosamente delle carte. Faceva e rifaceva certe somme. Le cifre non tornavano.

Il signor Rathéry non era ancora comparso. In lontananza si sentivano squilli di tromba, e uno scalpiccío di soldati che correvano. Dalle cucine veniva un tinnire di pentolame sbattuto. Si è alzato un canto di donna in faccende. L'umidità rigava i vetri.

Adesso.

Ho preso a darmi ordini: vai al ripiano sotto la finestra, solleva la copertina del finto volume, prendi la pistola. Mi sono guardato le mani: erano senza sangue, quasi cilestrine. Forse le mani degli assassini devono essere rosse, congestionate, calde di vita. Ci vuole un piú di vita per toglierla agli altri.

Sono riuscito a sollevare la pistola e a stringerla al petto, a cercare una fraternità. Poi ho alzato il cane con tutta la delicatezza di cui ero capace. Ho ricacciato in gola un conato di vomito. Con le forze che mi restavano mi sono voltato verso lo studiolo.

L'Orco era là, come un qualsiasi avvocato o notaio, nel pomeriggio triste di un giorno d'inverno: lievemente stanco, deluso, appesantito da troppi anni di professione: quasi sconfortato, se mai fosse uomo da conoscere lo sconforto.

Era una persona sola, della speciale solitudine che distingue le scelte estreme. Mi dava le spalle. Io dovevo colpirlo dopo averne carpito la fiducia.

Come spesso mi accade, mi sono allontanato da me stesso quei pochi passi che mi consentivano di vedermi a figura intera. Ho scorto un letterato di provincia, impacciato, tremante: un ometto che stava usurpando un ruolo non suo, che covava la folle ambizione di modificare la Storia senza averne titolo. Un truffatore. Un guitto che cercava di imitare Talma. *Ah, que les gens de lettres sont bêtes.*

Ho portato la pistola alla bocca. È stato un gesto naturale, come accendere una candela. Ho sentito le fibre del petto allentarsi d'improvviso in una pace profonda. Ho aperto la bocca e chiuso gli occhi. Il ferro della pistola aveva un sapore acidulo, non sgradevole.

Dicono che chi sta per morire rivive fulmineamente l'intera sua vita. Ma che cosa potevo rivivere, io? L'intera mia vita era qui, in mezzo a questi libri. Era una vita di carta.

La mia testa era vuota d'immagini e di pensieri, né si poteva chiamare pensiero il coagulo di dolore che si affacciava agli occhi con un pianto silenzioso. Piangevo perché non ci sarebbe stato gesto, eroico o vile che fosse, che avrebbe salvato gli uomini dalla loro follia. Piangevo perché la loro follia mi sembrava piú degna d'esser vissuta della mia inutile saggezza.

Ho portato il dito sul grilletto.

Una mano di ferro ha scostato la pistola dalla mia bocca: con delicatezza, con fermezza. A bassa voce, per non farsi sentire dall'Imperatore, ha sussurrato:

– No no no, *mon frère*... Povero fratello mio.

Era Alí. Ha preso dolcemente la pistola, se l'è infilata nella fascia colorata che gli cinge la vita. Mi ha passato il braccio dietro le spalle; poiché le mie ginocchia cedevano, mi ha sorretto e guidato fuori, verso il salone a pianterreno.

– Non si sente bene, lo porto in giardino, – ha spiegato agli ufficiali.

Mi ha sistemato su una panchina di pietra, vicino agli alberelli appena piantati. Uomini della Guardia si sono avvicinati per la curiosità; Alí li ha allontanati, ha fatto cenno che avevo bisogno d'aria, mi ha allargato il colletto.

Mi hanno portato da bere, l'acqua sapeva di ruggine. Sono rimasto lí a occhi chiusi per qualche minuto. Ho sentito arrivare con riconoscenza i fumi che provenivano dal giardinetto dello Stella, dove qualcuno stava bruciando delle foglie. Mai profumo mi è sembrato piú dolce, fraterno. Ho provato un sentimento di gratitudine per il giardiniere che spingeva le foglie verso il mucchio che ardeva pigramente, sfrigolando. Poi ho sentito il mare sciacquare sotto i baluardi.

Alí mi chiamava piano per nome, mi dava lievi colpetti sulle spalle. Scuoteva la testa, non si capacitava. Ha tirato su con il naso. So cosa si stava chiedendo: perché proprio lí in biblioteca, davanti a Lui. Forse anche Alí ha capito che il suicidio è una recita per qualcuno.

Mi ha affidato a due dragoni che mi hanno accompagnato a casa sorreggendomi per le ascelle come un sacco vuoto. Al portone mi hanno consegnato a Elide.

– Non si è sentito bene. Domani è esentato dal servizio, – le hanno detto.

Sembrava che Elide sapesse, attendesse. Senza una parola, con l'infinita pazienza con cui infinite generazioni di donne hanno accudito i malati di casa, mi ha portato fino in camera da letto e mi ha coricato cosí com'ero, dopo avermi tolto gli stivali.

Non avevo piú la forza di alzare il dito di una mano. Elide mi ha fatto sorbire un po' di brodo. Sono sprofondato in un dormiveglia confuso. All'alba mi sono accorto che lei era ancora lí, sulla poltrona della Baronessa, le mani in grembo, serena.

Questa volta Monsieur Pourgon non è venuto a visitare l'infermo. Sono restato immobile a letto per due giorni, a studiare le crepe del soffitto come fossero i fiumi di un continente che dovevo avere conosciuto, un tempo.

*Venerdí 24.*

La *Partridge* è partita all'alba in direzione di Livorno, per andare a riprendersi Càmbel.

Per N. questo è il segnale. Il destino sa parlare chiaro, a chi lo sappia intendere. Quel che doveva compiersi si compirà.

A sera Paolina ha dato un gran ballo a teatro, e N. vi è comparso per pochi minuti. Diamantina ha detto che tutti erano agitati e commossi, una festa degli addii tra il riso e il pianto.

*Sabato 25.*

Sfinimento, apatia. Vorrei che acque e terra si aprissero, e ci inghiottissero tutti.

Mi sono orinato addosso, deliberatamente. Elide mi ha ripulito e ha cambiato le lenzuola come si fa con i bambini, senza dire una parola. Anche stavolta sapeva.

*Domenica 26.*

Alle sette di mattina mi piomba in camera Ferrante:
– Partono! Partono! È deciso!
– Si sapeva, no?
– Un conto è sapere, un conto è partire! Parte anche il Pons! – Si torceva le mani. – E noi che abbiamo perso la grande occasione di salire sul carro trionfale! Sento che tornerà ai fasti di un tempo! – Poi improvvisamente freddo: – Ci avrebbe fatto baroni dell'Impero, lo capisci te! Saremmo usciti da questo buco cacaiolo!
– Sei ancora in tempo a partire, barone.
Se n'è andato sbattendo la porta.

Verso le undici è arrivato Alí, trafelato.
– Cosí mi lasciate anche voi, Stefano, – mi è scappato di dire. Era la prima volta che lo chiamavo con il suo nome vero; mi sono accorto che avevo usato il tono della fanciulla abbandonata che vede partire il seduttore.
– Ah sí, stasera, partiamo stasera, adesso c'è la Messa in Duomo, dobbiamo preparare tutto, non so come faremo, ho passato la notte a bruciare documenti... Non possiamo lasciare niente alle spalle!
– Anche i ricordi delle campagne militari che l'Imperatore dettava al signor Marchand?
– Tutto, tutto! Non c'è posto sulla nave, gli ordini sono di ridurre il bagaglio all'essenziale! Ah Martino! Sono felice e sono triste! Non dimenticherò questi mesi, vi giuro! L'isola del riposo!
– Neanch'io vi dimenticherò, Stefano. Sono successe piú cose in questi dieci mesi che in quarant'anni.
– State meglio, adesso? È tutto passato? Quel brutto momento?
Adesso era lui che usava il tono della fanciulla perbene. Misuravo la distanza della sua eccitazione dal gelo del-

la mia anima, ma non gliene volevo, anzi. Sono riuscito a sorridere.

– Sarete felice di rivedere i vostri famigliari, il vostro amato padre, vostra sorella...

– Chissà se vi sarà tempo! Questa è l'avventura piú rischiosa, piú imprevedibile... I vecchi soldati dicono che è come l'Egitto...

– Ma dove andate?

– Questo non si sa...

– Via, Stefano, voi sapete sempre tutto.

– No, davvero... – esitava.

– E Madame Mère, la principessa, la contessa Bertrand?

– Sono tristi, e tuttavia... Madame Mère ha cercato di trattenere Sua Maestà, ma si è rassegnata... Si sono parlati, in giardino, dopo gli scacchi... Madame si è fatta forza, ha detto che se è scritto che Lui debba morire, meglio con la spada in pugno che per veleno o pugnale... La principessa si dispera, grida che non vedrà piú il fratello, gli ha dato i suoi gioielli, sapete, i diamanti, perché ci sarà bisogno di denaro, tanto denaro... È meravigliosa, la principessa, sapete... La contessa si dedica ai suoi bambini per non pensare... Restano qui, per il momento, che volete... Poi si vedrà... Abbiatene cura...

– Vedete bene, Stefano, che non riesco ad aver cura nemmeno di me stesso.

Mi ha abbracciato forte:

– Sento che ci rivedremo, Martino, fratello. Ci guarderete partire, stasera, dalla vostra finestra?

– Vi accompagnerò con il pensiero. Non penserò ad altro –. Sapevo di essere sincero. Si stava congedando, gli ho chiesto di scatto:

– E i libri?

– Ah! I libri! – Gli ho letto in volto un'ombra di compassione. – L'Imperatore ne ha fatto dono alla città, ai bravi Elbani! – Mi ha preso il braccio: – Potrete continuare ad accudirli come prima! L'Imperatore ha pensato anche a voi!

È fuggito via, ho sentito il galoppo dei suoi passi per le scale.

Mi sono trascinato alla finestra, l'aria fredda della sera mi ha fatto bene; Elide, sulla soglia della stanza, mi sorvegliava con discrezione.

Alle quattro hanno cominciato a imbarcare cannoni, carri, cavalli, involti, casse, provviste, con una frenesia tale che gli uomini non avevano più fiato per darsi voce. I battaglioni si sono andati ammassando sui moli. Dal porto saliva uno scalpiccio confuso, il rumore delle casse sbattute, il gemere dei legni, delle ruote, i nitriti dei cavalli. Compaiono Coco, Wagram «mon cousin», Roitelet, Tauris, tranquilli come se conoscessero la strada. Ogni tanto i richiami gutturali dei graduati, lo schianto metallico delle trombe. Il molo si riempie di civili, molte donne, anche bambini. Distinguo i gesti larghi degli abbracci, la forza delle strette, il biancore dei fazzoletti. Ci sono anche la ricamatrice e la fornaia appese al collo degli amanti.

Riconosco i generali in alta uniforme e bicorno; spalline e decorazioni brillano anche nell'oscurità.

Alle sette l'imbarco è terminato.

Faccio la conta delle navi in rada: l'*Inconstant*, la *Carolina* che per poco affondava a Pianosa, la *Stella*, il *Santo Spirito* comperato da poco a Marsiglia, e due barconi noleggiati a Rio. Saranno in tutto sei o sette vascelli, non so come potranno contenere la Petite Armée. Ci sono anche delle feluche che andranno in Corsica ad annunciare la buona novella.

L'*Après-Vous* è andata in Sardegna sei giorni fa. Anch'essa ha *raté son destin*, come tutta la nostra famiglia.

Ho poi saputo altri particolari sulla grande giornata. L'Imperatore ha dato l'annuncio della partenza al *lever*; recava sul volto le tracce della notte insonne. La piccola corte è rimasta in silenzio, nessuno ha osato chiedere la destinazione; alle nove c'è stata la Messa, come al solito. Alle undici, una feluca in arrivo da Piombino ha sbarcato un messaggero – l'ultimo – sotto lo Stella. Le truppe sono state consegnate nelle caserme. Il porto è stato chiuso dal giorno prima, nessuno può arrivare o partire, nemmeno i pescatori. Ci sono gendarmi dappertutto, con il loro cipiglio piú burbero. Sono piú maneschi del solito, strattonano gli elementi sospetti, cioè tutti.

Alle due le truppe in partenza vengono riunite in Piazza d'Armi, dove si dà lettura dell'ordine del giorno. Ci sono 400 granatieri della Guardia, 300 fanti scelti, altrettanti cacciatori corsi, 100 cavalleggeri polacchi, 200 bersaglieri elbani. In tutto 1300 uomini.

Alle sei N. convoca ai Mulini autorità, notabili, gli ufficiali della Guardia e del Battaglione Franco. Li ringrazia della loro fedeltà e devozione, giura che non li dimenticherà, affida loro madre e sorella. «Sono contento di voi», dice. Cristino Lapi è nominato Governatore: dovrà difendere l'isola ad ogni costo, non cederla ad alcuno. La giunta di governo è composta da Balbiani, Traditi, Vantini, il Vicario Arrighi, Bigeschi e Senno. Ferrante, deluso di non essere stato chiamato a farne parte, adesso è contento di non aver fatto il prestito; si consola perché in giunta non c'è Vincenzo Foresi, che il prestito l'ha dato. Gualandi è nominato amministratore delle miniere. N. lo esorta a vendere molto minerale e a mandare molto denaro, perché ce ne sarà bisogno. Per il Guercio è una gran giornata: adesso comanda lui, e Pons si leva dai piedi, corre incontro al piombo degli Inglesi, per sua scelta.

In città fanno i conti. Ci rimetteranno almeno diecimila scudi per i crediti fatti alle truppe che sono partite nel giro di poche ore.

Alle sette l'Imperatore compare sul molo dov'era sbarcato dieci mesi fa. Lo attende il canotto dell'*Inconstant*. Sulla folla ammassata scende il silenzio; si sente soltanto piangere un bambino, un pianto inconsolabile. I soldati si mettono a cantare la *Marsigliese*; dapprima esitante, il canto prende forza... «Le jour de gloire est arrivé»...Vedo che molti si lanciano a baciare le mani dell'Imperatore, che a sua volta abbraccia il Maire Traditi e Foresi. Traditi ha preparato un discorsetto, ma nemmeno stavolta gli riesce di parlare. N. lo ferma con poche parole:

– Dite a questa buona gente che ha voluto darmi una prova cosí calda d'affetto che siano dei bravi cittadini e io li saprò ricompensare.

– Viva l'Imperatore! – gridano.

Diamantina riesce a consegnare un mazzetto di fiori al generale Drouot che nella calca non fa in tempo a ringraziarla; piange in silenzio; torna a casa disfatta; Elide deve consolare anche lei. Ferrante abbraccia Cambronne e gli ufficiali polacchi uno per uno; per allentare l'emozione, accenna i passi della loro danza nazionale. È contento perché Madame Bellino rimane sull'isola, mentre invece il marito si è imbarcato. Fa complimenti esagerati ai Polacchi. Raccomanda scherzosamente a Cambronne l'uso dei palloni aerostatici. Nel coro degli addii la piú attiva è la signora Lapi, che rimbalza ovunque come una palla, piú festosa che commossa.

La scialuppa sovraccarica si stacca esitante dal molo, i marinai della Guardia faticano come se dovessero remare in un mare di colla. Esattamente come al suo arrivo, l'Orco sta confuso tra i suoi marinai come un qualsiasi bagaglio.

Vedo la scialuppa aggirare la Torre della Linguella. Ancora dieci minuti, e il cannone dello Stella annuncia che N. è salito sulla nave. Viva l'Imperatore.

Sono le otto, la luna si è fatta alta nel cielo. Non c'è vento, la flottiglia sta immobile in rada, fissa, come in un quadro di genere. Vedo gente che si affaccia ai bastioni; si sbracciano, discutono; potessero, trascinerebbero a braccia le navi verso la Capraia. E se arrivano gli Inglesi? Ma non c'è vento nemmeno per loro. Il nuovo Governatore sale allo Stella per meglio osservare.

Le dieci, le undici. La flottiglia è appena fuori lo Scoglietto. Il mare è un drappo di seta nera.

A mezzanotte apro nuovamente le finestre, e sento un alito di scirocchetto: tepido, lievemente acido. È quello che basta a spingere le navi verso settentrione.

Faccio segno a Elide, di guardia nell'ombra, che si può ritirare: non farò gesti insani. Lei non ci crede ma si allontana.

Dove dormirà stanotte, Stefano-Alí? Ancora davanti alla cabina del suo Padrone, allungato sul mantello? Penso a lui, agli altri; immagino i loro sentimenti d'ansia e di speranza. Vanno ad attizzare nuovi incendi, a preparare nuovi massacri, e io sto qui a intenerirmi su di loro, già sto odiando Càmbel e gli Inglesi. Volevo sapere come ha fatto l'Orco, il Gran Pifferaio, a incantare i suoi sorci per quasi vent'anni? Non ho che da guardarmi addosso.


*Martedí 28.*

È tornata la *Partridge*. Dalla mia finestra posso seguire il canotto di Càmbel che entra in darsena e attracca alla Sanità. Dai movimenti frenetici con cui il colonnello si volta a parlare con i suoi, si capisce che non sa spiegarsi quel senso d'abbandono che ha il porto, esausto, ancora cosparso di rumenta, come dopo un trasloco, o un parto. Lo vedo schizzare sulla banchina, involarsi verso Forte Stella con gesti burratineschi. In città spiano la sua faccia angosciata; sghignazzano, godono.

Dicono che il cojonello – cosí lo chiamano adesso – ha scaricato la sua rabbia su Lapi, su Madame Bertrand, su Paolina. Tutti a dirgli che N. era partito alla volta della Barberia. Càmbel ha chiesto a Lapi di consegnare all'Inghilterra Portoferraio abbandonata dal suo padrone. Lapi si è rifiutato: aveva ordini precisi. Il cojonello ha lacerato a morsi un fazzoletto, si è dato manate sulla testa. Recitava anche lui? Si è reimbarcato di corsa e ha fatto vela su Piombino. Perché è andato verso la Toscana? Che cosa gli ha fatto credere, quello là? Che cosa si sono detti in queste settimane? Possibile che soltanto gli Inglesi non sapessero che N. preparava la partenza, loro che si stimano i piú furbi di tutti? Ferrante è convinto che N. abbia finto un qualche accordo con gli Inglesi, e poi li abbia giocati ancora una volta.

Ora che se ne è andato anche Càmbel, il porto è definitivamente vuoto.

Cesare è partito, e io non so piú cosa fare di me. Non so piú vivere senza l'uomo che volevo uccidere. Non riesco piú a scrivere un rigo, né aprire un libro, né affacciarmi a questa finestra per vedere gli altri partire.

Non voglio restare qui a guardare i relitti dei miei fallimenti.

Partirò io, questa volta.

*Nota di Telemaco Acquabona*

Ho trovato i quaderni dello zio Martino nella soffitta della nostra casa di Schiopparello, durante i tristi rituali dello sgombero. Stavano in una scatola di legno che la zia Diamantina aveva dipinto a fiori quand'era fanciulla. Nelle prime pagine dei quaderni campeggia una piccola «N» in inchiostro nero. Le memorie non portano altro titolo o indicazione. La lettera che galleggia nel bianco mi sembra un insetto morto, abbandonato al filo d'acqua d'un ruscello. A matita, piú sotto, ci sono altre «N», anche assai diverse tra di loro, ma tutte di tratto piuttosto vigoroso. Mi è venuto il sospetto che lo zio, dopo aver imparato a contraffare la voce dell'Imperatore, a pensare come Lui, abbia voluto imitarne anche la scrittura. O forse voleva semplicemente dire che dopo tanto indagare e tanto riflettere il suo N. restava indecifrabile: una lettera, che vuol dire tutto, e nulla.

Ho dovuto vendere la casa per pagare i creditori, dopo che il naufragio della goletta *Après-Vous* al largo di Pomonte, in cui ha trovato la morte anche mio padre, aveva compromesso i nostri affari. È stata una tempesta spaventosa, ma tutte le tempeste sono tali, nel ricordo. I vecchi di Pomonte e di Campo mi hanno consolato dicendo che un castigo simile non s'era mai visto, come se morire in mare fosse una colpa. Ma che importa? Il mare s'è inghiottito la nave per intero, come si beve un uovo fresco. A testimoniare dei servigi che l'*Après-Vous* aveva reso alla nostra famiglia non è restato nemmeno un relitto, un pezzo di legno, un bugliolo.

Immagino lo stupore di mio padre davanti all'arroganza del mare, lui che si sentiva sempre in grado di dominare gli eventi. Del mare non aveva paura perché curava la nave come fosse una vigna, pagava bene i marinai, insomma era un padrone attento e scrupoloso che sapeva prevedere i contrattempi. Invece lo stesso mare che aveva risparmiato l'Imperatore durante il suo primo viaggio a Pianosa si è preso mio padre, la nostra nave e il mio futuro.

La lettura del memoriale dello zio Martino mi ha procurato dolore e sorpresa. Dolore, perché vi si racconta la storia di un altro naufragio. Sorpresa, perché se è vero che non possiamo mai dire di conoscere chi ci vive accanto, ho misurato su quei quaderni vergati in inchiostro seppia la lontananza dello zio: dalla nostra famiglia, dall'isola, perfino da se stesso.

Prima di lasciare l'Elba verso la metà del marzo 1815, lo zio ebbe un lungo colloquio con mio padre. Non ho mai chiesto che cosa si fossero detti, come se tutti lo sapessimo già, e non ci fosse bisogno di spiegazioni. Nei giorni che seguirono vidi mio padre accudire i suoi affari con una svogliatezza che non gli avevo mai visto, come se gli fosse penoso procedere senza quel fratello cosí poco mercante. Capii che la nostra vita si sarebbe divisa in un prima e in un dopo quella partenza, anche se il vero cambiamento ce lo portò l'Imperatore entrando nelle nostre vite con l'impeto che metteva in tutte le cose sue. Debbo forse volergliene? Sarebbe come rimproverare a un cavallo di lacerare con gli zoccoli le erbe del prato.

Lo zio partí all'alba per Genova, senza svegliare nessuno. La sera prima mi chiamò accanto a sé, e mi strinse nelle sue braccia con forza, lui che aveva paura di far male agli uomini e alle cose. Malgrado la giovane età, compresi che l'abbraccio era un testamento, cosí chiaro che nemmeno il notaro piú esperto avrebbe potuto far meglio. Vi stavano concentrati tutti i libri del mondo.

– Devo capire, – disse lo zio mentre mi teneva abbracciato. Se intendesse parlare dell'Imperatore, di se stesso o del mondo in generale, non è importante stabilire adesso.

Di lui non ci sono arrivate piú notizie. Per mesi, per anni, ogni giorno siamo scesi al porto, a interrogare chi arrivava, militari, commercianti, semplici viaggiatori. Nessuno l'aveva visto, nessuno ci regalò il piú modesto brandello di notizia.

Non osavamo fare congetture. La realtà, pur essendo terribilmente complessa, è molto semplice, forse stupida. In quale semplicità s'era perso lo zio Martino?

Le notizie che arrivarono ci lasciarono senza fiato. L'Imperatore e i suoi fidi erano sbarcati felicemente a Golfe Juan dopo tre giorni di navigazione. Di lí, a tappe forzate, arrivarono a Parigi senza sparare un solo colpo di moschetto. È stato scritto giustamente che quella è stata la piú gloriosa delle campagne napoleoniche: una guerra civile senza un solo morto.

Accadde poi quel che doveva accadere e che lo zio tanto temeva. Vi fu una battaglia spaventevole, che ebbe molti eroi e troppe vittime da una parte e dall'altra. Napoleone la perse per una serie di combinazioni sfortunate, piú che per il valore degli eserciti alleati, che pure non mi sento di negare; principalmente per via della pioggia che trasformò il campo di battaglia in una distesa di fango e rallentò la sua azione. Arrivò infine la notizia della sua deportazione in quell'isola lontanissima, di cui si era parlato anche all'Elba. Si seppe che era umida, ventosa: l'isola del tormento.

In quella lontananza l'Imperatore costruí la sua vera vittoria, quella che gli fece mettere radici nei cuori di tanti abitatori d'Europa come non seppero fare tante battaglie. Sull'ultima delle sue isole tornò a essere il gigante che gli Elbani non avevano conosciuto.

Ancora oggi non posso guardare senza emozione il busto in marmo dell'Imperatore, a cui coloravo le labbra incollandovi petali di geranio con la saliva. Nel ricordo, il suo profilo si confonde con quello dello zio, anch'esso piuttosto tondeggiante (egli soleva paragonare la propria faccia a quella di un cane, forse per via delle gote lievemente rigonfie). Non riesco a ricordare lo sguardo dell'Imperatore, famoso per intensità, né quello dello zio, che pure mi riservava dolcezze materne. Il Tempo li ha fatti eguali.

Invano abbiamo atteso che qualche reduce ci raccontasse di aver visto il nostro congiunto vagare nei fumi della battaglia, magari per cercare quella morte che non aveva saputo darsi nella biblioteca della Villa dei Mulini. Ci eravamo preparati a saperlo sfigurato da una cannonata, fulminato da una pallottola vagante, trafitto dalle sciabole prussiane, travolto dai carriaggi in fuga. Mio padre diceva che goffo com'era lo zio sarebbe stato il primo a cadere, in una battaglia. Io invece me lo immagino seduto su un masso, che riempie di note i suoi calepini.

Per qualche tempo ho sperato che si fosse fermato sulle rive del Lago Lemano, che fosse riuscito a farsi ricevere dalla celebre Madame de Staël, per la quale aveva una certa ammirazione. Gli piacevano le donne di forte carattere e alto ingegno, dotate di quel coraggio che si è soliti attribuire ai maschi. Quando poi è arrivato da Livorno il *Manoscritto di Sant'Elena*, comparso anonimo a Londra, mi sono convinto che l'autore di quel «falso» raffinato fosse proprio lo zio, il quale si era talmente appassionato all'oggetto delle sue ricerche da identificarsi con il Grande. Dicono che questo accade frequentemente ai biografi e agli storici in genere. Ricordo in effetti che lo zio si nascondeva dietro il busto di marmo in giardino e di là mi chiamava contraffacendo la voce dell'Imperatore, imitando l'accento dei Corsi: «Capitano Acquabona! A rapporto!»

Ho acquistato anch'io, come tanti, il *Memoriale di Sant'Elena* redatto dal barone di Las Cases e pubblicato nel 1821. Come tanti, ne ho fatto la mia lettura preferita. Chissà se lo zio Martino ha fatto in tempo a leggerlo.

Avrebbe certamente apprezzato la frase in cui Napoleone confessa che senza la sventura sarebbe rimasto un enigma a se stesso e agli altri.

Forse lo zio avrebbe potuto dire altrettanto. I dieci mesi trascorsi con l'Orco lo rivelarono pienamente a se stesso. Per questo dovrebbero vivere gli uomini: per imparare a leggersi nella sventura.

Quello che mi sento di affermare è che nelle pagine dei memorialisti di Sant'Elena il Vinto acquista una grandezza stoica. Riesce a farci dimenticare vent'anni di dolori e di delitti, attira la nostra attenzione sulla grandiosità delle proprie concezioni. Continua a recitare, come avrebbe detto lo zio? Forse. Ma la sua ultima recita ha commosso milioni di uomini.

Leggendo i memorialisti ritrovavo il tono di una voce familiare. Non so se era la sua propria, o quella che lo zio gli aveva prestato nei quaderni (non posso giurare che lo zio abbia scritto soltanto quello che aveva visto e sentito). So per certo che attraverso le pagine del *Memoriale*, tante volte sfogliate, ho finito per amare piú compiutamente lo zio, e lo sforzo che aveva fatto per avvicinarsi all'anima segreta dell'Imperatore.

Non riuscendo ad avere notizie dello zio, ho raccolto diligentemente quelle sugli amici fedeli che seguirono il loro Imperatore fino al compiersi del suo destino. Non oso pensare quali dolori abbiano tormentato per sei anni il generale Bertrand e la signora Fanny. Essi ebbero per solo conforto il senso del dovere e dell'onore, e la vicinanza dei cari figli (fecero in tempo a generarne un altro sull'isola maledetta, al cui confronto l'Elba petrosa è il paradiso d'ogni delizia).

Servirono eroicamente anche gli uomini della *Maison*. Il signor Marchand divenne l'esecutore testamentario dell'Imperatore e venne nominato conte sul letto di morte, cosa che alcuni malevoli non gli hanno perdonato. Alí, ossia il caro Stefano Saint-Denis, con cui amavo discorrere di ca-

valli, ascese al ruolo di bibliotecario; con il signor Marchand
ebbe larga parte nel raccogliere i pensieri dell'Imperatore.
A Cipriani, l'uomo invisibile, il messaggero notturno, toccò
invece di soccombere per malattia. Finí inghiottito precocemente dall'ombra, che era il suo vero elemento.

Nell'elenco dei fidi metto anche il colonnello Campbell, su cui tanto si discusse. Molti dissero e scrissero che
gli Inglesi avevano favorito la fuga dell'Imperatore, per
calcoli complicati che non so ricostruire. Il colonnello si
fermò dodici giorni a Firenze, proprio nel momento in cui
le voci della prossima partenza del Sorvegliato erano molto insistenti. La sua negligenza è stata molto biasimata,
ma il governo inglese l'ha difeso dicendo che non poteva
far di meglio, e che in ogni caso non avrebbe avuto il diritto di fermare Napoleone, titolare di uno Stato piccolo
ma sovrano, dunque libero di andare dove voleva. Il colonnello è poi tornato nell'esercito, ha combattuto a Waterloo; nel 1825 è stato nominato governatore di Sierra
Leone, dove morí due anni dopo di febbri malariche. Temo che la residenza africana sia stata assai poco soddisfa-
cente dal punto di vista mondano e amoroso.

Il generale Drouot seguí fedelmente il suo padrone, seb-
bene fosse contrario all'azzardo della partenza. A Waterloo si distinse ancora una volta per la perizia con cui diresse l'artiglieria. Pare che sul campo di battaglia le ultime parole dell'Imperatore siano state per lui. Mandò a
chiedere dove fosse, ancora sperava – quando già erano
sopraggiunti i trentamila di Blücher a decidere lo scontro
– nella sagacia del figlio del fornaio. Processato per alto
tradimento, il generale sopportò otto mesi di carcere, si
difese con sereno coraggio, fu assolto. Il Re in persona volle riceverlo e chiese i suoi servigi. Il saggio rispose che non
poteva accettare cariche e onori quando il suo benefatto-
re giaceva in schiavitú. Da allora vive ritirato nella sua
Nancy, circondato dalla stima dei suoi concittadini, e sopporta con fermezza una fastidiosa podagra. Vorrei testi-

moniare che gli Elbani ricordano con i sentimenti del piú vivo affetto quell'uomo pio e giusto, che leggeva i Vangeli nella pause delle battaglie, ed ebbe il solo torto di non sposare la virtuosa signorina Vantini. La nostra cara Enrichetta ha poi maritato un distinto ufficiale francese, e con lui ha trovato la felicità a Parigi, come puntualmente ci scrive ogni Natale.

Il valoroso Cambronne, primo ad entrare in Parigi con le avanguardie della colonna imperiale, diresse alla Haie-Sainte l'ultimo quadrato della Grande Armée contro le cariche della cavalleria inglese.

Prigioniero in Inghilterra, è tornato in Francia, dove anch'egli è stato processato e assolto. Dopo aver sposato una dama inglese, è rientrato nell'esercito prendendo il comando della XVI Divisione di stanza a Lilla. Dal 1823 vive in pensione a Nantes. Divenne famoso per le rudi parole gettate sul volto degli Inglesi che chiedevano la sua resa: parole che egli ha negato d'aver pronunciato. È materia di meditazione che un uomo che ha speso la sua vita in gesta eroiche debba la sua fama ad un'esclamazione sconveniente: da questo fatto lo zio Martino avrebbe cavato una pagina delle sue. Si comportò da prode anche il colonnello Jermanowski, che riuscí a salvare la pelle nel disastro. Il solerte capitano Mallet, il comandante delle Guardie, quello che voleva trattenere all'Elba la presunta Maria Luisa, fu invece tra i primi caduti di Waterloo; nessuno lo ha pianto, per via della sua avarizia e rigidezza.

Il signor Peyrusse, nominato barone dell'Impero, tesoriere generale della Corona e ufficiale della Legion d'Onore, è oggi sindaco di Carcassonne, e immagino dispieghi anche in quella carica l'abituale buonumore che lo zio Martino gli attribuisce. Traversie assai piú gravi conobbe il signor Pons. Inviato dall'Imperatore in missione presso il generale Masséna, che s'era rivoltato contro di lui, fu imprigionato nel castello d'If. Liberato e nominato prefetto di Lione, dopo la sconfitta cercò di tornare all'Elba, suscitando le preoccupazioni del governo toscano, che lo obbligò a soggiornare a Pisa. Chiese invano di seguire l'Imperatore a Sant'Elena. So che è stato nominato prefetto del Giura, e destituito poco dopo. Il signor Pons è un combattente, e la fiducia che egli ripone in se stesso lo porterà di sicuro ad occupare nuovamente una posizione adeguata alle sue innegabili capacità.

Sono riuscito ad avere notizie anche di Madame Bellino, l'ardente signora spagnola che ballava il fandango e mio padre aveva corteggiato invano, ricavandone soltanto una sfida a duello dal marito polacco. Nel maggio 1815 anch'essa chiese invano il permesso di seguire l'Imperatore a Sant'Elena. Si recò allora nelle Americhe, a Lima, dove fondò un pensionato per giovinette, pare con molta fortuna.

Madame Walewska è deceduta prematuramente nel dicembre 1817, appena trentenne. Un anno prima aveva sposato a Bruxelles un parente dell'Imperatore, il generale conte d'Ornano. Secondo quanto raccontano i memorialisti di Sant'Elena, fu il governatore inglese, il detestabile Sir Hudson Lowe, a prendersi il maligno piacere di annunciare la notizia del matrimonio all'Imperatore.

Madame Mère, espulsa dalla Francia dopo Waterloo, si è rifugiata a Roma, e ha ottenuto protezione dal Papa, cioè da colui che il Figlio aveva perseguitato. Là vive indomita, lottando contro la cecità e una zoppía conseguente a una brutta caduta. Quanto a Paolina, a tutti infedele tranne che all'Augusto Fratello, cercò rifugio prima a Lucca, poi a Napoli; si riconciliò infine con il marito principe Borghese, andando a vivere con lui a Firenze, dove si spense nel 1825, a quarantacinque anni, disponendo che appena spirata le si velasse il viso. Chissà se anche lei, come Madame Bertrand, avrà finito per rimpiangere le povere feste dell'Elba, in cui brillarono gli ultimi fuochi dei suoi incantamenti.

Di Maria Luisa, granduchessa di Parma, che non volle seguire il consorte nell'esilio, e anzi lo tradí con un ciambellano, nulla dirò. Per lei basterà il mio silenzio.

Interrompo questo elenco di vite spezzate e destini amari perché mi sta contagiando d'una insopportabile tristezza. Vorrei invece disporre di una penna piú acuminata per descrivere quello che avvenne all'Elba dopo i tumultuosi avvenimenti della partenza.

Il dottor Cristino Lapi, promosso Governatore, diede prova di fermezza respingendo sdegnosamente le pretese del generale Bruslart, che gli intimava di consegnare l'isola, e quelle piú insinuanti del Murat, che allo stesso scopo aveva mandato una fregata napoletana con trecento uomini.

Grande fu l'entusiasmo – non solo all'Elba – quando si seppe che l'Imperatore era arrivato a Parigi il 20 marzo. Ricordo a memoria le parole con cui Lapi annunciava il ritorno del «Duce immortale» sul trono della Gloria, e chiamava «fortunati» gli Elbani che avevano avuto «nel loro seno l'uomo raro, il genio sublime del secolo»: nel giro di poche lune, le api ingegnose avevano distrutto gli «aborriti Gigli de' Borboni». Anche il Vicario Arrighi mise per iscritto il suo giubilo.

Vincenzo Foresi, che aveva prestato all'Imperatore una ingente somma, andò a Parigi per rallegrarsi con lui. Ne ebbe parole d'amicizia e gratitudine, non i seicento scudi. Tornato a casa, si ripagò con i racconti che fece a tutti, trasformando le Tuileries e l'accoglienza dell'Imperatore nella piú sontuosa delle fiabe. Per le generosità del signor Vincenzo, noi Elbani siamo fieri d'essere rimasti in credito con l'Imperatore.

Quando la tragedia si compí, e ai primi di settembre Ferdinando tornò sul trono granducale, l'avvocato Balbiani e il Vicario Arrighi scrissero il proclama che ci si attendeva da loro. Balbiani invocò «un'amministrazione moderata e Paterna, degna del cuore benefico dell'ottimo PRINCIPE di cui ci facciamo gloria d'essere sudditi»; invitò a deporre ogni rimembranza disgustosa, perché la «dimenticanza del passato» era il piú costante dei desideri dell'Augusto Sovrano; e ricordò la fermezza con cui nel 1801 Portoferraio aveva sostenuto l'assedio dei Francesi per conservare il vessillo di Ferdinando.

Il Vicario Arrighi fece assai peggio, esaltando «il carattere dolce e pacifico dell'Altezza Sua Imperiale e Reale; la saviezza della sua Legislazione liberale, lo spirito di giustizia che dirige i movimenti del suo cuore paterno, virtú ereditate dal sapientissimo Augusto Genitore». Egli invitò tutti i Signori Parroci a cantare un solenne *Te Deum* in ringraziamento all'Altissimo per domenica 17 settembre 1815.

Da allora abbiamo perseverato «nell'obbedienza alle Leggi, nella sommissione ai Magistrati e nell'amore al Sovrano», come ci era stato richiesto.

Siamo tornati ad essere i sudditi insignificanti del dolce e pacifico Ferdinando.

Avevo da poco terminato la lettura dei quaderni dello zio quando, a raddoppiare i miei turbamenti, una nave napoletana ha sbarcato a Porto Longone Olivia, scortata da una governante piccola, imperiosa e contorta come un ulivo. Mia cugina Olivia, per la precisione.

Essa è del tutto simile alla madre baronessa, e di noi Acquabona non sembra possedere tratto alcuno. Questo avrebbe fatto piacere allo zio, che diceva di detestare le proprie fattezze.

Anche Olivia affida il suo imperio alla luce degli occhi e alla perfezione della bocca. Anch'essa ha mani forti, che muove assai poco, come se dovesse governare armi pericolose, sul cui uso è opportuno vigilare. È incapace di stare ferma, e il solo trattenersi a tavola per il desinare costituisce per lei motivo di inquietudine. Dall'impeto che ha messo nello sbarcare sull'isola ho immediatamente inteso che con altrettanta energia l'avrebbe abbandonata.

Di sé e della famiglia ha dato poche notizie essenziali. Morto il marito, la Baronessa aveva seguito a Londra un diplomatico inglese, ma la figlia non aveva voluto abbandonare la casa paterna; per sua fortuna con la maggiore età si ritrovava dotata di fortune sufficienti al suo decoro. L'amministratore rubava, come tutti, ma in misura ancora tollerabile. Quanto al padre naturale, lontano e misterioso, lei aveva capito da tempo. Le bastava soltanto un nome. Riuscita ad averlo, s'era decisa a partire.

Ho cercato di rispondere del mio meglio alle domande che Olivia mi poneva in tono pressante. Spesso non trovavo risposte, sia per ignoranza dei fatti, sia perché mi sembrava che qualsiasi risposta finisse per allontanarla dalla verità, piuttosto che avvicinarla ad essa. Ma quale verità, poi? Il ritratto di Martino Acquabona che io potevo farle è molto diverso da quello che avrebbero potuto tracciare mio padre o la zia Diamantina, o la vecchia serva Elide, che era quella che piú amava lo zio; o l'abate Lorenzi sulle colline di Poggio.

Olivia esigeva – imponeva, battendo il piccolo piede – che le facessi dono non di impressioni generiche, ma di fatti veri, meglio se fatterelli: le abitudini, le piccole manie, le preferenze: come vestiva, che cosa mangiava, che tipo di amici frequentava, che bastone usava per passeggiare, e quali cavalli, quali cani aveva. Anche allora rispondevo con difficoltà, perché quei dettagli mi parevano fuorvianti, e non capivo che cosa lei ne avrebbe potuto cavare. Ma evidentemente sbagliavo, perché a un certo punto ha smesso di interrogarmi. Abbandonata alla stessa poltrona che aveva accolto sua madre tanti anni prima, mi guardava con indulgente severità:

– Vui site 'nu poco reticente. Vui non vulite capi' che di lontano si vede meglio che davvicino.

Allora sono andato all'armadio dove lo zio teneva i suoi libri piú cari, ho preso i quaderni legati con un nastro, e glieli ho messi in grembo:

– Sta tutto qui, – ho detto, – anche piú di quello che occorre sapere. Tutto quello che egli ha scritto, vissuto e

pensato, chiedeva un solo lettore. Era per voi, Olivia. Sono contento che siate venuta fin qui.

Olivia ha letto per tre giorni filati; il quarto giorno è
ripartita da Longone. L'ho accompagnata sino alla spiaggia, e l'ho aiutata a salire in barca. Prima di spiccare il sal-
to – aveva già raccolto la gonna, la teneva come un maz-
zo di fiori – si è chinata rapidamente su di me, e mi ha cercato l'angolo delle labbra con un bacio leggero.
Era una di quelle giornate d'aria cristallina e luce te-
nera che lo zio amava definire la prova dell'esistenza di
Dio. Quando i marinai napoletani hanno affondato i remi
in acqua ho pensato distintamente che la mia giovinezza
era finita.
Olivia si era seduta a poppa, e guardava la nave che l'attendeva, larga e pasciuta. La barca si staccava da riva, la
voga prendeva slancio.
Senza voltarsi indietro, Olivia ha sciolto i nastri del
cappello e lo ha lanciato in mare con un ampio movimento del braccio. Mi sono tolto marsina e stivali, sono entrato in acqua, e in poche bracciate ho ricuperato il cappello. Mentre nuotavo felice con la mia preda mi è venuta in mente una frase dello zio: «Penso con sgomento che
le isole non hanno altro domani che la partenza».

Portoferraio, settembre 1830.

MER MÉD

CARTE
DE L'ILE D'ELBE

Dressée par J.B. Poirson, Ingénieur Géog.ʳ
Pour servir au Voyage
de M.ʳ ARSENNE THIÉBAUT.

Grav.ᵉ par Tardieu l'ainé, rue de Sorbonne, n.° 10.

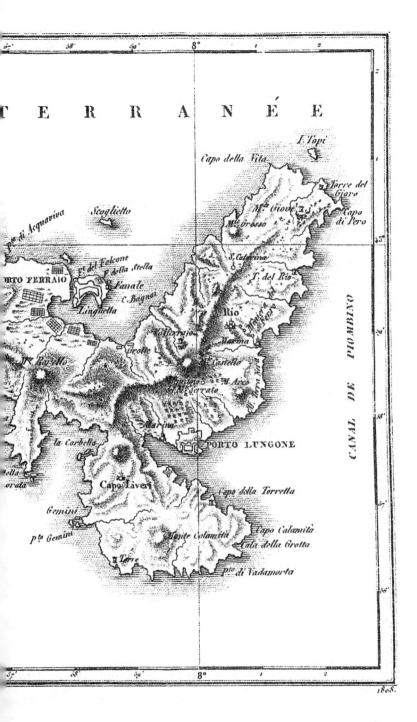

MÉDITERRANÉE

I. Topi
Capo della Vita
Torre del Giaro
Capo di Pero
M.te Giove
M.te Grosso
Scoglietto
Capo di Acquaviva
S. Caterina
T. del Rio
F. del Falcone
della Stella
PORTO FERRAIO
Fanale
C. Bagno
Rio
Linguella
Marciano
M.te Bagno
Grotte
M. Castello
M. Arco
di M. Serato
la Corbella
Marina
PORTO LUNGONE
Capo Liveri
Capo della Torretta
Gemini
Monte Calamita
Capo Calamità
P.ta Gemini
Cala della Grotta
Torre
P.to di Vadamorta

CANAL DE PIOMBINO

1808.

*Indice*

*Stampato per conto della Casa editrice Einaudi
presso Milanostampa s.p.a., Farigliano (Cuneo)*

C.L. 15548

| Ristampa | | | | | | Anno | | | |
|---|---|---|---|---|---|---|---|---|---|
| 1 | 2 | 3 | 4 | 5 | 6 | 2000 | 2001 | 2002 | 2003 |